Anglais,
nos ennemis
de toujours !

Direction de la publication : **Carine Girac-Marinier**

Direction éditoriale : **Christine Dauphant**

Édition : **Karla Opelik**

Direction artistique : **Cynthia Savage**

Mise en page : **Laurence Henry**

Dessins : **Alain Boyer**
(Dessin p. 308 : **d'après les dessins de Jacques Rouxel**)

Fabrication : **Marie-Laure Vaillé**

Les Éditions Larousse utilisent des papiers composés de fibres naturelles, renouvelables, recyclables et fabriquées à partir de bois issus de forêts qui adoptent un système d'aménagement durable. En outre, les Éditions Larousse attendent de leurs fournisseurs de papier qu'ils s'inscrivent dans une démarche de certification environnementale reconnue.

ISBN : 978-2-03-588979-9

Anglais, nos ennemis de toujours !

Catherine Monroy
avec Hélène van Weel

LAROUSSE

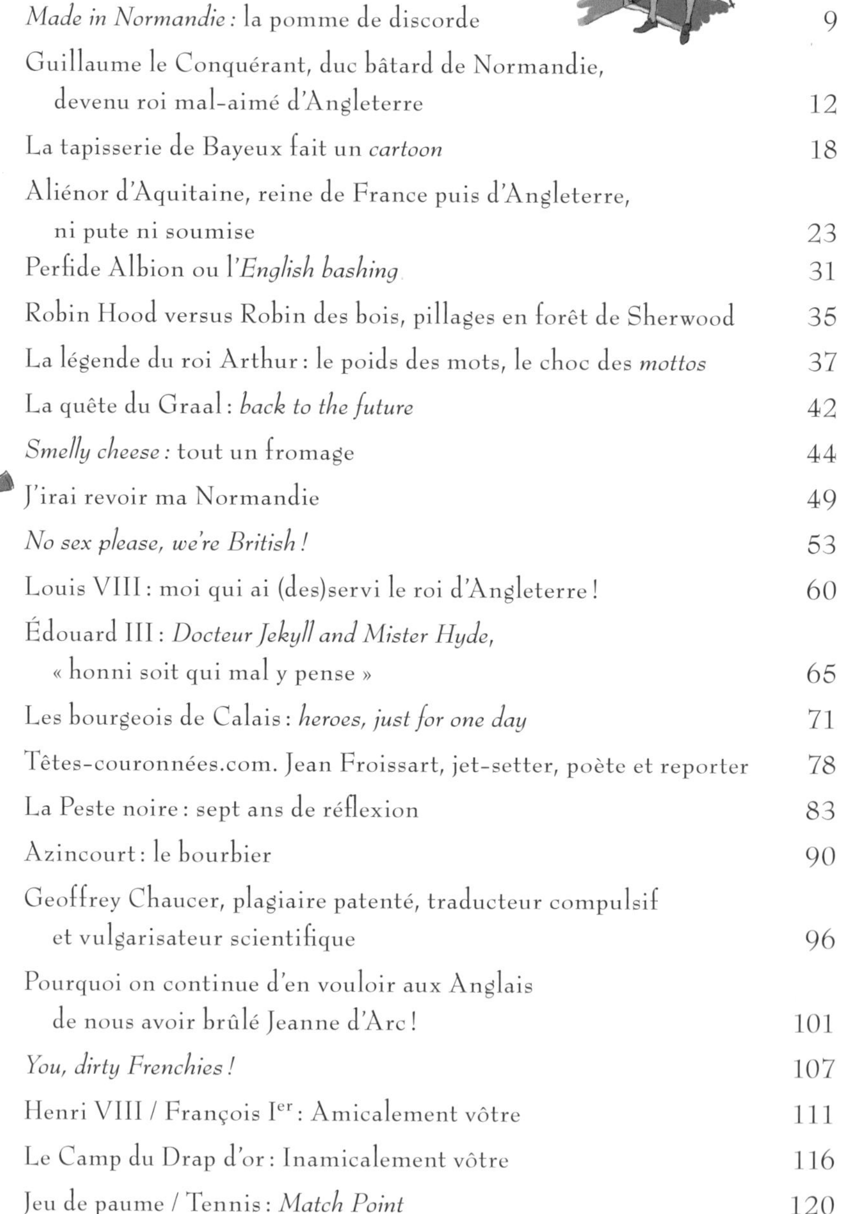

SOMMAIRE

Made in Normandie : la pomme de discorde 9

Guillaume le Conquérant, duc bâtard de Normandie, devenu roi mal-aimé d'Angleterre 12

La tapisserie de Bayeux fait un *cartoon* 18

Aliénor d'Aquitaine, reine de France puis d'Angleterre, ni pute ni soumise 23

Perfide Albion ou l'*English bashing* 31

Robin Hood versus Robin des bois, pillages en forêt de Sherwood 35

La légende du roi Arthur : le poids des mots, le choc des *mottos* 37

La quête du Graal : *back to the future* 42

Smelly cheese : tout un fromage 44

J'irai revoir ma Normandie 49

No sex please, we're British ! 53

Louis VIII : moi qui ai (des)servi le roi d'Angleterre ! 60

Édouard III : *Docteur Jekyll and Mister Hyde,* « honni soit qui mal y pense » 65

Les bourgeois de Calais : *heroes, just for one day* 71

Têtes-couronnées.com. Jean Froissart, jet-setter, poète et reporter 78

La Peste noire : sept ans de réflexion 83

Azincourt : le bourbier 90

Geoffrey Chaucer, plagiaire patenté, traducteur compulsif et vulgarisateur scientifique 96

Pourquoi on continue d'en vouloir aux Anglais de nous avoir brûlé Jeanne d'Arc ! 101

You, dirty Frenchies ! 107

Henri VIII / François Ier : Amicalement vôtre 111

Le Camp du Drap d'or : Inamicalement vôtre 116

Jeu de paume / Tennis : *Match Point* 120

Bloody Mary ! 125

La guerre des Miss : Élisabeth versus Marie 128

Les water-closets étaient fermés de l'intérieur :
Élisabeth Ire et la chasse d'eau 135

Shakespeare, William et Guillaume… 139

Catherine de Médicis et Élisabeth Ire d'Angleterre : *pussy power* 143

De Catherine de Médicis à Victoria :
parfum de peau contre pot-pourri 147

Mission foie gras : *never say never again !* 155

La République anglaise de Cromwell : *once bitten, twice shy* 158

Louis XIV / Charles II : les cousins 165

Révocation de l'édit de Nantes : premières délocalisations françaises 173

Cuisines et dépendances 179

Les charmes de l'Habeas Corpus,
ou la force du conservatisme anglais 186

Louis XV: *peace and love* et la guerre de Sept Ans,
premier conflit mondial 192

La première crise des *subprimes :* le système Law 196

Madame est servie : *do's and don'ts* à table 200

Révolution française : meurtre dans un jardin anglais… 204

Froggies versus Rosbifs 212

La guerre en chansons : *made in France* et merde au roi d'Angleterre ! 214

Trafalgar : mille millions de mille sabords ! 217

Bataille de rues : vous avez dit *Europe friendly ?* 223

Paradise Lost, Paradise Regained : destinations de rêve 226

Louis Napoléon III, détesté par les Français…
et donc aimé des Anglais ! 231

L'affaire de Fachoda : « au bord de la guerre
pour quelques arpents de sable » 238

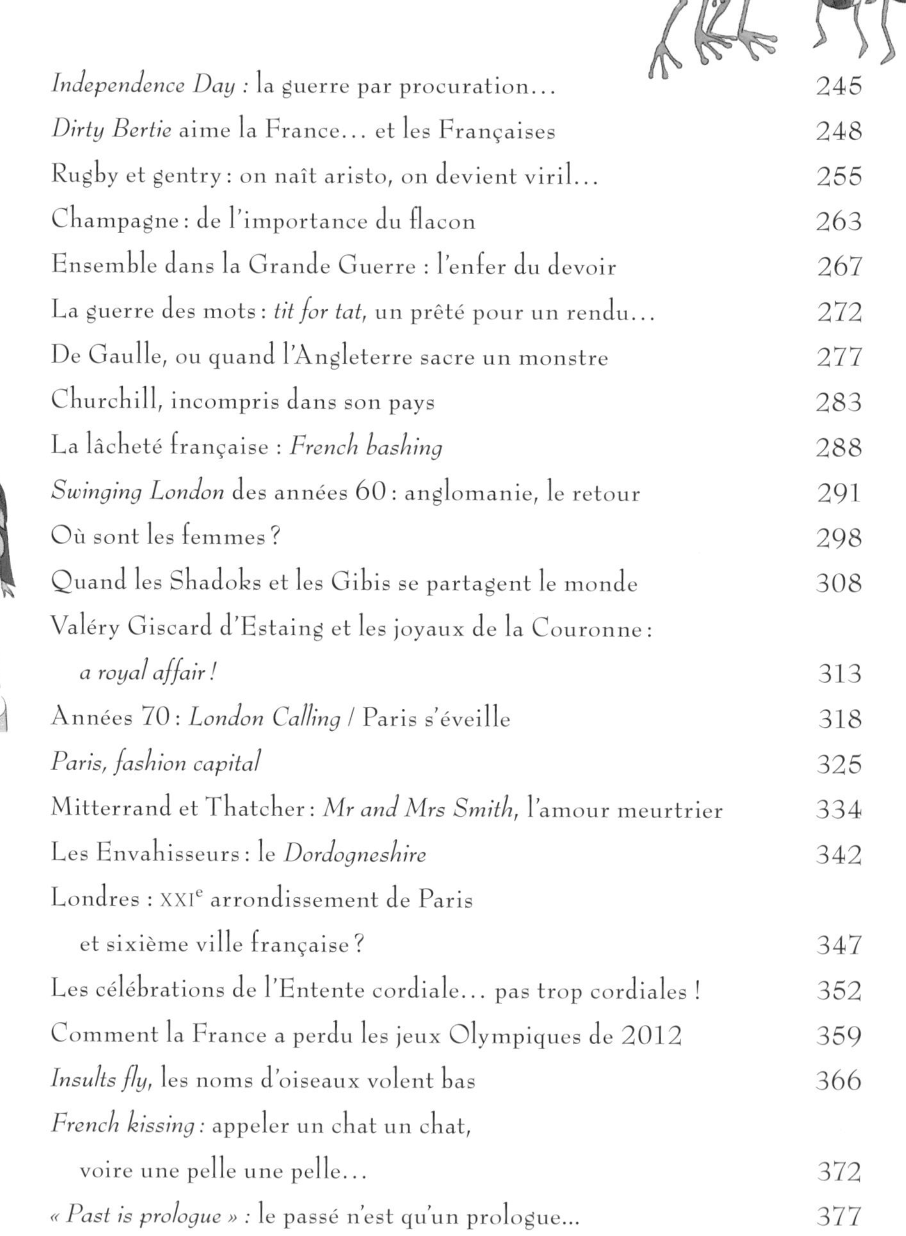

Independence Day : la guerre par procuration… 245
Dirty Bertie aime la France… et les Françaises 248
Rugby et gentry : on naît aristo, on devient viril… 255
Champagne : de l'importance du flacon 263
Ensemble dans la Grande Guerre : l'enfer du devoir 267
La guerre des mots : *tit for tat*, un prêté pour un rendu… 272
De Gaulle, ou quand l'Angleterre sacre un monstre 277
Churchill, incompris dans son pays 283
La lâcheté française : *French bashing* 288
Swinging London des années 60 : anglomanie, le retour 291
Où sont les femmes ? 298
Quand les Shadoks et les Gibis se partagent le monde 308
Valéry Giscard d'Estaing et les joyaux de la Couronne : *a royal affair !* 313
Années 70 : *London Calling* / Paris s'éveille 318
Paris, fashion capital 325
Mitterrand et Thatcher : *Mr and Mrs Smith*, l'amour meurtrier 334
Les Envahisseurs : le *Dordogneshire* 342
Londres : XXIe arrondissement de Paris et sixième ville française ? 347
Les célébrations de l'Entente cordiale… pas trop cordiales ! 352
Comment la France a perdu les jeux Olympiques de 2012 359
Insults fly, les noms d'oiseaux volent bas 366
French kissing : appeler un chat un chat, voire une pelle une pelle… 372
« Past is prologue » : le passé n'est qu'un prologue… 377

AVANT-PROPOS

La *love affair* qui nous lie à nos voisins britanniques, c'est un peu comme la chanson de Serge Gainsbourg, *Je t'aime… moi non plus*. Une liaison tumultueuse et ambivalente de neuf cents ans, qui n'a rien à envier au monde impitoyable de la série *Dallas*.
De la déculottée d'Hastings en 1066, dont les Anglais ne se sont toujours pas remis, jusqu'à l'humiliation de l'attribution des jeux Olympiques à Londres en 2005, qui laisse encore un goût de cendre à Paris… nous, les *Froggies*, et eux, les Rosbifs, on se déteste cordialement !

Une histoire commune avec nos *sweet enemies*, que nous avons choisi de vous conter par le petit bout de la lorgnette. Parce que « le diable est dans les détails » disent les Français et parce que « *God lies in the detail* », renchérissent les Anglais, au moins d'accord entre eux sur ce point !
Les sujets que nous abordons sont souvent sérieux, très sérieux, ou parfois purement anecdotiques, mais toujours extrêmement fouillés et documentés. Sauf erreur de notre part, tout est vrai…

La contrepartie de cette exigence a été pour nous de ne rien nous interdire : d'écrire comme nous parlons et pensons dans les deux langues, mais en franglais aussi. De faire les plus mauvais jeux de mots possibles, avec des références anachroniques et extraterritoriales, et, nous l'espérons, drôles.
Bref, un petit manuel impertinent, pour aller au-delà des clichés et vous faire partager notre passion pour la culture anglaise.
Et, qui sait, nous réconcilier enfin avec nos *best enemies* ?

Catherine Monroy et Hélène van Weel

Made in Normandie : la pomme de discorde

Comme David Vincent[1], Guillaume le Conquérant les a vus. Ces êtres étranges venus d'une autre planète. Leur destination : la Normandie. Leur dessein : en faire leur univers. Les « Envahisseurs » sont reconnaissables à leur auriculaire en l'air, à l'heure du *tea time*, entre Dieppe et Avranches. Signe particulier : une fâcheuse habitude à franchir la Manche en vaisseau spécial, pour un oui ou pour un non.

REVENGE IS A DISH BEST SERVED COLD

La première rencontre du troisième type a lieu quand, après avoir emprunté l'estuaire de la Dive le 28 septembre 1066 et longé la côte fleurie, le duc de Normandie gagne les côtes de l'Angleterre. Ayant infligé une terrible défaite aux Anglais lors de la bataille d'Hastings en 1066, Guillaume prend un raccourci qui le mène au trône d'Angleterre. Un affront indélébile, que les aliens saxons, verts de colère, vont laver dans le sang des siècles durant.

1. Héros de la série américaine des années 1960 *les Envahisseurs*.

« Nous lutterons sur les plages, nous lutterons sur les terrains de débarquement, nous lutterons dans les champs et les rues. – Hors micro : Et nous les frapperons à la tête avec des bouteilles à bière, car c'est là tout ce que nous possédons vraiment. »

Churchill, discours du 4 juin 1940

Revenge is a dish best served cold[2]. Longtemps les perfides Albionais vont envahir notre belle Normandie, avant-poste stratégique sur le continent. Les « vaches rousses, blanches et noires de Normandie », chantées par Stone et Charden, en verront défiler des cavaliers et des archers, prêts à en découdre et à nous décocher les flèches acérées du royaume d'Angleterre… Hormis le Mont-Saint-Michel, irréductible village gaulois qui résistera à l'ennemi, la région va subir presque tous les outrages de l'Histoire. Bayeux, dévastée par Henri Ier d'Angleterre en 1106 ! Montebourg, Valognes, Carentan, Rouen, mises à sac au XIVe siècle par le terrible Édouard III ! Ou encore Dieppe et Le Havre, bombardées par la flotte de *Queen* Marie II d'Angleterre en 1694 ! Il n'est pas de villes et de hameaux normands que les Anglois n'aient investis, pillés ou incendiés.

TOUT UN FROMAGE… AU LAIT CRU

À côté, l'épineuse question de l'Alsace-Lorraine passerait presque pour un léger différend territorial. La Normandie, il y a effectivement de quoi en faire un fromage… au lait cru, *if you please*. Près d'un millénaire de conflits fielleux, tantôt armés, tantôt larvés, va opposer les deux pays, gorgés de rancœurs.

2. La vengeance est un plat qui se mange froid.

C'est dans notre « Normandie, glorieuse et mutilée »[3], au fil de ces hostilités quasi ininterrompues entre puissances féodales, que germera peu à peu le sentiment national.

> **TRAINSPOTTING**
>
> Il faudra attendre l'Entente cordiale de 1904 pour que les bovines normandes puissent s'adonner en toute sérénité au *trainspotting*, cet art ruminant qui consiste à regarder les trains défiler.

LIFE IS NOT A BITCH/ LIFE IS A BEACH[4]

C'est également en Normandie, notamment à *Gold Beach* et *Sword Beach*, que, le 6 juin 1944, les Britanniques, alliés aux Américains et aux Canadiens, débarquent sur les plages françaises, volant au secours de leurs ennemis d'antan. Pas moins de cinquante-cinq mille sujets de Sa Gracieuse Majesté se jettent à l'eau, tandis que huit mille autres sautent en parachute sur Ranville… Pas rancuniers, ils seront même les premiers alliés à prendre des positions défensives sur l'Orne et à faire sauter les ponts de la Dive.

D'aucuns – ironie de l'Histoire – verront dans ce généreux sauvetage du pays d'Auge une nouvelle invasion de la Normandie *under cover*. Une sorte de pied de nez vengeur à l'humiliation nationale infligée aux Anglais à Hastings en 1066.

3. Discours de Bayeux, prononcé par Charles de Gaulle en 1946.
4. L'expression anglaise est *life is a bitch*, la vie est une chienne… Ici, la vie est une plage.

Guillaume le Conquérant, duc bâtard de Normandie, devenu roi mal-aimé d'Angleterre

Pour les « ex-fans des *sixties* », il y a bien sûr 62, l'année nostalgique de Claude François, mais aussi 69, l'année érotique de Serge Gainsbourg. Entre les deux, 66, l'année traumatique. Plus précisément « 1066 », date de la défaite d'Hastings gravée à jamais dans la mémoire collective britannique. À l'origine de cette blessure indélébile, un homme. *The name is :* Guillaume le Conquérant, devenu roi d'Angleterre.

DISCRIMINATION NÉGATIVE

Le jeune duc de Normandie, pressenti par son cousin le roi anglais Édouard le Confesseur pour lui succéder, présente un bon CV pour le job : il a su mettre au pas les rebelles normands et angevins, puis conquérir le plat pays en

épousant Mathilde de Flandres. Cependant, lorsqu'en 1066 Édouard meurt, l'héritier désigné se fait doubler par le beau-frère du défunt. Le comte Harold Godwinson de Wessex a profité de l'éloignement de Guillaume pour se faire couronner illico presto. Avec le soutien – *Almighty God!* – de l'aristocratie locale, réticente à l'idée de laisser l'argenterie de famille aux mains d'un « estranger ». Car c'est là que le bât blesse. Guillaume a beau être le cousin germain d'Édouard et le parent par alliance d'Harold, on ne mélange pas les torchons et les serviettes.

The wogs begin at Calais[1] (on est nègre à partir de Calais), assène la maxime xénophobe apparue en Angleterre au cours de la Première Guerre mondiale : tous ceux qui viennent du sud – c'est-à-dire de cette partie du monde qui court de la pointe de la Normandie jusqu'à l'Antarctique – accumulent tares et défauts.

THE APPLE DOES NOT FALL VERY FAR FROM THE TREE[2]

Guillaume, né vers 1027 à Falaise près de Caen, n'est pas un *native*[3]. Pire, il est le fruit d'amours illégitimes peu « glamour ». Son père, le duc de Normandie Robert le Magnifique, a séduit Arlette, une fille du peuple, alors qu'elle faisait sa lessive. Les origines honteuses de « Guillaume le Bâtard », rappellent fielleusement les manuels scolaires britanniques de l'entre-deux-guerres, expliquent son besoin de reconnaissance quasi pathologique. Quant à son goût immodéré pour la violence, il relève d'un lourd atavisme.

1. Expression que l'on peut aussi traduire en français par : « L'Afrique commence aux Pyrénées ».
2. Les chiens ne font pas des chats.
3. Autochtone.

BORN TO BE WILD

Bad temper, bad blood[4], dit le bon sens populaire. Dans les veines de Guillaume coule le sang de Rollon, ce Viking à la cruauté légendaire, ainsi que celui d'un grand-père tanneur, dont il se montre le digne héritier. Alors qu'il mate Alençon en pleine rébellion, le jeune Guillaume ne demande-t-il pas à ses hommes de « donner aux tanneurs de quoi travailler », tout en arrachant les yeux des prisonniers de ses propres mains ? Dès qu'il est contrarié, c'est pavlovien : comme ses ancêtres, il s'offre une petite razzia. Une fois devenu roi, il ne perd pas ses bonnes habitudes. Pour punir les habitants du nord de l'Angleterre rétifs à s'acquitter de nouvelles taxes, il recourt aux viols de masse et aux pillages systématiques.

DIE HARD

Guillaume n'est pas un enfant de chœur. Il est élevé pour devenir un chef de guerre, comme son père. Orphelin à huit ans, le jeune duc voit ses protecteurs assassinés les uns après les autres. Lui-même échappe de peu à la mort à plusieurs reprises. Guillaume a le cuir épais. Dans son allure, de la sauvagerie. Dans les combats, une voix de stentor qui galvanise ses troupes et frappe de stupeur ses ennemis. Tous lui reconnaissent une farouche volonté de vaincre. Celle-là même qui permet à ce *diehard*[5], lors de la bataille d'Hastings, de se relever alors qu'il est à terre pour lancer ses cavaliers dans un ultime assaut victorieux contre les fantassins d'Harold.

Guillaume n'est pourtant pas qu'une brute épaisse. N'en déplaise aux Anglais, il est aussi fin stratège. Ainsi, lorsqu'Harold se fait

4. Mauvais sang, mauvaise humeur.
5. Dur à cuire.

couronner roi d'Angleterre et revient sur le serment de fidélité qu'il a prononcé quelques années plus tôt, Guillaume balance son petit camarade au pape. L'acte de parjure, grave péché, vaut au *bad boy* anglais d'être excommunié ; sa dénonciation au *good guy* normand d'être récompensé. Il obtient ainsi le droit de porter l'étendard pontifical, ce qui lui permet de recruter plus facilement ses troupes. Son plan d'invasion de l'Angleterre est minutieusement élaboré : six à huit mois pour construire des bateaux. Tel Brice de Nice, « Guillaume de Falaise » attend la bonne vague et les vents favorables. Il débarque par mauvais temps sur la côte sud de l'Angleterre, tandis qu'Harold, occupé à guerroyer contre le roi de Norvège, se trouve au nord de l'île. Le duc de Normandie parvient à surprendre son rival et ses troupes déjà fatiguées, pour mieux l'expédier en enfer le 14 octobre 1066.

> « On tue un homme, on est un assassin. On tue des millions d'hommes, on est un conquérant. On les tue tous, on est un dieu. »
>
> Edmond Rostand, *Pensées d'un biologiste*

COMMENT LE *MUTTON* A REMPLACÉ LE *SHEEP* À TABLE

Quelques semaines plus tard, le jour de la Noël, le duc Guillaume de Normandie savoure sa victoire. Il est enfin couronné roi d'Angleterre sous les acclamations coutumières : *« yea, yea »* ! Pourtant, le cœur de ses nouveaux sujets, rassemblés à l'abbaye de Westminster, n'y est pas. Comment aimer leur nouveau souverain qui, du temps où il n'était que duc, a prêté serment d'allégeance au roi de France ? Comment lui pardonner d'être un barbare qui s'est imposé à eux par la force ?

> **« SALAUD DE PHALLOCRATE ! »**
>
> Au XVIIIe siècle, les féministes ont aussi fait entendre leur voix contre Guillaume : « *Go to hell, you male chauvinist pig !* » (« Va au diable, salaud de phallocrate ! »), peut-on lire en substance dans les pages de l'ouvrage *Laws respecting women* publié anonymement en 1777. Le modèle féodal normand, qui a organisé la transmission patrimoniale au profit des hommes, est accusé d'avoir fait régresser l'égalité des sexes.

L'ambiance, déjà exécrable, devient vite délétère lorsque Guillaume Ier place ses hommes de confiance aux postes stratégiques. Shérifs et clercs venus du continent imposent les lois qui prévalent dans le duché de Normandie et, ce faisant, jettent les bases d'un État féodal anglais. L'impôt royal est désormais levé partout, l'inventaire des sujets, des animaux et des bâtiments du royaume dressé dans le *Domesday Book* et un Échiquier, sorte d'institution financière, créé. Le mariage des prêtres, encore en pratique sur l'île, devient interdit.

Tous ces parachutés, grommelle la vieille aristocratie anglo-saxonne, sont de basse extraction. Incapables de parler l'anglais, ils ont fait de leur langue d'oïl natale la langue du pouvoir, la langue du droit. Pire peut-être encore, ils imposent les termes français jusqu'à table : on les utilise pour désigner les mets raffinés ; pour les animaux de l'étable, on conserve le terme anglais. Ainsi, le *mutton*[6] agrémente désormais les ragoûts tandis que les *sheep*[7] restent bien gardés en leur bergerie.

LE « *NORMAN YOKE* » OU LE JOUG NORMAND

Lentement mais sûrement, la nostalgie envahit les esprits et, avec elle, l'idée que l'Angleterre a cessé d'être elle-même le jour où elle est tombée sous le « joug normand » : depuis Guillaume Ier d'Angleterre, c'est toute la tradition anglo-saxonne qui a fichu

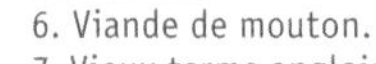

6. Viande de mouton.
7. Vieux terme anglais désignant un ovidé.

le camp… Un vent de contestation souffle sur tous les fronts à partir du XIIIe siècle. Les parlements successifs reprochent au pouvoir royal autoritaire de ne plus les consulter. C'est ensuite au tour des groupes protestants les plus radicaux, au XVIIe siècle, de s'en prendre à l'héritage du « papiste » Guillaume, responsable à leurs yeux d'avoir fait de l'Angleterre une « Babylone » fondée sur le modèle catholique romain.

La liste des griefs à l'encontre de Guillaume le Conquérant est si longue que les Britanniques en oublieraient presque que son règne marque aussi le début de la création du Royaume-Uni : *the Greater England*. C'est lui qui le premier parvient à étendre son pouvoir sur une partie du pays de Galles, jusque-là territoire impénétrable. C'est lui qui le premier réussit à arracher au souverain écossais un serment d'allégeance.

Nul besoin de vous faire une tapisserie de Bayeux, les « Angliches » méconnaissent l'impartialité quand il s'agit d'apprécier un continental et Guillaume le Conquérant demeure le roi que les Anglais adorent haïr. Comme dans la chanson de Claude François, il reste, outre-Manche, « le mal-aimé ».

La tapisserie de Bayeux fait un *cartoon*

By *Jove !* Bien avant *Blake and Mortimer* et la ligne claire, la tapisserie de Bayeux est la première bande dessinée connue au monde. La bataille d'Hastings, terrible raclée infligée aux Anglais par les Normands, y est contée avec force et détails. Pas moins de cinquante-huit scènes brodées de laine sur toile de lin sur près de… soixante-dix mètres de long !

LA PLUS VIEILLE BANDE DESSINÉE

Une œuvre monumentale tant par sa taille que par son incroyable modernité. Car toutes les bases du huitième art sont là : le souci de la cohérence narrative et graphique, la

technique du « débordement » – sorte de zoom réservé aux scènes importantes – comme celle de l'ellipse, tout aussi novatrice, qui permet de tendre le récit... *Amazing*[1] !
La tapisserie de Bayeux offre en outre un témoignage précieux de ce lointain XIe siècle. Les costumes, les armes, les villes, la fabrication des bateaux, la préparation au combat ou même des *BBQ parties*[2] y sont décrits avec précision. L'on y découvre les paysages, du Mont-Saint-Michel au château de Westminster, au gré des eaux du *Channel*. Une bande dessinée à la fois réaliste et nimbée de merveilleux avec la représentation du passage d'une comète dans le ciel d'avril 1066, la même que celle découverte au XVIIIe siècle par l'astronome britannique Edmond Halley.

X RATED

Le *cosmic trip*[3] vire parfois au *comic... strip*[4]. Quelques scènes égrillardes, discrètement glissées çà et là dans les bordures de la tapisserie, ajoutent un dernier zeste de « porno chic ». Ainsi, au moment où l'arrestation du roi anglais Harold est représentée dans la frise, on aperçoit un homme atteint de priapisme prêt à se jeter sur une femme tout aussi nue que lui... Des climax destinés à stimuler l'attention du lecteur ?

COUSU DE FIL BLANC

La tapisserie de Bayeux est confectionnée entre 1077 et 1082, tandis que la guerre fait rage dans une Angleterre où la vieille noblesse locale refuse de se soumettre à son nouveau roi Guillaume Ier. Voilà au moins un point sur lequel les historiens,

1. Stupéfiant !
2. BBQ = barbecue.
3. Voyage cosmique.
4. Bande dessinée.

de part et d'autre de la Manche, s'accordent. Pour le reste, les dissensions demeurent nombreuses.
Qui en est le commanditaire et qui l'a réalisée ? Longtemps, les petits écoliers français ont appris qu'elle était l'œuvre de la reine Mathilde. L'épouse de Guillaume l'aurait, façon Pénélope, brodée de ses blanches mains, dans l'attente du retour de son guerrier de mari. Au final, il semblerait que la *so called*[5] « tapisserie de la Reine Mathilde » soit en réalité une commande du demi-frère de Guillaume le Conquérant, Odon, l'archevêque de Bayeux, en vue de l'inauguration de sa cathédrale.
Mais la grande bataille qui aujourd'hui occupe les spécialistes vise à déterminer le lieu de sa confection. À Winchester ou peut-être à Cantorbery, assènent les Anglois ; tout aussi bien en France, corrigent les François.

L'ART TRÈS FRANÇAIS DE BRODER L'HISTOIRE

« L'Histoire, comme le note George Orwell, est écrite par les vainqueurs » et la tapisserie ne fait pas exception. Son récit fait la part belle au valeureux Guillaume le Conquérant. Exit, les doutes sur l'existence réelle du serment d'allégeance d'Harold à Guillaume pour la succession du trône d'Angleterre. L'usurpateur anglais s'est de toute évidence approprié traîtreusement une couronne qui ne lui était pas destinée. Guillaume est donc dans l'obligation morale d'aller réclamer son dû. Il rassemble ses hommes, ses chevaux de guerre, ses armes et ses victuailles dans des bateaux et, ni une ni deux, envahit l'Angleterre. Après avoir remporté la bataille d'Hastings, dans la foulée, il ceint la couronne d'Angleterre. Harold, dans la mêlée, meurt transpercé

5. Appelée ainsi.

d'une flèche normande fichée dans son œil droit. Juste punition pour celui qui a commis le crime de félonie.
Ignominy and shame !, s'étouffent les Anglais, pointant les omissions, les anachronismes, les approximations. *Without a doubt*[6], la saga héroïque de Guillaume, rare héros jusque-là à être parvenu à envahir leur île, tiendrait plus de l'invasion barbare que d'un combat à la loyale.
La tapisserie de Bayeux, cela tombe sous le sens, n'est pas un récit d'historien mais un instrument de propagande !

« PORNO SACRÉ »

Entre 1975 et 1976, *le Canard enchaîné* s'amusera à reproduire des scènes égrillardes de la tapisserie dans sa rubrique baptisée « porno sacré »… pour tourner en dérision la nouvelle loi française organisant le classement X.

Les conclusions du colloque, qui a réuni en 2005 à Cerisy-la-Salle des spécialistes de la tapisserie de Bayeux, semblent leur donner en partie raison. Avant d'être un ornement de cathédrale, la tapisserie – qui peut très facilement, en dépit de sa taille, être pliée et déployée – aurait été exposée de châteaux en châteaux pour inculquer le dogme légitimant le nouveau pouvoir en place.
Alors, info ou intox ? Probablement un peu des deux. La légende d'une Angleterre battue à domicile et à la loyale va traverser les siècles sans une ride.

COUSU MAIN

En 1803, alors que la perfide Albion vient de déclarer la guerre aux *Frenchies*, Napoléon Ier estime opportun de faire amener la tapisserie de Bayeux à la capitale pour l'y exposer. Il s'agit officiellement de susciter « les passions et l'enthousiasme général du peuple ». Mais aussi et surtout de faire savoir au monde

6. Sans aucun doute.

entier qu'il échafaude au même moment un plan d'invasion de *Britannia*. Une grossièreté qui ne sera pas de sitôt oubliée.

Revenge is a dish best served cold. Le 15 juillet 1944, vingt jours après que les Alliés ont volé au secours de la France, le *New Yorker* savoure le match retour : c'est avec un plaisir non dissimulé que l'hebdomadaire américain parodie la tapisserie, montrant des soldats anglais, canadiens et américains déferlant sur la Normandie.

Dès lors, la merveille de Bayeux ne va cesser d'être détournée de part et d'autre de la Manche. Jean Effel, dessinateur du *Canard enchaîné*, y croquera « Charles (de Gaulle) le Conquérant » entre 1959 et 1960, avant de passer le relais à son confrère Roland Moisan. Au *Daily Telegraph*, on ironisera sur le rapprochement opéré par François Mitterrand et Margaret Thatcher dans les années 1980.

CARTON PLEIN !

La tapisserie de Bayeux est représentée dans les pages de la bande dessinée *Ivanhoé*, qui fait le bonheur des jeunes *British* dans les années 1950, mais aussi dans le générique du film *la Chanson de Roland* du réalisateur français Frank Cassenti en 1978. Plus récemment, elle apparaît dans les décors du film *Braveheart* où Mel Gibson incarne William Wallace, le héros de l'indépendance de l'Écosse.

Référence visuelle indémodable dans la culture populaire anglaise et française, la tapisserie de Bayeux continue de faire un carton !

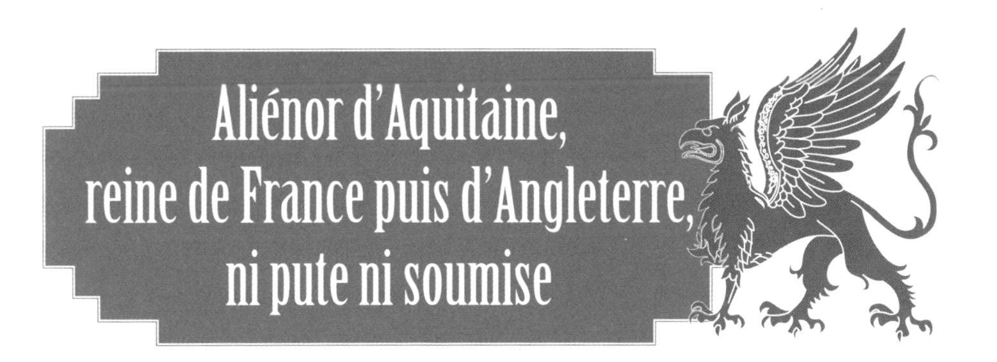

Aliénor d'Aquitaine, reine de France puis d'Angleterre, ni pute ni soumise

Il y a de l'alien dans Aliénor… Aliénor vient d'*aliena*, « l'autre » en latin, et d'Aénor, en référence au prénom de sa mère, Aénor de Châtellerault. Il y a *definitely* quelque chose d'extraterrestre chez cette femme stratège, libérée avant l'heure, voluptueuse et frondeuse, à l'origine d'une lignée de souverains européens de premier plan. Un incroyable animal politique !

HOW SHOCKING!

Rien pourtant ne destinait la fille de Guillaume X, duc d'Aquitaine et comte de Poitiers, née vers 1122, à régner. C'est le décès de son frère, Guillaume Aigret, qui fera d'elle l'héritière d'un territoire immense : l'Aquitaine (la Guyenne), le Poitou, le Périgord, la Gascogne, l'Angoumois, le Limousin, la Saintonge… Un domaine trois fois plus étendu que le domaine royal de France. La dot de « la plus belle et la plus riche fleur d'Aquitaine, la perle incomparable du Midi » suscite bien des convoitises. L'héritier capétien du trône de France, le futur Louis VII dit le Jeune, rafle la mise. Aliénor devient ainsi reine en 1137. Celle que son mari prend pour une *it girl* (une fille in) va durablement bouleverser les mœurs sinistres du palais royal de l'île de la Cité. La belle commence par y faire venir des confitures de sa région natale. Jusqu'ici, tout va bien. L'affaire se complique lorsqu'elle se met en tête d'y organiser des jeux d'amour courtois. Les troubadours, poètes de langue d'oc du Midi, et les trouvères, leurs homologues de langue d'oïl du nord de la Loire, affluent. Un choc culturel pour la cour parisienne qui crie à la débauche et bruit de rumeurs sur cette reine qui ose se pavaner en robes de couleurs vives diaboliquement décolletées !

HARDIE ET INDÉPENDANTE

Il faut dire que la belle, cultivée et cavalière émérite, a été à bonne école. Son père n'a jamais eu cure des remontrances de l'Église quant à sa pratique trop personnelle de la religion. Son grand-père, lui, n'est autre que Guillaume IX d'Aquitaine. Ce vétéran de la première croisade, poète échevelé et rebelle, n'a-t-il pas fondé, par pure provocation, une

« abbaye des courtisanes » à Niort ?
Bon sang ne sachant mentir, Aliénor à son tour se joue des puissants qui conseillent le roi. L'abbé Suger est-il trop enclin à s'ingérer dans l'administration de ses terres d'Aquitaine ? Elle obtient de son Louis VII, fou d'amour pour elle, sa disgrâce momentanée. Belle-maman l'importune ? Pour cette dernière, ce sera l'exil.
Jamais Aliénor ne se dérobe à son devoir. À peine a-t-elle donné naissance à une première fille, Marie, que son époux décide de l'emmener en Terre sainte en 1147. Qu'à cela ne tienne. *Let's have some fun !*[1] Aliénor embarque et avec elle quelque trois cents femmes (épouses des croisés, dames d'atour, courtisanes). Il s'agit de « booster » le moral des troupes. Et il en faudra, car l'étrange expédition rencontrera bien des déboires.

L'AMOUR COURTOIS À LA MYLÈNE FARMER

L'amour courtois ne badine pas avec la structure pyramidale de la société féodale. Le poète Chrétien de Troyes, contemporain d'Aliénor d'Aquitaine, a donné le « la » en popularisant pour les siècles à venir l'un des triangles amoureux les plus célèbres de l'histoire : l'amoureux transi, Lancelot, épris d'une *up town girl*, Guenièvre, laquelle est sévèrement mariée au roi Arthur. Toutefois, le *fin'amor* des troubadours a pour l'époque quelque chose de révolutionnaire : il parle d'émancipation sexuelle, d'affirmation de l'individu et de résistance à l'emprise culturelle de l'Église. Cela donne des tubes ouvertement provocants à la Mylène Farmer, saupoudrés de mots fleuris et gaillards. Un art chanté, auquel Guillaume IX, le grand-père d'Aliénor, excelle. La perle d'Aquitaine se révélera une ambassadrice hors pair de ces chansons d'amour sulfureuses, dans le nord de la France et jusqu'en Angleterre.

MAKE LOVE, NOT WAR !

La seconde croisade est organisée pour prêter main-forte aux royaumes chrétiens de Palestine et protéger le tombeau du Christ. Louis VII, pour sa part, espère y racheter un lourd

1. Amusons-nous !

péché : avoir fait mettre le feu, quelques années plus tôt, à une église pleine de fidèles. C'est là une cause bien trop austère pour Aliénor, qui préférerait chevaucher aux côtés d'un preux chevalier en quête du saint Graal et se désole à voix haute d'avoir épousé « non point un homme, mais un moine ». Selon les méchantes langues, Louis VII, pourtant français de souche, ne témoignerait pas de la virilité escomptée. Fort heureusement, le séduisant oncle d'Aliénor, Raymond de Poitiers, est là, à Antioche où les croisés font une halte, pour réconforter sa tendre nièce. Aurait-elle cédé à la tentation ?

LE SAVIEZ-VOUS ?

Déjà en butte aux calomnies de ses contemporains, Aliénor sera aussi fort mal estimée par les historiens moralistes du XIXe siècle, qui la décrivent tantôt « vindicative comme une femme du Midi » tantôt « véritable louve, avide de pouvoir ». Aliénor, femme libre et maîtresse de son destin, a incontestablement dérangé de son vivant et au-delà. Ni pute ni soumise...

C'est à tout le moins ce que certains historiens de la cour anglaise se sont laissé aller à écrire. Quoi de plus tentant en effet que d'accuser de l'une des pires vilenies – l'inceste au second degré – cette reine un peu trop continentale pour être honnête ! Accusée des pires vices et dépravations par ses contemporains, Aliénor fait la une des chroniques *people* de l'époque, et les *Frenchies* ne sont pas en reste. Il s'agit, à travers les ragots les plus salaces, d'asseoir au plus vite la réputation de déliquescence morale des Plantagenêts et mieux mettre en exergue la probité immaculée des Capétiens. Certains ainsi la dépeignent en Femen « dévergognée », dévoilant aux yeux de tous ses tétins alors qu'elle menait l'assaut contre les infidèles. D'autres la décrivent comme une femme « folieuse », une ribaude, une gourgandine, se laissant « mignoter » par les hommes sans compter.

UNE FEMME LIBÉRÉE

Louis VII, quant à lui, est persuadé de l'inceste de sa femme avec son oncle. Aussi précipite-t-il son départ et celui de sa reine vers Jérusalem. Il y reste jusqu'en 1149 sans remporter la moindre victoire militaire. Pour rentrer de Terre sainte par la mer, les époux font nef à part, mais celle d'Aliénor tombe aux mains des Byzantins. Après moult péripéties, elle revient toutefois saine et sauve à Paris. Cette deuxième croisade est un fiasco. Non seulement militaire et financier, mais aussi sentimental. Le couple royal est désormais déchiré. Ni Suger ni le pape Eugène III ne parviennent à les réconcilier. Si une dernière fille leur naît, leur idylle est *definitely over*, terminée.
Aliénor avait agité la menace de la séparation ; c'est finalement Louis VII, le cœur gros et tout empli d'ire, qui obtient en 1152 l'annulation de leur mariage, au motif d'une parenté au quatrième degré entre les époux. Par pure jalousie, le roi de France vient de perdre le contrôle direct sur une grande partie de son royaume. Une faute politique majeure, dont la dynastie des Plantagenêts saura tirer le meilleur parti en unissant la couronne d'Angleterre aux territoires continentaux courant des côtes de la Manche jusqu'aux confins des Pyrénées.
Riche, très riche, et notamment de terres, voici Aliénor à nouveau célibataire et plus que jamais convoitée…

COUGAR AVANT L'HEURE

Henri Plantagenêt, duc de Normandie, comte d'Anjou, du Maine et de Touraine, demande sa main. Presque aussitôt, leurs épousailles sont célébrées. Deux années plus tard, Henri hérite du trône d'Angleterre. Non content de porter beau, le damoiseau est aussi de plus de dix ans le cadet d'Aliénor.

Ce n'est pas la reine, enchantée semble-t-il d'être devenue « cougar », qui s'en plaindrait. Elle lui donnera huit enfants. Plus question pour elle de se mêler de politique, si ce n'est parfois pour jouer la *first lady*.

LA VENGEANCE D'UNE BLONDE

Aliénor toutefois ne joue pas la potiche longtemps. Elle profite des circonstances diplomatiques pour revenir aux affaires. Les accords de Montmirail passés en 1169 entre Louis VII le Jeune, Henri II Plantagenêt et l'archevêque Thomas Becket, représentant du pape, stipulent que les terres qui composent l'empire Plantagenêt – tout en relevant du suzerain français – seront administrées séparément par les princes anglais. L'Aquitaine revient à Richard, la Bretagne au très jeune Geoffroy et le reste à Henri junior Court-Mantel, l'aîné de la fratrie. Le petit dernier, Jean, reste sans terre, d'où l'épithète qui restera accolée à son prénom. C'est Aliénor, en attendant la majorité de Richard, le préféré d'entre ses fils, qui est désignée pour assumer en son nom la gestion du duché d'Aquitaine.
Tout irait pour le mieux dans le meilleur des mondes si son yearling d'Henri II n'avait fait de la belle et blonde Rosemonde Clifford sa maîtresse officielle. Le sang d'Aliénor ne fait qu'un tour. Avec la bénédiction de son ex, Louis VII, l'épouse bafouée pousse ses fils à se liguer contre leur père. Quant à la « *fair Rusamund* », qui deviendra une figure de la poésie et des contes anglais, elle meurt empoisonnée, mystérieusement.
Aliénor ne serait-elle pas complètement étrangère à ce tragique destin ? Toujours est-il qu'Henri II semble lui en tenir grief : il fait jeter sa trépidante épouse dans les geôles de la tour de Salisbury, près de Londres. Aliénor ne recouvrera sa liberté qu'une fois… veuve.

ALIÉN-OR, LE RETOUR, OU L'INVENTION DU *PERSONAL BRANDING*

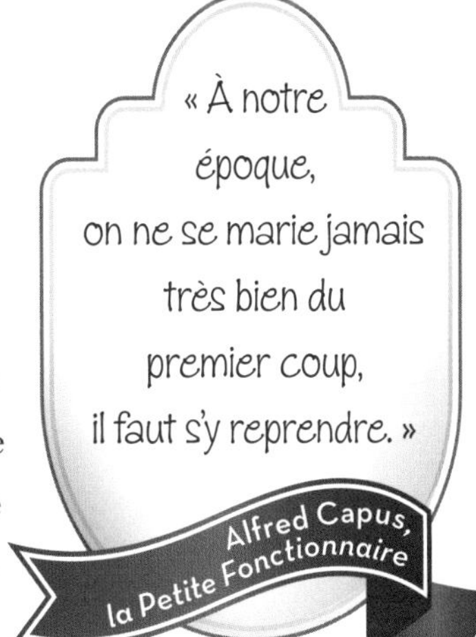

À peine libérée de sa geôle par Guillaume le Maréchal en personne, le plus preux et le plus loyal d'entre tous les chevaliers, Aliénor parcourt l'Angleterre pour y faire souffler le *wind of change* (le vent du changement). La perle d'Aquitaine s'emploie à réparer les cruelles injustices de la fin du règne d'Henri II. Les habitants de la forêt de Sherwood voient ainsi lever les peines infamantes pour braconnage prononcées à leur encontre. Plus audacieux encore, un édit de la souveraine autorise tous ceux qui croupissent dans les cachots du royaume à être rejugés et à assurer leur défense. C'est aussi à la dame que les commerçants doivent l'harmonisation des unités de mesure, décision fort utile pour la bonne marche du négoce.

En initiant cette nouvelle politique au nom de son fils, Aliénor va façonner l'image de Richard et inventer le *personal branding* (le marketing personnel). Celui que ses sujets appellent encore « le Poitevin » n'est alors qu'un illustre inconnu en Angleterre – où il n'a jamais remis les pieds depuis sa naissance. En véritable papesse du marketing, *Queen Mum* va faire de lui un prince adulé des Anglais. Il deviendra par la suite leur grand roi Richard Cœur de Lion, et ce sans jamais avoir vraiment été *fluent in English* !

UNE POIGNE DE FER DANS UN GANT DE VELOURS

À l'approche de sa soixante-dixième année, Aliénor est toujours aux affaires. C'est elle qui assure la régence tandis

que son royal fils s'en est allé guerroyer à son tour en Palestine. En son absence, elle fait face avec sang-froid et doigté au soulèvement organisé par son turbulent petit dernier, Jean sans Terre, qui – le garnement ! – s'est allié au nouveau roi de France, Philippe Auguste. C'est encore elle qui réunit la somme colossale réclamée en rançon contre la libération du roi Richard Cœur de Lion, fait prisonnier en Terre sainte. Puis elle qui obtient de Richard mourant qu'il laisse son frérot Jean sans Terre accéder au trône d'Angleterre. Elle enfin qui organise le mariage de sa petite-fille Blanche de Castille avec Louis VIII de France.

ALIÉNOR, *THE IRON LADY*

Au cinéma, c'est *The Lion in Winter*, du Britannique Anthony Harvey (1968), qui consacre le génie politique d'Aliénor. L'actrice américaine Katharine Hepburn y incarne une souveraine mûre et déterminée aux côtés de l'Irlandais Peter O'Toole (Henri II). Le film est accueilli avec circonspection par la critique de l'époque, mais le public, lui, ne s'y trompe pas : *The Lion in Winter* est un énorme succès.

ETERNITY AND BEYOND ![2]

Un destin de femme remarquable qui s'achève à la toute fin du mois de mars 1204, quelques jours après la chute de Château-Gaillard, au moment où la France entreprend la reconquête de la Normandie. Aliénor rend l'âme à Dieu à plus de quatre-vingts ans en l'abbaye de Fontevraud, où l'on peut admirer son gisant… en biostase ?

2. L'éternité et au-delà !

Perfide Albion ou l'*English bashing*

Quand l'héroïne de *la Famille Fenouillard* refuse d'embarquer pour l'Angleterre, ne voulant « rien avoir de commun avec la perfide Albion qui… a brûlé Jeanne d'Arc sur le rocher de Sainte-Hélène », elle exprime un sentiment bien de chez nous : l'anglophobie. Un mépris à l'endroit des insulaires sujets de Sa Majesté qui tient lieu de sport national et se résume à un cliché indémodable : la « perfidie anglaise ».

DANGEREUX ET TRAÎTRES

Le concept remonte au temps des croisades. Sa première mention apparaît pendant le siège de la ville d'Acre en 1191, sous la plume du moine Otto von Blasien, ressortissant du Saint Empire romain germanique. Le bénédictin déplore le comportement des chevaliers de Richard Cœur de Lion, qu'il qualifie de « perfides ». L'adjectif

VENGEANCE À SAINTE-HÉLÈNE

Napoléon, qui n'est pas né de la dernière pluie en matière de marketing politique, reprend la « perfidie anglaise » à son compte. Le slogan belliqueux devient la tarte à la crème des chroniques politiques de son temps. Les soldats britanniques, blessés dans leur orgueil national, auraient-ils, en mesure de rétorsion, hâté la fin de l'Empereur dont ils avaient la garde sur l'île de Sainte-Hélène ?

est, à l'époque, systématiquement accolé à la figure du rival. Rien de stigmatisant donc, jusqu'à ce que les Français fassent de cette caractéristique le propre du tempérament de leurs meilleurs ennemis.

« L'ANGLETERRE, AH, LA PERFIDE ANGLETERRE ! »

La vérité vraie est que les *Frenchies* ne se remettent toujours pas d'avoir été aussi facilement bernés. Comment ont-ils pu sous-estimer la détermination d'un peuple qui n'a pas hésité à torturer à mort – par empalement – son propre roi, certes déchu, Édouard II ! Ah, s'ils avaient su dix ans plus tard, en 1337, prévenir la trahison par Édouard III d'Angleterre du serment qui l'inféodait au roi de France ! Le cours de l'Histoire en aurait alors été changé ; la guerre de Cent Ans n'aurait pas eu lieu et le spectacle atroce du martyre de Jeanne d'Arc ne hanterait pas l'imaginaire collectif hexagonal.

Avec ces vilenies, la réputation des Anglais est faite : voilà un peuple dont la sauvagerie ne connaît aucune limite ! Pas même la crainte d'encourir les foudres divines en commettant des crimes de lèse-majesté. À preuve, Marie Stuart, reine d'Écosse catholique et ancienne reine de France, est livrée au bourreau en 1587. Puis vient le tour de Charles Ier d'Angleterre, décapité en 1649. Son fils, Jacques II, après avoir échoué à instaurer un pouvoir absolu, se voit contraint de fuir en France après le vote de la Déclaration des Droits par le *Parliament*. Le crime est si grand que l'élite parisienne prend sa défense. Madame de Sévigné, outrée, saisit rageusement sa plume : « Je crois en vérité que le Roi et la Reine d'Angleterre sont

bien mieux à Saint-Germain que dans leur perfide royaume. » Bossuet, animé par une sainte colère, s'interrompt en plein sermon pour s'exclamer : « L'Angleterre, ah, la perfide Angleterre ! » Ce mépris viscéral pour l'Anglois semble cesser pendant l'une de ces rares et brèves éclaircies de l'histoire des relations anglo-françaises : la succession d'Espagne, dont le règlement en 1714 apaise provisoirement le climat diplomatique. Tout est alors au mieux dans le meilleur des mondes. Voltaire et Montesquieu louent le génie des brillants esprits anglais et leur invention de la monarchie parlementaire. L'anglophilie déferle sur Paris. Une *love affair* de courte durée !

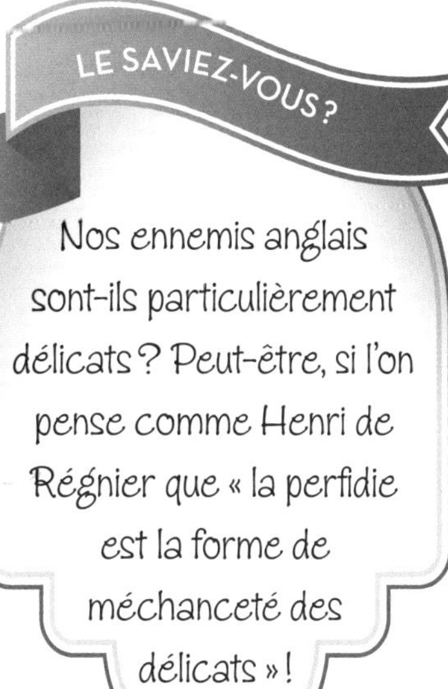

C'est bien connu, les histoires d'amour finissent mal en général : très vite, avec la Révolution française, l'anglophobie pathologique revient avec force. Barère, au nom du Comité de salut public, désigne les Anglais comme un « peuple tyran » et « traître au droit universel ». Le poète Ximénès, au même moment, lance le concept assassin de « perfide Albion », « Albion » étant le nom latin donné à l'île de Bretagne.

ENGLISH BASHING

Il y aurait, il est vrai, matière à vouloir se venger ! Tel un poison pernicieux, la campagne de calomnie anti-anglaise élaborée par les révolutionnaires français et peaufinée sous l'Empire a fait tache d'huile : sournoisement, l'*English bashing* a gagné la Prusse, l'Italie, le Danemark et même les États-Unis.

À tel point qu'en 1848, les journaux d'Allemagne – elle-même en délicatesse avec la Grande-Bretagne pour un différend

territorial – s'emparent de l'expression « perfide Albion ». Les nazis sauront en faire bon usage après 1940. Le mythe de la traîtrise anglaise est utilisé pour briser toute velléité de résistance au sein de la population française. Qu'attendre en effet de ceux qui ont préféré évacuer leurs troupes de Dunkerque plutôt que de respecter le plan de bataille convenu avec leurs alliés ? Qu'espérer de ceux qui n'ont pas hésité à couler une partie de la flotte de leurs amis à Mers el-Kébir ? Le message sera repris in extenso par le régime de Vichy.

En dépit de cette intense campagne de sape, la propagande anti-anglaise connaîtra un flop total. Le *Frenchy* – et c'est heureux ! – est entre autres héritier de la pensée logique de Descartes : *the enemy of my enemy is my friend...*

BORN TO BE PERFID

L'infâme perfidie anglaise pourrait-elle être, avant d'être une question de nature, une banale histoire de géopolitique ? *Yes, for sure !* Forte de son insularité qui la prémunit des invasions (aucune n'a abouti depuis 1066) l'Angleterre s'est taillé une diplomatie sur mesure : diviser les puissances continentales pour mieux régner sur les mers. Jamais, depuis Henri VIII Tudor et la création de sa flotte militaire, la Grande-Bretagne n'a changé de ligne directrice. Sa politique étrangère consiste à nouer des alliances de courte durée, mouvantes et transitoires ; seuls ses objectifs sont stables. C'est ce que Churchill, dans son célèbre discours sur la création des États-Unis d'Europe de 1946, rappelle à ses partenaires.

If the cap fits, wear it, « si le chapeau te va, mets-le », un pragmatisme assumé porté à la boutonnière avec flegme et élégance. *Perfid, isnt'it ?*

Robin Hood versus Robin des bois, pillages en forêt de Sherwood

C'était, *before* Hollister et Abercrombie chez les adolescents prépubères, la mode des sweats à capuche, marque des *bad boys*. Car Robin Hood signifie bien Robin à la cagoule, comme dans *Boyz'n the Hood* de John Singleton, et non Robin des bois !

LE PASTOUREAU FRANÇAIS DEVIENT ROBEHOD

Impossible de dire avec certitude quand ce personnage de fiction est vraiment né. Il fut très certainement le héros de ballades médiévales anglaises, hypothétiquement celui de légendes païennes plus anciennes et peut-être cousin du protagoniste du *Jeu de Robin et Marion*, pastourelle française de la fin du XIIIe siècle. Il faut attendre le XVe siècle pour trouver dans la littérature écrite les traces d'un certain Robehod, adepte de l'extorsion fiscale et poil à gratter du shérif de Nottingham.

GENTRIFICATION

LE SAVIEZ-VOUS ?

C'est l'Écossais Walter Scott qui donnera à Robin Hood ses lettres de noblesse en 1819 avec *Ivanhoé*, faisant de Robin un rebelle saxon luttant contre les seigneurs normands.

Au fil du temps, la légende évolue. Dans les ballades puis dans *Robin et le moine* (vers 1450), il est un *yeoman* – un propriétaire roturier – qui pratique les vertus aristocratiques de la courtoisie, de la générosité et de la fidélité en amitié. À la fin du XVIe siècle, notre encagoulé « se gentrifie » pour devenir Robert de Loxley, noble désargenté et champion des déshérités. Hors-la-loi au grand cœur, il se met à sauver les paysans de la potence et à redistribuer aux pauvres l'argent dérobé aux riches.

Son histoire s'étoffe. D'autres personnages apparaissent : la belle Marianne ou encore le truculent frère Tuck. Ce dernier, moine mécréant, biberonneur invétéré et ripailleur impénitent, n'est-il pas librement inspiré de l'œuvre du sire François Rabelais ? Le héros prend désormais racine dans la forêt de Sherwood et de Barnsdale, en ces temps anciens où Richard Cœur de Lion part pour la troisième croisade (1190).

TRADUCTIONS DÉGUISÉES

Le roman est ensuite traduit en français par Alexandre Dumas et publié en 1862. Le prolifique auteur s'approprie le héros sans nul scrupule. Il publie *le Prince des voleurs* en 1872 et l'année suivante *Robin Hood le Proscrit*. Ces deux œuvres seraient, selon ses bibliographes, ni plus ni moins une traduction du roman du Britannique Pierce Egan *Robin Hood and Little John : or, The Merry Men of Sherwood Forest* rédigé en sous-main par Marie de Fernand, sa collaboratrice et maîtresse. Un pillage de plus dans la forêt de Sherwood…

La légende du roi Arthur : le poids des mots, le choc des *mottos*[1]

La (Grande-) Bretagne au Ve siècle, c'est un peu la cour des Miracles. Occupée par les Romains depuis 43 après J.-C., l'île est rackettée par des racailles de tous poils : Jutes, Angles, Saxons, Pictes et Scots pillent tout sur leur passage. Contre toute attente, l'empereur romain Honorius ne se propose pas de passer les lieux au Kärcher, mais ordonne à ses troupes de faire leurs valises. Aux autochtones romanisés, les « Britto-romains », qu'il laisse tomber comme de vieilles chaussettes en pur coton 100 % mercerisé double fil d'Écosse, il recommande de « se défendre par leurs propres moyens ».

UN CAVALIER SURGIT DE LA NUIT

C'est alors qu'un cavalier surgit de la nuit courant vers l'aventure au galop. Son nom, il le signe de la pointe de

1. Slogans ou devises.

l'épée : Ambrosius Aurelianus. Le noble britto-romain organise la défense des siens, avant de passer la main à Uther Pendragon – lequel donnera son nom au père du roi Arthur dans la légende fondatrice du royaume.

SE FAIRE APPELER ARTHUR

Les exploits du premier héros connu sous le nom d'Arthur apparaissent dans un poème gallois composé au VIIe siècle, le *Y Gododdin*. Au tournant du IXe siècle, dans son *Historia Brittonum*, l'historien Nennius rend à son tour hommage à la bravoure d'un autre Arthur, un chef de guerre invincible engagé aux côtés du roi des Bretons dans une lutte sans merci contre les Saxons. Chrétien, il combat sous la protection de la vierge Marie dont l'effigie, *so romantic*, est cousue sur l'épaule de son vêtement. À son actif, une douzaine de batailles remportées grâce notamment aux quelques cavaliers qui l'entourent.
La légende du roi Arthur se nourrit des différentes figures héroïques qui enchantent les récits populaires celtes et bretons du Haut Moyen Âge ; elle va se répandre comme une traînée de poudre en Irlande, puis au pays de Galles.

LA GUERRE DE TROIE A BIEN LIEU

C'est Henri II Plantagenêt qui va donner véritablement ses lettres de noblesse au mythe. Ce comte d'Anjou, du Maine et de Touraine, devenu roi d'Angleterre en 1154, n'est pas un *English native :* il manque de légitimité en interne ! À l'international, il est menacé d'être éclipsé par ses principaux *challengers*, les rois de France capétiens, qui prétendent quant à eux descendre des… Troyens.

Ne voulant pas être en reste, Henri II demande à son biographe officiel, Wace, de le raccrocher aux branches de l'arbre généalogique grec. En 1155 et en un tournemain, l'écrivain créatif rappelle que Brutus, descendant d'Énée, fut le premier roi de l'île et qu'Henri II est son héritier direct.

La boucle est bouclée quand le talentueux Wace invente également un passé troyen au légendaire roi Arthur. Ce souverain mythique, qui a réussi à établir une royauté unique sur toute l'île de Bretagne, à repousser les Scots qui la menaçaient, à soumettre l'Irlande, le Danemark, l'Islande, la Norvège et une partie de la Gaule, a désormais l'étoffe des héros... Wace, très en verve, réenchante également le mythe en imaginant Arthur et ses chevaliers siégeant autour d'une table ronde, soumis à un code d'honneur pointilleux.

UN COUP D'EXCALIBUR DANS L'EAU

La campagne de légitimation d'Henri II est un coup d'Excalibur dans l'eau : le message politique ciselé par Wace, trop subtil, reste cantonné au cercle étroit des intellos. Pire, en multipliant imprudemment dans son livre les digressions, il réactive cette croyance populaire qui veut qu'Arthur ne soit pas mort, mais « cryogénisé » par les soins de la fée Morgane dans l'attente d'un prochain retour. Pour mieux bouter un roi non anglais hors de son île ? *Damned !* Il se pourrait bien qu'Henri Plantagenêt ressorte en *sprinkler sprinkled*[2] de cette affaire...

DE ROUILLE ET D'OS

Pour faire cesser la rumeur d'un éventuel retour du roi Arthur, il faut désormais à Henri II des preuves flagrantes

2. L'arroseur arrosé.

ÉCHEC ET MAT

L'épopée arthurienne intéresse aussi les nazis, fascinés par les chevauchées des preux chevaliers. Mais cette tentative de récupération échouera : le mythe du courageux chef de guerre luttant contre les envahisseurs germaniques de l'*Historia Brittonum* fera un come-back triomphal pendant la Seconde Guerre mondiale, galvanisant les Britanniques dans leurs efforts de guerre contre l'Allemagne nazie.

de la mort de ce personnage imaginaire. Le roi n'étant plus à une falsification près, il se tourne vers les moines de l'abbaye de Glastonbury pour leur suggérer de retrouver ses restes à l'occasion de fouilles archéologiques. *You never know*[3]... Les religieux vont effectivement faire des miracles après avoir exhumé une certaine quantité d'ossements ainsi qu'une croix en plomb.

LES EXPERTS : GLASTONBURY

Les tests réalisés en 1191 par *les Experts : Glastonbury* ne laissent plus aucun doute. *Good gracious !* Il s'agit bien des restes d'Arthur et de sa douce épouse Guenièvre. Ce dernier est bien *dead as yesterday*[4]. Tout comme Henri II d'ailleurs, qui lui est mort depuis deux ans.

Quant aux moines, ils s'inquiètent. Se pourrait-il que leurs efforts soient anéantis et que leur abbaye sombre dans l'oubli à l'heure où leur nouveau roi Richard Cœur de Lion est au loin en croisade ? Pour rester sous les *sunlights*, la production de l'abbaye des célébrités de Glastonbury reste plus que jamais attentive à l'actualité européenne et littéraire.

COLLECTION HARLEQUIN

Depuis vingt années déjà, la légende du roi Arthur fait parler d'elle dans toute l'Europe. Et ce grâce à Chrétien de Troyes, poète français et inventeur du roman de chevalier à l'eau de

3. On ne sait jamais...
4. Mort aujourd'hui comme hier.

rose. Ses trois best-sellers, *Yvain ou le Chevalier au lion*, *Lancelot ou le Chevalier de la charrette* ou encore *Perceval ou le Conte du Graal*, narrent le terrible dilemme des chevaliers de la Table ronde, déchirés entre leurs devoirs moraux et les vertiges de l'amour courtois. Gloire, amour, passion, tous les ingrédients de la collection Harlequin !

SACRÉ GRAAL

Son remake, *le Roman de l'Estoire dou Graal* de l'écrivain franc-comtois Robert de Boron, apporte une dimension sacrée à la légende. Le Graal, objet mystérieux chez Chrétien de Troyes, acquiert avec lui le statut de relique chrétienne.
De la salle à manger de Joseph d'Arimathie, où le Christ a pris son dernier repas, à la Table ronde d'Arthur, il n'y a qu'un pas que le récit franchit... presque. Boron raconte comment Joseph mit à l'abri le calice qui servit au partage du vin durant la Cène, puis à recueillir le sang du Christ après la Passion. S'il précise que le Graal sacré a été caché dans les vaux d'Avallon, il reste énigmatique quant à leur localisation. Un mystère que les moines, plus à une extrapolation près, auront vite fait de résoudre : Avalon est l'ancien nom de Glastonbury, *isn't it ?* Un coup de maître : l'abbaye du sud de l'Angleterre, qui abrite la sépulture d'Arthur et le Graal, sort à double titre de l'anonymat !
La légende du roi Arthur va devenir une source intarissable d'inspiration. Entre autres, pour Tolkien et son *Seigneur des anneaux*, et avant lui pour Richard Wagner et son opéra *Parsifal*. *To make a long story short*[5], la légende du roi Arthur demeure un fantastique instrument de propagande politique britannique.

5. Pour faire bref.

La quête du Graal : *back to the future*[1]

Dans les aventures des Monty Python, le roi Arthur a toutes les peines du monde à recruter des chevaliers prêts à l'accompagner dans sa quête du saint Graal, que des Français se vantent de détenir en leur château. Comment s'en emparer ?

INTERDIT DE FILMER

Après avoir lamentablement raté un stratagème façon guerre de Troie, Arthur et ses preux chevaliers multiplient les rencontres du troisième type.

1. Retour vers le futur.

Une confrontation musclée avec *killer Bunny*, le lapin tueur en série, une exposition à la tentation au milieu d'un essaim de pucelles, un moment de solitude face à un géant tricéphale. Les chevaliers finissent par revenir bredouilles à leur point de départ. Les Français, qu'ils ont assiégés au début du film, s'avèrent être bel et bien en possession de l'objet de leur quête. Alors que les héros s'apprêtent à toucher du bout du doigt le Graal, le film s'interrompt net : des policiers en tenue embarquent Arthur dans leur panier à salade et interdisent au cameraman de continuer de filmer. Ça tombe bien, il n'y a plus de sous dans les caisses de la production.

SACRÉ SUCCÈS !

Monté avec des bouts de chandelles et quelques brillantes trouvailles, comme les bruitages réalisés avec des noix de coco pour imiter les déplacements des chevaux, le premier long-métrage de Terry Gilliam rencontre en 1979 un succès planétaire.

« KAAMELOTT » FRANÇAISE

Le film culte n'a pas manqué d'inspirer la série française *Kaamelott* – elle aussi, *very successful*[2] – diffusée entre 2005 et 2009 sur la chaîne M6. Comme chez les Monty Python, le roi Arthur de *Kaamelott* est lui aussi secondé par des chevaliers incapables dans sa quête du Graal. Un héritage *with a twist*[3] assumé par son créateur Alexandre Astier. *King Arthur* doit en outre – et c'est là tout le sel de la série française – gérer sa famille et sa belle-famille envahissantes, et tout spécialement sa redoutable épouse Guenièvre, gaffeuse de première. L'occasion d'apprécier la différence entre l'humour anglais, absurde et pince-sans-rire, et l'humour français, cartésien et exercé aux dépens d'autrui.

2. Très populaire.
3. Décalé.

Smelly cheese[1] : tout un fromage

Sus aux ignorants, l'authentique *Royal Cheese* n'est pas le *Quarter Pounder with Cheese*[2], mais bien le brie ! Et ce depuis le dîner de clôture du Congrès de Vienne de 1815.

CASEOPHILIA

Au menu de la conférence internationale et pour aiguiser les appétits, la refondation de l'Europe après la chute de l'empire napoléonien. En guise de dessert, une compétition d'une autre portée mais pas moins féroce : le diplomate français Charles-Maurice de Talleyrand-Périgord réunit cinquante-deux

1. Fromage puant.
2. Nom originel du *Royal Cheese*.

experts européens pour l'élection de la « crème de la crème » parmi les fromages. *And the winner is...* le brie de Provins affiné par le sieur Baulny à la ferme d'Estourville. Un camouflet pour le bleu de Bavière défendu par Metternich ; une humiliation pour le *Stilton* présenté par Lord Castlereagh. À travers le soufflet infligé à ce dernier, c'est la couronne d'Angleterre qui prend vapeur : depuis le XIIe siècle et la passion du roi Henri II pour le cheddar, les souverains anglais se piquent de *caseophilia*[3] en rendant publique leur inclinaison pour telle ou telle gourmandise fromagère *made in the UK*.

LE SAVIEZ-VOUS ?

Au XVe siècle, Charles d'Orléans a l'habitude d'offrir des fromages en guise d'étrennes aux dames de son cœur.

ROYAL CHEESE

Pour le *French cheese* à la pâte molle jaune paille, cette élection est la consécration d'une longue carrière. Déjà au retour des croisades, le brie s'invite à la table des souverains français. Mûri dans les hâloirs des monastères, comme le munster et autres odorants maroilles ou pont-l'évêque, relégué à la diète des moines et des pauvres, le voici d'un coup, d'un seul, *trendy !* De retour d'Acre, Philippe Auguste aime à régaler ses hôtes de la crémeuse pâte. Et aussi à en recevoir : en 1217, le roi français ne se fait-il pas offrir quelque deux cents roues de brie par sa parente Blanche de Navarre, duchesse de Champagne ? Henri IV préfère poser un lapin à sa maîtresse et rester auprès de sa femme, qui, elle, est en mesure de lui proposer du brie. Le Grand Condé fait bombance fromagère

3. En anglais, fait d'être mordu de fromage.

pour célébrer la bataille de Rocroi le 19 mai 1643. N'oublions pas Louis XVI et son péché de gourmandise : alors que le roi en fuite fait étape à Varenne, il ne sait résister à la dégustation d'un morceau de brie accompagné de vin rouge, perdant ainsi un temps précieux et, par ricochet, la tête, *good gracious !*
Si le roquefort et sa pâte persillée font, eux aussi, l'objet d'un soutien inaltérable du pouvoir royal depuis la fin du Moyen Âge, *the best-seller* français demeure le populaire camembert.

LE CAMEMBERT : *THE BIG CHEESE*

Comment, en matière de pâte molle, entrer dans le dur du sujet sans évoquer l'impérial camembert ? Le mythe veut que le fromage ait été inventé au XVIIIe siècle dans la petite commune normande de Vimoutiers par une certaine Marie Harel. La jeune femme aurait recueilli et sauvé un prêtre durant la Terreur. Ce dernier, originaire de la Brie, lui aurait livré un secret bien de chez lui de fabrication du fromage. Après de nombreuses années de pratique et d'affinage, le calendos allait passer à la postérité grâce au gendre de la fromagère, Thomas Paynel. Ce dernier, sachant que Napoléon III inaugurait la ligne ferroviaire Paris-Granville, aurait profité de l'occasion pour faire déguster au souverain une lichette de camembert. L'empereur, transporté par le caractère rustique et le raffinement du fromage, aurait exigé qu'on en serve quotidiennement à sa table aux Tuileries. Incarnant à la fois la tradition et le peuple, le territoire de la Normandie et ses âpres et symboliques batailles, le camembert devient alors un emblème national. Ainsi, lors de la Première Guerre mondiale, les producteurs offriront symboliquement une journée de leur production pour agrémenter les rations des poilus.

DE QUOI EN FAIRE TOUT UN FROMAGE

Rien d'étonnant à ce que les Britanniques aient longtemps snobé cette expression culinaire du nationalisme français, vilipendant le « clacos » au lait cru porteur potentiel des bactéries *Escherichia coli* et des non moins dangereuses salmonelles.

L'autre point de friction entre les deux nations concerne la querelle des chiffres : « Comment pouvez-vous gouverner un pays où il y a 246 sortes de fromages ? », se plaignait Charles de Gaulle, vantant, l'air de rien, la variété et la richesse de son pays. Aux dires du *British Cheese Board*, le décompte exact de nos *cheese* avoisinerait les 400, tandis que nos *sweet enemies* en posséderaient pas moins de 700 recensés à ce jour, parmi lesquels quelque… 246 sortes de cheddar !

I WANT TO BUY SOME CHEESE !

Il est loin le temps du sketch du « cheese shop » des Monty Python, où John Cleese cherchait désespérément à acheter un fromage chez un fromager britannique, qui trouvait toutes sortes d'excuses pour justifier qu'il n'en avait aucun en boutique !

ROLL UP, ROLL UP![4]

Et les Français de se gausser devant cette production outre-Manche, forcément insipide et anecdotique. Et de rabaisser les Britanniques à d'aimables farfelus, juste capables de dévaler acrobatiquement une colline pour attraper une meule de *Double Gloucester*. S'il est vrai que l'institution héritée du XIXe siècle du *Cheese Rolling* (lancer de fromage) du sud-ouest de l'Angleterre demeure, de l'autre côté du *Channel* le fromage est devenu une affaire très sérieuse.

4. Venez nombreux !

Chaque année, à Birmingham, se tient depuis plus de vingt ans la fameuse *World Cheese Award*, la compétition la plus prestigieuse. Pas moins de deux cents spécialistes récompensent le meilleur fromage du monde sous les caméras de la BBC.

LE BRIE ET LE CAMEMBERT, *SO BRITISH!*

Et les Français auraient bien tort de mépriser le subtil goût de noisette du *mature cheddar*, le moelleux du *Blue Stilton*, le *Duckett's Caerphilly* aux arômes de citron et de feuille, la fraîcheur du *Hawes Wensleydale* – dont raffolent Wallace et Gromit – ou encore le *Kirkham's Lançashire*, délicieux toasté, le bleu suave du *Dorset Blue Vinney*, le *Cornish Yarg* et sa croûte d'orties... Le *British Brie* et le *British Camembert*, issus de la recette originale de Marie Harel et produits dans le Cheshire et le Somerset, n'auraient, paraît-il, pas grand-chose à envier à notre Lepetit.

« UN DESSERT SANS FROMAGE... »

Un schisme de taille cependant séparera toujours les deux cultures. Les Français aiment à déguster leur fromage avec du pain et avant le dessert ; les Britanniques persistent à l'accompagner de biscuits et de crackers et ne s'adonnent à ce plaisir coupable qu'après l'entremet. Tout comme le faisait en son temps le gastronome français Brillat-Savarin, à qui il convient de laisser le mot de la fin : « Un dessert sans fromage est une belle à qui il manque un œil. »

J'irai revoir ma Normandie

Tout comme Scrat, l'écureuil préhistorique de *l'Âge de glace*, déterminé à conserver coûte que coûte le gland qu'il compte mettre à l'abri dans son garde-manger, l'Angleterre, en ce début de XIVe siècle, se bat désespérément contre le destin et les intempéries. Terminée, la parenthèse tempérée qui a permis à ses populations de croître et de se développer depuis l'An Mil. Le « petit âge glaciaire », dernière anomalie globale du climat attestée avant l'époque contemporaine, s'ouvre. Et avec lui une période terrible de disettes et de famines.

STRUGGLE FOR LIFE![1]

Tout au nord, les populations vikings n'échappent pas à la dure loi énoncée par le naturaliste anglais Charles Darwin

1. Lutte pour la survie.

au XIXe siècle : « Ce n'est pas le plus fort de l'espèce qui survit, ni le plus intelligent. C'est celui qui sait le mieux s'adapter au changement. » À l'image de cet explorateur anglais du XIXe siècle, Sir John Ross, revenu vivant d'un périple dans l'Arctique au cours duquel son bateau est resté prisonnier plusieurs hivers consécutifs dans les glaces, les Britanniques ne reculent pas devant l'adversité, *quite the reverse* (tout au contraire).

LES MOUTONS DE COTSWOLDS

Les moutons Cotswolds, qui tirent leur nom de celui des chaînes de montagnes situées dans le sud-ouest de l'île de Bretagne, présentent une physionomie improbable décrite par les médiévistes : un corps trapu caché sous une lourde toison de laine blanche naturellement ondulée, un long cou coiffé d'une tête dissimulée sous une touffe plantée entre les deux oreilles.

BAA BAA BLACK SHEEP...

Sitôt la froidure installée, le *Briton* fait œuvre de son légendaire pragmatisme : pour éviter de grelotter de froid, il recourt à l'intensification de l'élevage de moutons. En attendant de pouvoir enfiler le fameux petit tricot multicolore en laine shetland mis à la mode par Jean Cacharel et Daniel Hechter durant la saison hiver 1967-1968, on s'emmitoufle dans des plaids confectionnés à partir de laine de moutons de Cotswolds.

100 % PURE ENGLISH LAMBSWOOL

La laine de ce mouton, d'une finesse exceptionnelle, va devenir l'une des principales exportations de l'Angleterre, contribuant ainsi à faire évoluer vers une spécialisation son économie fondée sur une agriculture en berne, « petit âge de glace » oblige. La laine produite dans les Cotswolds permet la nouvelle fortune des négociants locaux et l'apparition des célèbres *woollen churches*, les « églises de laine », construites grâce à la manne provenant de son commerce.

La matière première est vendue aux tisserands et aux drapiers flamands qui en assurent la transformation en produit fini. D'où la toute nouvelle importance prise par la Normandie, rattachée à la couronne anglaise depuis Guillaume le Conquérant. C'est par ce territoire situé dans l'Hexagone que transite désormais la matière première laineuse, clef d'une mutation économique réussie pour l'Angleterre.

RED HERRING: HARENG ROUGE, FAUSSE PISTE

En cette période de mauvaises récoltes et de vaches maigres, l'abondance inouïe des harengs au printemps, le long des côtes de la Baltique et de la Manche, constitue un complément inespéré au régime alimentaire strict des Européens. Il y a tant de *herrings,* rapporte le chevalier écrivain français Philippe de Mézières, que l'on pourrait « les tailler à l'épée ». Le poisson d'argent – c'est le joli nom qu'on lui donne dans le Boulonnais –, que Flaubert définit dans son *Dictionnaire des idées reçues* comme « la fortune de la Hollande », constitue pour l'Angleterre du XIVe siècle non pas une source d'enrichissement, mais une planche de salut.

SAUMÂTRE SAUMURE

Encore faudrait-il pouvoir conserver ces harengs ! Les *Britons,* bien peu gâtés par la géographie – et notamment par l'absence de soleil –, ont pris l'habitude, depuis l'Antiquité, de produire sur la côte sud de leur île un sel assez médiocre en chauffant une saumure issue d'un sable lessivé et filtré. Cette technique, coûteuse et difficile à réaliser, ne leur permet pas d'en produire suffisamment pour « encaquer » les harengs. C'est-à-dire pour

les saler, une fois capturés et coupés en deux, et les conserver durant toute une année.
Sans sel, les Anglais sont condamnés à la famine. Ils dépendent désormais de la Bretagne et de ses marais salants. Pour étancher leur soif, ils n'ont que leurs yeux pour pleurer.

THE GRAPES OF WRATH: LES RAISINS DE LA COLÈRE

Plus que tout le reste – *and that's a tragedy,* et c'est une tragédie – les vignes qui poussaient dans le sud de l'Angleterre, laminées par les gels de printemps récurrents, ne donnent plus de raisins... Plus de vin *made in England. Panic on board*[2], les Anglais en sont réduits à attendre les bateaux qui, du continent, font venir des terres du roi d'Angleterre en Guyenne les fûts du précieux liquide.
Leur autarcie menacée, les *Britons* vont, pour assurer leur autonomie, profiter d'une interruption de la descendance mâle chez les rois capétiens pour tenter de s'emparer du royaume de France en passant par la Normandie.
À l'instar de Scrat l'écureuil, à l'origine malgré lui de la pire catastrophe continentale de l'ère glaciaire, les Anglais vont déclencher, par ricochet et par Édouard III, la guerre de Cent Ans.

2. Panique à bord.

No sex please, we're British !

No sex please, we're British ![1], la célèbre pièce de théâtre des années 70 est toujours à l'affiche à Londres : un banquier *just married* a commandé des verres scandinaves et se trouve à la place abreuvé de magazines pornographiques. Une comédie qui en dit long sur la légendaire pudibonderie anglaise, que les Français aiment tant à railler.

LE SEXE, AFFAIRE D'ÉTAT

Songez, *oh shocking*, qu'une ministre britannique fut récemment contrainte à la démission pour avoir réglé la location de cassettes pornographiques de son mari sur les deniers de l'État. Au royaume d'Angleterre, le sexe, pour peu qu'il se combine au détournement de biens publics, a vite fait de devenir une affaire

1. Pas de sexe s'il vous plaît, nous sommes Anglais !

d'État. De leur côté, les sujets de Sa Majesté tiennent les Français pour grivois et lubriques. Il est vrai qu'entre l'affaire du maire fanatique des massages de pieds féminins, et le séisme DSK et ses multiples répliques lilloises, il y a régulièrement matière à entretenir la réputation salace et sexuellement polarisée des Français. Piques désobligeantes et *private jokes* sont légion entre les deux pays ennemis. Pas tout à fait innocentes, elles nous renvoient quelque sept siècles en arrière, sous le règne des *dirty* rois maudits.

DIRTY ROIS MAUDITS

En 1314, Philippe IV, dit le Bel, pense la dynastie des Capétiens, au pouvoir sans discontinuer depuis 987, assurée de sa pérennité. Après avoir marié ses trois fils avec trois jeunes délicieuses créatures bien nées, ce serait le diable si aucun héritier mâle ne lui naissait… C'est sans compter avec les frasques de ses belles-filles délurées, auxquelles il convient pourtant de reconnaître quelques circonstances atténuantes. Marguerite de Bourgogne, petite-fille de Saint Louis, compte les mouches avec Louis le Hutin, connu pour son fichu caractère. Auprès du falot Charles le Bel, Blanche de Bourgogne, quant à elle, se morfond. Si sa sœur, Jeanne de Bourgogne, est sans doute la moins mal lotie avec le plus aimable des princes, Philippe V dit le Long, il est un remède à l'ambiance délétère qui règne à la cour du roi de France : la tour de Nesle.

LE SEXE ET LE BEFFROI

Dans cet édifice, construit sous Philippe Auguste en bord de Seine, en face du Louvre[2], les coquines ont pris leurs quartiers.

2. Le bâtiment, démoli en 1665, laissera la place à l'Institut de France et à la bibliothèque Mazarine.

Elles entretiennent, dit-on, des relations charnelles avec de jeunes et beaux chevaliers. L'affaire prêterait à glousser si la bagatelle ne compromettait l'avenir du royaume de France. L'enjeu est de taille : comment, avec ces princesses infidèles, avoir la certitude que les futurs héritiers ne seront pas des... bâtards ?

CADEAUX EMPOISONNÉS

Celle par qui le scandale arrive s'appelle Isabelle de France, la seule fille encore en vie de Philippe le Bel. Mariée au roi d'Angleterre Édouard II, qui préfère les pages aux donzelles, son indignation se mesure à l'aune de sa frustration. Mais bien plus encore à celle de son ambition...
Isabelle caresse l'idée de récupérer le trône de France pour son fils, « Édouard junior ». Pour cela, elle est prête à tout. Les rumeurs de liaisons adultères de ses belles-sœurs à la cuisse légère sont une aubaine inespérée. Impossible cependant de piéger ces donzelles qui volent en escadron.

GIRLS WANNA HAVE FUN[3]

L'occasion va se présenter au hasard d'une de ses visites dans sa douce France en 1314. Lorsque, rendant visite à son père à l'abbaye de Maubuisson, Isabelle constate que les aumônières offertes en cadeau à Marguerite et Blanche quelques mois auparavant sont attachés à la ceinture... de deux beaux seigneurs, les frères d'Aunay, elle jubile. La preuve que ses gourgandines de belles-doches ne passent pas leurs après-midi à faire du macramé. Et la fille du roi, *back from London*, de s'ouvrir de l'infamie à son père : *sky my father*, vos fils sont cocus !

3. Les filles veulent s'amuser.

SKY MY FATHER ![4]

POURQUOI EST-ON HOMOSEXUEL ?

Si outre-Manche les Français ont la réputation d'être lubriques, les Françaises ne sont pas en reste. Personne à Londres n'a oublié les propos déplacés d'Édith Cresson, alors Premier ministre en 1991, déclarant à l'*Observer* qu'un quart des hommes britanniques seraient homosexuels pour justifier... son manque de sex-appeal auprès des Anglais !

L'affaire est trop grave pour être étouffée. Philippe le Bel diligente une enquête et fait arrêter les amants terribles. Après avoir résisté à la question, les frères d'Aunay finiront, sous la torture, par avouer le *double date*[5] adultère. Voilà trois ans que Philippe s'occupe de Marguerite et que son frère Gauthier cajole Blanche. Jeanne, si on ne lui identifie pas de mignon attitré, est au moins coupable d'avoir couvert les écarts de ses belles-sœurs.

SEXE, MENSONGE ET RODÉOS

Les amants terribles, malgré leur rang, ne bénéficieront d'aucune clémence. En ce début du XIVe siècle, on ne badine pas avec les relations extraconjugales : cela ne se fait pas d'emprunter la femme de son seigneur. Compromettre la lignée royale est une cause aggravante : les *toy boys* sont accusés de crime de lèse-majesté. Le roi leur réserve une mise à mort particulièrement élaborée : à Pontoise, ils sont roués, écorchés vifs, émasculés. Puis leurs sexes sont jetés aux chiens et aux bêtes. Et ce n'est pas fini... On verse du plomb soufré en ébullition sur eux, puis on les traîne par des chevaux avant de les décapiter le 19 avril 1314, pour enfin les pendre par les aisselles à des gibets.

4. Ciel, mon père !
5. Le fait pour deux couples de sortir ensemble. Souvent deux amis, deux frères.

BRUS DE DÉCOFFRAGE

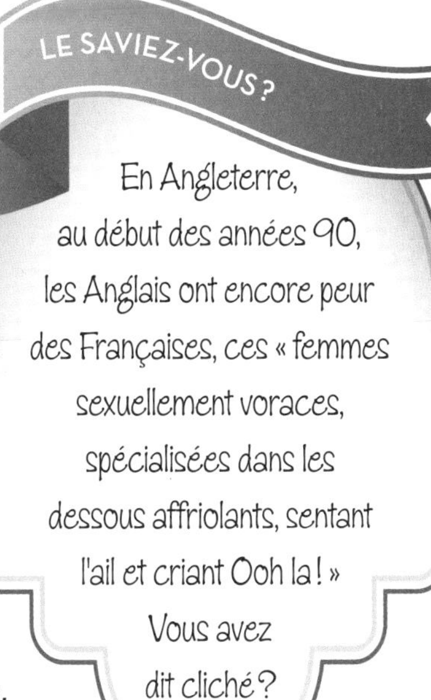

Philippe le Bel n'épargne pas non plus ses brus adultères : Marguerite et Blanche, tondues et habillées de bure, doivent assister à l'exécution de leurs amants avant d'être conduites dans un chariot recouvert de draps noirs aux Andelys, dans les geôles de Château-Gaillard. La première est enfermée dans une salle ouverte à tous les vents ; la seconde dans une cellule aménagée dans la partie basse du bâtiment.
Marguerite y meurt de froid en 1315, à moins, hypothèse vraisemblable, que son mari, devenu Louis X, ne l'ait fait étrangler. Blanche, traitée avec plus de clémence, obtient l'autorisation de quitter son cachot et de prendre le voile après l'annulation de son mariage en 1322. Jeanne, faute de preuves, est acquittée et placée en résidence surveillée au château de Dourdan. Son époux, qui envisage de la répudier, y renonce pour ne pas perdre la Franche-Comté qu'elle lui a apportée en dot. Pas fou, Philippe le Long, et pas rancunier non plus : lorsqu'il accédera au trône en 1319, Philippe devenu V offrira à Jeanne devenue reine la tour de Nesle en cadeau souvenir.

GIRLS WILL BE GIRLS

Une véritable malédiction s'abat alors sur les Capétiens. Avec le décès de Marguerite, Louis peut officiellement épouser Clémence de Hongrie. Devenu roi de France, il aura tout juste le temps

de concevoir un fils, Jean Ier le Posthume, dont la courte vie ne dépasse pas les quatre jours. Philippe V le Long, qui assurait la régence, succède à son frère, écartant de la sorte sa nièce Jeanne, fille de Louis X le Hutin et de Marguerite, en raison des doutes concernant sa paternité.

Les choses n'en restent pas là. L'épouse de Philippe V le Long, Jeanne de Bourgogne, donne naissance à trois enfants, mais – *fatalitas !* – ce sont des filles. Charles IV le Bel, le troisième fils de Philippe IV le Bel, hérite du trône à la mort de son frère. Il obtient l'annulation de son mariage au prétexte d'une « cognation spirituelle ». Considérant que Mahaut d'Artois, la mère de son épouse Blanche, est sa marraine, son couple ne vit-il pas dans une affinité proscrite par le droit canonique ? L'argument opère : libéré de son épouse infidèle, il peut s'unir à Marie de Luxembourg, laquelle décède durant sa première grossesse. Quand enfin Charles IV le Bel épouse Jeanne d'Évreux, sa cousine, cette dernière lui donne une première fille, morte prématurément, puis une fille posthume.

UN ANGLAIS ROI DES FRANÇAIS ?

« Exit, les trois belles-sœurs ! Et plus d'héritier en vue pour les Capétiens ! », se réjouit Isabelle de France, l'épouse d'Édouard II d'Angleterre, qui espère toujours faire de son *British* fiston « Édouard junior » le roi des Français. « Plutôt mourir ! », s'exclament en chœur ces derniers dans un sursaut d'anglophobie. C'est finalement Philippe VI de Valois, un neveu de Philippe le Bel, qui sera sacré à Reims en 1328. Mais Édouard III n'aura de cesse de convoiter le trône de France. La guerre de Cent Ans peut commencer…

MORE SEX PLEASE, WE'RE FRENCH!

« Beaucoup d'amants, c'est beaucoup de malchance. »

Louise de Vilmorin, *la Lettre dans un taxi*

Son combat perdu, Isabelle de France, qui avait stigmatisé le comportement débridé de ses belles-sœurs adultères, cesse soudain de se draper dans sa vertu. Comme toute bonne Française qui se respecte, elle ne tarde pas à se trouver un amant, un certain Roger Mortimer. *By Jove !* Forte des expériences du passé, par précaution, elle fait enfermer son mari à Berkeley. Ce dernier y décédera de façon suspecte en 1327, après avoir abdiqué. La reine et son amant exerceront la régence jusqu'à la majorité d'Édouard III.

Celle que les Anglais surnommeront « la Louve de France » à partir du XVIIIe siècle – sobriquet repris par Maurice Druon dans sa célèbre saga *les Rois maudits* – aura su se montrer fidèle aux mœurs indécentes de son pays natal. La réputation des *French ladies* n'est plus à faire. Pour évoquer l'appétit sexuel des Françaises, en augmentation depuis qu'en 1968 un époux a été condamné à une amende pour délaissement de devoir conjugal, les journaux britanniques ont un titre de prédilection : « *More sex please, we're French !* »[6]

6. Plus de sexe s'il vous plaît, nous sommes Français !

Louis VIII : moi qui ai (des)servi le roi d'Angleterre !

« Je ne suis pas un numéro » pourrait protester Louis VIII, à la manière du héros de la série britannique *le Prisonnier*. Comment l'Histoire de France et celle d'Angleterre ont-elles pu passer à la trappe la figure du seul souverain français à avoir envahi l'Angleterre après Guillaume le Conquérant ?

NUMÉRO 8

En plus d'être beau gosse, le fils d'Isabelle de Hainaut, qui a hérité de ses traits délicats, ne manque pas de panache. Outre le fait qu'il a remis la main sur le Poitou et une partie de la Gascogne laissés en gérance aux Plantagenêts, n'a-t-il pas bravé l'interdiction du pape qui l'enjoignait de ne pas attaquer le royaume d'Angleterre passé sous la protection de Rome ? Ne s'est-il pas débarrassé de Jean sans Terre, réalisant là ce que Richard Cœur de Lion *himself* n'était pas parvenu à faire ? N'a-t-il pas été accueilli en sauveur à Londres ?

Louis VIII, que l'on surnomme « le Lion », a beau être un chef de guerre remarquable et un brillant négociateur, il n'a pourtant pas été retenu parmi les têtes d'affiche qui peuplent les manuels scolaires français.

ROI NORMAL

Sans doute, et avant tout, parce que c'est un roi… normal. Pas de tares particulières, pas d'enfance malheureuse, pas de frasques notoires, pas de maîtresses dans les placards. Rien qui puisse faire le buzz sur la planète *people* des têtes couronnées. Très pieux, Louis est même d'une fidélité exemplaire – quasi-anormale pour un roi français ! – à sa délicieuse épouse.
Avec Blanche de Castille, il a de plus assuré opiniâtrement la descendance des Capétiens : douze enfants, dont le fameux Louis IX.
Et c'est justement là l'une des raisons du grand oubli dans lequel il est tombé… Un sacré numéro, ce fiston ! Saint Louis et son règne de quarante-quatre ans vont quelque peu éclipser la remarquable incursion en territoire ennemi de Louis VIII, dont le passage sur le trône (1222-1226) tient comparativement de la mission d'intérim.

FILS DE…

Le souverain qui a envahi l'Angleterre en mai 1216 cumule l'inconvénient d'être un « père de » et aussi un « fils de ». Pas facile d'imprimer sa marque dans les livres d'histoire après la gouvernance visionnaire de papa. Car il s'agit de Philippe Auguste, celui-là même qui a tenu les rênes du royaume quarante-deux ans durant, mis fin à l'époque féodale – tout sauf une sinécure ! – et affirmé le pouvoir royal.

> **MARIÉS POUR LA PAIX**
>
> Quand le futur Louis VIII, fils de Philippe Auguste, épouse Blanche de Castille, fille d'Alphonse VIII de Castille et d'Éléonore d'Angleterre (fille d'Aliénor d'Aquitaine), il s'agit d'un mariage politique qui a pour but de consolider la paix entre Philippe Auguste et Jean sans Terre. L'union sera heureuse... même si elle n'apportera pas le résultat espéré, Louis VIII ayant été ravi d'évincer Jean sans Terre du trône anglais !

Le prince Louis est un *tough guy*, un dur à cuire, qui a déjà eu l'occasion de montrer de quel bois il se chauffait au roi d'Angleterre, Jean sans Terre. À la tête de l'armée royale que lui a confiée son père, le chef de guerre a laminé les troupes anglaises à La Roche-aux-Moines en 1214. Après la victoire française sur les alliés du roi d'Angleterre, un dimanche de la même année à Bouvines, Philippe Auguste, son père, a toujours des velléités d'envahir l'Angleterre. Et ce d'autant plus que Jean sans Terre y est très bas dans l'estime de ses sujets : non content d'avoir évincé salement le très aimé Richard Cœur de Lion, il a trahi ses promesses en refusant d'appliquer la Grande Charte du 15 juin 1215, un traité censé mettre fin aux abus de pouvoir commis contre son bon peuple. Pour couronner le tout, l'*English King*, jugé et condamné à mort par contumace en 1203 pour le meurtre de son neveu, Arthur de Bretagne, a été déchu de ses fiefs français.

POPE MUSIC

L'épouse de Louis, Blanche de Castille, étant par ailleurs la petite-fille d'Henri II Plantagenêt et d'Aliénor d'Aquitaine, le roi de France caresse l'idée que son fils accède au trône de Bretagne. Ayant plusieurs fois intrigué en ce sens, il s'est vu menacé d'excommunication – rien que ça – par le pape Innocent III, qui lui a envoyé son émissaire, un certain Galon. Le roi de France s'est alors fendu, à Melun, d'un discours flamboyant façon Dominique de Villepin à l'ONU : « Le royaume d'Angleterre n'a jamais été le patrimoine de

Saint-Pierre ni ne le sera. Le trône est vacant depuis que le roi Jean a été condamné dans notre cour comme ayant forfait à la mort d'Arthur [de Bretagne]. »

I'M A FREE MAN

Si après cette grande déclaration Philippe Auguste, quinqua vieillissant, a officiellement renoncé à faire du shopping à Londres, le prince Louis va montrer qu'il est prêt à prendre la relève : « Seigneur, lui dit-il, je suis votre homme lige pour le fief que vous m'avez assigné sur le continent, mais il ne vous appartient pas de juger au sujet du royaume d'Angleterre. » Bref, il en fait son affaire. Le prince lève une armée de mille deux cents chevaliers assistés de quelques milliers d'hommes de troupe et prend la mer avec ses huit cents bateaux. Affrontant une terrible tempête, qui en aurait rebuté plus d'un, le yearling gagne les côtes anglaises en mai 1216. Il est accueilli en triomphe à Londres comme le nouveau roi d'Angleterre...

LE ROI LION

Pourquoi l'Histoire anglaise a-t-elle oublié ce héros suffisamment culotté pour avoir défié Rome et débarqué en Angleterre ? Sans doute pour ne pas ajouter au trauma de l'invasion de Guillaume le Conquérant. Dans l'imaginaire collectif anglais, il est vrai qu'officiellement jamais plus jamais l'ennemi *Frenchy* n'a foulé le sol anglais depuis 1066.

FÉLONIE AUSSI

La seconde raison – *and last, but not least* – tient sans doute au fait que cette incursion française est le fruit d'une félonie

intérieure. Ce sont, *indeed*, les barons anglais qui sont venus quérir le prince Louis et lui demander de bouter hors de leur île leur roi tyrannique. Et eux aussi qui, en échange de ce petit service, lui ont promis qu'il coifferait la tiare. Une requête qui, d'ailleurs, n'avait pas manqué de susciter la méfiance chez Philippe Auguste, habitué à la légendaire rouerie de ses voisins. Le roi de France, avant de laisser son fiston traverser la Manche, avait donc exigé des nobles anglais, en gage de loyauté, vingt-quatre otages de noble lignage.

ONCE WE WERE KINGS[1]

Des soupçons apparemment infondés. Quand le prince Louis accoste sur les côtes anglaises et prend le contrôle du pays, n'est-il point accueilli en libérateur par la population opprimée ? Louis VIII pense donc légitimement savourer sa victoire et devenir le nouveau roi d'Angleterre. D'autant que, sitôt battu, Jean sans Terre, fort marri après qu'une marée montante scélérate a emporté les bijoux de la Couronne, meurt brutalement de la dysenterie de contrariété qu'il a développée.

BONJOUR CHEZ VOUS

Rien ne s'oppose plus à ce que le prince Louis coiffe la couronne d'Angleterre. C'est sans compter sur les barons *British*, qui, une fois débarrassés de Jean sans Terre, tournent casaque. Plutôt que d'avoir à gérer un prince français exalté par sa victoire, les ingrats lui préfèrent le fils de Jean, qui devient Henri III d'Angleterre. Même si le prince Louis ne s'avoue pas battu si vite, les perfides Anglais, moyennant finances, finiront par le renvoyer sur le continent avec ce message sibyllin : « Bonjour chez vous ! »

1. Quand nous étions rois.

Édouard III : *Docteur Jekyll and Mister Hyde*, « honni soit qui mal y pense »

« Honni soit qui mal y pense. » C'est en prononçant ces mots qu'Édouard III d'Angleterre ramasse, lors d'un bal endiablé, la jarretière bleue perdue par la comtesse Jeanne de Salisbury. Pour tirer la dame de son embarras et faire taire les moqueries, le souverain suggère aux messieurs présents d'imiter son geste galant. L'« Ordre très noble de la Jarretière » voit le jour en 1348. *The Most Noble Order of the Garter*, qui encore aujourd'hui distingue la chevalerie anglaise, et sa devise en français invitent à ne pas voir le mal partout.

DOCTEUR JEKYLL ET MISTER HYDE

Comment imaginer chez cet être empreint de tant de raffinement la personnalité tourmentée de celui par qui la guerre de Cent Ans est arrivée ? À la décharge de ce *bad boy* au comportement psychopathique, une certaine hérédité : avec une maman que l'on surnomme « la Louve de

France », comment s'étonner que la loi du plus fort devienne la meilleure ? Isabelle de France, la fille unique du roi de France, est une *executive woman* sans scrupule. Ses belles-sœurs lui bloquent l'accès au trône de France ? Qu'à cela ne tienne, elle complote pour les faire emprisonner. Isabelle est par ailleurs une *natural born* killeuse : son gay mari – le papa d'Édouard – l'ennuie, elle le fait assassiner sans autre forme de procès. En moins de temps qu'il n'en faut pour dire « ouf », l'autocrate fait de son amant, un dénommé Mortimer, le chancelier d'Angleterre. Pas de printemps pour Édouard…

LA MALÉDICTION

Au rayon frustration de la petite enfance, Édouard III s'est également vu ravir la place de choix qui lui revenait : outre la couronne d'Angleterre, celle de France aurait théoriquement dû lui échoir à la mort de son oncle Charles IV le Bel, passé de vie à trépas sans aucun héritier direct. Du point de vue généalogique, le jeune Anglais était le mieux placé pour prendre la relève. L'assemblée des barons français réunis pour désigner le nouveau souverain prôna pourtant « la France aux Français ! » Pour évincer le *Briton*, une vieille coutume des Francs saliens, qui interdisait que l'héritage royal se transmette par les femmes, fut exhumée des poussiéreux cartons des archives royales françaises. Abandonné depuis près de mille ans, le principe machiste, customisé par la suite sous Charles V, prendra le nom de « loi salique » et empêchera durablement les femmes de régner en France.

AU CŒUR DE LA NUIT

Revenons à notre mouton noir, le jeune roi d'Angleterre, qui, bien qu'étant le plus proche, par le sang, de feu Charles IV, est écarté du

trône de France au profit de son cousin Philippe VI de Valois par un tour de passe-passe. Une humiliation suprême. En ce 6 juin 1329, dans la cathédrale d'Amiens, le jeune roi Édouard III, entouré de sa *naughty mummy* (vilaine maman) et de son parâtre, se voit contraint de rendre hommage au nouveau roi de France, comme c'est l'usage. Depuis Guillaume le Conquérant, les rois anglais ont pris l'habitude, au titre de leurs possessions dans l'Hexagone, de se soumettre sans s'offusquer à cette formalité. Pourtant, en ce moment solennel, Édouard se fait le serment de prendre sa revanche sur tous ceux qui ont troublé son breuvage ; sa vengeance sera terrible.

CENT ANS SANS TRÊVE ?

La guerre de Cent Ans, selon l'expression consacrée, a en réalité duré cent seize ans. Mais surtout, ce ne furent pas des combats ininterrompus ! Par exemple, les chevauchées d'Édouard III ou du Prince Noir sont ponctuelles, car il leur faut régulièrement aller se ravitailler dans une ville anglaise ou alliée. De la même façon, on se bat rarement en hiver, à cause des conditions climatiques et des difficultés d'approvisionnement.

PSYCHOSE

Comme la plupart des criminels, le jeune *serial killer* commence ses exactions dans l'entourage familial proche. Il fait exécuter beau-papa Mortimer, et, bon fils, se contente d'emprisonner sa mère, Isabelle de France. Libéré de la tutelle maternelle, à dix-sept ans Édouard III a désormais les coudées franches pour récupérer la couronne de France dont il estime, à juste titre, avoir été spolié. Le moment semble d'autant mieux choisi pour lancer les hostilités que le nouveau souverain français peine à asseoir sa légitimité. N'a-t-on pas surnommé Philippe VI de Valois le « roi trouvé » ? Geste symbolique s'il en est, en 1337, l'Anglais s'affranchit brutalement de l'hommage qu'il lui doit. Ajoutant encore de l'huile sur le feu, en 1341, lors de la succession de Bretagne, Édouard III n'hésite pas non plus à soutenir ouvertement le concurrent du prétendant préféré du roi de France.

LES PRÉDATEURS

L'entreprise de sape d'Édouard se poursuit sur le terrain. Avec ses cavaliers, le roi Plantagenêt s'illustre par des incursions éclair lors de chevauchées sauvages. On tue, on brûle, en ayant pris soin auparavant de récupérer tout ce qu'il y a de précieux. Ces razzias permettent au jeune ambitieux de se constituer une armée de mercenaires – souvent des repris de justice – appâtés par la perspective d'un enrichissement personnel. Rien de tel que des soudards motivés pour saper le moral de l'ennemi et faire la démonstration de l'incapacité de Philippe de Valois à assumer le premier de ses devoirs : protéger ses sujets.

EVIL DEAD

Après cette campagne de déstabilisation, l'Anglais passe aux choses sérieuses. À l'été 1345, il s'engage avec ses sujets sur le long et périlleux sentier de la guerre de Cent Ans. La fortune sourit d'emblée aux *Britons*. Forts de leur suprématie sur les mers, ainsi que de leurs redoutables archers gallois, ils volent de victoire en victoire : Crécy en 1346, Calais l'année suivante, puis Poitiers en 1356.

PRINCE DES TÉNÈBRES

Pendant ce temps, en marge des combats classiques, les chevauchées meurtrières initiées par Édouard III deviennent une activité familiale lucrative. Son fils aîné, Édouard de Woodstock, surnommé quelques siècles plus tard le « Prince Noir » en raison de la couleur de son armure fétiche aussi sombre que son âme, dépasse de loin son père en matière de basses œuvres.
En charge dès 1355 de la sauvegarde des territoires anglo-aquitains,

le *Black Prince* ne parvient-il pas à élargir sa mission, au point de mettre à sac tout le grand sud-ouest de la France ? Le père et le fils démultiplient leur pouvoir de nuisance, sillonnant chacun de leur côté la France, de la pointe du Cotentin jusqu'à Bordeaux.

LA MAIN DE DIEU

Lorsque le petit dernier en âge de guerroyer, Jean de Gand, comte de Lancastre, les rejoint en 1369, la bonne fortune a abandonné le camp anglais. Édouard III, dans un moment d'imprudence, a entrepris neuf ans plus tôt de mener un raid sur Paris durant le carême et la Semaine sainte. La colère du Divin ne s'est fait pas attendre : un orage de grêle s'est abattu sur sa tête, et avec lui l'amère expérience de la défaite militaire qui ne va désormais plus le quitter.

DANGEREUSE ALLIANCE

Au fil de ses revers de fortune, le fruit des rapines et le montant des rançons engrangés ne suffisent plus à financer ses opérations militaires. Le « Bon Parlement de 1376 » lui refuse non seulement la rallonge habituelle, mais obtient la mise à l'écart d'Alice Perrers, sa maîtresse, ainsi que de ses proches jugés néfastes pour les affaires du royaume, le tout avec le soutien actif de Jean de Lancastre. Ce dernier saisit l'occasion de s'emparer du pouvoir, profitant de la maladie qui ronge son père et son grand frère, le Prince Noir, avec lequel il est désormais en conflit.

BLACK SHEEP

À sa mort, en 1377, Édouard III laisse derrière lui un pays enlisé dans un interminable conflit contre la France. À peine

LE SAVIEZ-VOUS ?

L'Ordre de la Jarretière rassemble aujourd'hui vingt-cinq chevaliers, qui reçoivent leur décoration des mains de la reine d'Angleterre, qui n'a pas besoin de l'accord du Premier ministre. Depuis 1987, les femmes peuvent faire partie des vingt-cinq « chevaliers compagnons » ; elles sont alors nommées « dames compagnons ».

conquis, les nouveaux territoires gagnés sur le continent ont été repris aux Anglais. Quinze ans après le traité de Brétigny de 1360, qui leur donnait la souveraineté sur un vaste ensemble de terres situées dans l'ouest de la France, il ne reste plus aux Anglais que Bordeaux, entouré d'une petite partie de la Guyenne, Calais et Cherbourg. Et l'Angleterre, *the icing on the cake*[1], est en situation de quasi-guerre civile.

Édouard deviendra pour la critique historiographique anglaise un aventurier à l'irresponsabilité criminelle, le *black sheep* (mouton noir) de la famille royale. Aucune voix hélas pour défendre – honni soit qui mal y pense ! – cette sublime figure shakespearienne préfigurant le personnage d'Hamlet, qui lui aussi sacrifia tout par simple désir de vengeance.

1. La cerise sur le gâteau.

Les bourgeois de Calais : *heroes, just for one day*[1]

Officiellement ce sont les héros du jour... Quand le 2 août 1347, les bourgeois de Calais offrent à Édouard III d'Angleterre leur vie pour épargner la cité assiégée, ils deviennent les icônes du patriotisme français face à l'humiliation anglaise.

BE KIND, REWIND[2]

Les faméliques silhouettes, immortalisées par Auguste Rodin, incontournables des manuels scolaires français, sont-elles, comme dans la chanson de Brel, « trop maigres pour être malhonnêtes » ? *Maybe baby.* La vérité historique de cette page de l'Histoire de France est semble-t-il plus subtile qu'elle n'y paraît... 1346, Édouard III d'Angleterre se frotte les mains. Après avoir remporté la bataille de Crécy contre le roi de France, mis à feu et à sang Wissant et Wimille, le souverain est en passe de réaliser le rêve que

1. *Héros d'un jour,* chanson de David Bowie.
2. *Soyez sympas, rembobinez,* film américain de Michel Gondry, 2008.

sa mère a fait pour lui : ravir le trône de France à Philippe VI de Valois. Il reste encore à Édouard à conquérir Calais, « la clef et la serrure du royaume ».

CAMPING

La ville française est un site stratégique. Portuaire, la capitale de la dentelle est proche à la fois de l'Angleterre et de la Flandre. Les Anglais y font commerce de la laine avec les villes textiles d'Ypres, de Bruges et de Gand, et y écoulent le vin qu'ils produisent en Guyenne (Anjou).
La forteresse calaisienne, c'est Fort Knox : une citadelle imprenable par la force. Les habitants de la ville refusant la reddition, c'est donc en affamant la population que le souverain anglais entend faire plier la cité. Le 4 septembre 1346, le roi d'Angleterre installe son armée qui compte, estime-t-on, jusqu'à cent mille hommes, parmi lesquels trente-deux mille cavaliers.

BLOCUS

En cette fin d'été, les moissons ne sont pas encore battues. Seuls les plus nantis disposent de réserves. Aussi les assiégés, pragmatiques, ne tardent-ils pas à expulser les « bouches inutiles » : ceux qui ne possèdent rien sont tout bonnement chassés. Les bourgeois de Calais restés intra-muros prennent des mesures de rationnement et se ravitaillent par la mer. Impossible de compter sur la flotte française, les Anglais l'ont coulée par le fond sept années plus tôt, lors de la bataille de l'Écluse. C'est au moyen de navires à fond plat, financés en douce par Philippe VI de Valois, que les vivres entrent au compte-gouttes dans la cité.
À partir de février 1347, l'armada d'Édouard III, qui s'impatiente, resserre son blocus : rien moins que cent vingt bateaux sont

mobilisés et les plages hérissées de pieux anti-débarquement. Désormais le salut des Calaisiens repose sur une intervention terrestre de leur roi…

L'ÉPHÉMÈRE VILLENEUVE LA HARDIE

Établissant son campement en face de Calais, Édouard III fait édifier une incroyable ville, Villeneuve la Hardie, bâtie entièrement en bois, en vue d'un siège prévu pour être long et douloureux.

AUX PORTES DE LA VILLE

Le gouverneur de la ville, Jean de Vienne, envoie alors cette missive désespérée à Philippe VI de Valois : « Sachez qu'il n'y a rien qui ne soit tout mangé, et les chiens et les chats et les chevaux ; et de vivres nous ne pouvons plus trouver si nous ne mangeons chair de gens, si nous n'avons pas un bref secours. » La lettre, hélas interceptée le 26 juin par les *Britons*, les renseigne sur la détresse qui règne derrière les murailles.
Le roi de France, déjà au parfum, est stationné à Arras depuis le 4 mai. Il se prépare à voler au secours de ses sujets. Ses vassaux flamands l'ayant lâché au profit des Anglais, le souverain doit faire avec quelques dizaines de milliers de fantassins et près de trente-cinq mille cavaliers. Vers la fin du mois de juillet, les Français sont aux portes de Sangatte, prêts à donner l'assaut sous les encouragements des Calaisiens qui les observent du haut des murailles de la citadelle.

LIFE IS NOT A PICNIC

Philippe VI s'inquiète soudain du caractère marécageux des lieux. La défaite récente de son armée à Crécy, sur un terrain détrempé par un orage, l'aurait-elle rendu superstitieux ? C'est au jugement de Dieu qu'il s'en remet ; il propose à Édouard III, non pas une camomille, mais une bataille rangée en rase campagne, dont l'issue révélera… la décision du Tout-Puissant.

« *Life is not a picnic* »[3], lui répond le *Briton*. Philippe VI lui propose alors un marché alléchant : les rois d'Angleterre qui, au titre de leurs possessions en Guyenne (Anjou), doivent rendre hommage au roi de France, pourraient dorénavant en être exemptés. *No way !* tranche Édouard, qui semble avoir perdu ses bonnes manières au contact prolongé de ses hommes de troupe après onze mois de siège. Le roi d'Angleterre, certain de sa victoire, se montre sans concession.
Terriblement déçu, les larmes aux yeux, Philippe VI de Valois contemple une dernière fois les murailles de la citadelle de Calais. Dans la nuit du 1er août, la mort dans l'âme, il abandonne ses occupants en ordonnant le repli des forces françaises.

LA CORDE AU COU

Il y a désormais péril en la demeure pour les assiégés, condamnés à mourir de faim. Dans la nuit du mercredi 1er au jeudi 2 août 1347, le gouverneur, Jean de Vienne, propose à son homologue anglais, Gautier de Mauny, la reddition de la ville contre la vie sauve aux habitants et à la garnison. Édouard III, exaspéré d'avoir perdu tant d'argent et d'hommes, exige que la reddition soit sans condition. Messire de Mauny plaide alors la cause des Calaisiens : leur seul crime n'est-il finalement pas d'avoir combattu pour leur roi ? Le souverain anglais consent à accorder sa grâce aux assiégés, contre le sacrifice de « six des plus notables bourgeois, pieds nus et la corde au cou et les clefs de la ville et du château en leur main ». Au milieu des cris et des pleurs, le plus riche bourgeois, Eustache de Saint-Pierre, est le premier à se porter volontaire. Il sera suivi par Jean d'Aire, Jacques de Wissant et son frère Pierre, Jean de Fiennes et Andrieu d'Andres.

3. La vie n'est pas un pique-nique.

Nus sous leur chemise, la corde au cou, les bourgeois de Calais se présentent en procession jusqu'au roi anglais pour lui présenter le trousseau de clefs tant convoité. En vain ils implorent son pardon : Édouard réclame leur tête.

> **MONEY IS THE SINEWS OF WAR**
>
> À la reddition de Calais, le gouverneur de la ville, Jean de Vienne, et ses chevaliers seront emmenés en Angleterre. Ils ne rentreront que six mois plus tard, une fois une rançon versée ; il faut bien financer cette guerre qui menace de s'éterniser !

WHAT WOMEN WANT: CE QUE FEMME VEUT...

C'est alors que sa douce épouse, *Queen* Philippa de Hainaut, probablement parce qu'elle est française et aussi très enceinte, fond en larmes. Se jetant aux pieds de son époux, elle le supplie d'épargner les six Calaisiens. Édouard III, qui a horreur des scènes, intime l'ordre au bourreau d'annuler sa prestation. Les six bourgeois sont alors nourris et vêtus par les bons soins de la reine et les soldats désarmés. Aux habitants affamés de la cité, Édouard III fait livrer des charrettes de victuailles, qui constitueront pour plusieurs centaines d'entre eux leur dernier repas. Après un tel jeûne et cette subite abondance, beaucoup mourront... d'occlusion intestinale. *At last*, les survivants de la ville sont expulsés au profit de sujets anglais. Calais va ainsi demeurer sous la domination de la perfide Albion jusqu'en 1558.

FAIR-PLAY

Voilà pour l'histoire officielle relatée dans les *Chroniques* de l'ami Jean Froissart – largement inspirées du récit fait par le Liégeois Jean le Bel vers 1357. Il faudra attendre les travaux de l'historien

Jean-Marie Moeglin et son essai publié en 2002[4], pour confronter cette version à celles de ses contemporains et faire la part entre le mythe et les faits avérés.

LE SAVIEZ-VOUS ?

La bataille de Crécy a lieu le 26 août 1346. Les chevaliers français, épuisés par une longue marche et alourdis par leurs grosses armures, sont très vulnérables face aux archers anglais aux armes précises et efficaces. Mille cinq cents soldats français périssent ce jour-là, laissant Philippe VI désemparé et affaibli face au roi d'Angleterre.

La procession honteuse infligée aux bourgeois a bien eu lieu. Mais elle n'a rien d'extraordinaire : elle est, au contraire, un rituel classique de reddition communément imposé aux vaincus depuis les Carolingiens. L'exercice consiste, pour les perdants, à faire mine de se rendre à leur exécution symbolique et, pour le roi vainqueur nécessairement fair-play, à leur accorder sa miséricorde. La mise en scène, bien rodée, ne laisse pas la place à l'improvisation : le jeu de rôle aboutit sans surprise à la grâce des condamnés et à l'apaisement général.

ENFANTS DE LA PATRIE

Au XVIe siècle, sous la plume du chanoine italien de Notre-Dame de Paris, Paul Émile, les bourgeois de Calais ne sont plus animés par leur seul héroïsme, mais par la volonté de se sacrifier pour leur patrie. Ils deviennent des icônes de l'Histoire de France. Ils vont le demeurer jusqu'au XVIIIe siècle, où ils passent brutalement au statut de félons. Exhumant des archives historiques conservées à la Tour de Londres, l'historien Louis-Georges de Bréquigny n'y

4. *Les bourgeois de Calais : essai sur un mythe historique*, Albin Michel, 2002.

a-t-il pas découvert la preuve de l'existence de cadeaux offerts par Édouard III à Eustache de Saint-Pierre ? Se pourrait-il que l'héroïque bourgeois n'ait été qu'un vulgaire traître vendu à l'ennemi ?
Qu'importe les doutes, le mythe national reprendra force et vigueur au XIXe siècle, jusqu'à devenir fondateur. En 1871, sous l'impulsion des pères de la IIIe République, il devient même la parabole de cette nouvelle forme de patriotisme qui invite « les intérêts locaux à se fondre harmonieusement dans l'amour pour la grande Patrie » selon l'historien Laurent Avezou. D'où leur présence dans les manuels scolaires français.

> « Un art qui a de la vie ne reproduit pas le passé ; il le continue. »
>
> Auguste Rodin

C'est cette allégorie, nationaliste et héroïque, qui inspirera en 1895 le sculpteur Rodin pour la réalisation de son groupe statuaire des *Bourgeois de Calais*. Douze copies de l'œuvre sont disséminées dans le monde, du musée Rodin à Washington, en passant par Tokyo, Pasadena… jusque dans les jardins du parlement de Londres, à Westminster, où finalement ils incarnent, semble-t-il fort bien, ce sens inné de la diplomatie britannique et du fair-play, *don't they* ?

Têtes-couronnées.com. Jean Froissart, jet-setter, poète et reporter

Quand notre Stéphane Bern national déclare : « le pire pour les morts, c'est l'oubli », il se montre digne héritier du chroniqueur *posh* et mondain Jean Froissart. Tout comme l'animateur-producteur de *Secrets d'histoire*, le jeune poète, né vers 1333, se passionne très tôt pour les têtes couronnées.

GOTHA.FR

Froissart commence sa carrière à la cour du roi Édouard III d'Angleterre et de sa délicieuse épouse, Philippa de Hainaut. Entre la reine et le clerc, tous deux natifs de Valenciennes, une étincelle se produit. À la lecture du manuscrit de Froissart relatant la bataille de Poitiers, la souveraine reconnaît l'indéniable talent littéraire de son compatriote, qu'elle intègre à son cercle rapproché. Le voici son historiographe officiel. Jean rêvait d'aventures,

de couronnes et de paillettes : Philippa va les lui offrir sur un plateau d'argent…
En vue de la rédaction de ses *Chroniques de France, d'Angleterre, d'Écosse, de Bretagne, de Gascogne, de Flandre et lieux circonvoisins*, il parcourt l'Europe, accueilli à bras ouverts par le gotha de l'époque. Il commence ses pérégrinations en Angleterre. Puis il se rend en Écosse auprès du roi David II, fils du cultissime *Robert the Bruce*, vainqueur de la bataille de Bannockburn et héros de l'indépendance écossaise. En 1366, il fait la connaissance de la cour bruxelloise de Venceslas de Luxembourg et de son épouse Jeanne de Brabant, à l'heure où le palais du Coudenberg passe pour être un haut lieu culturel et festif. Il ne s'y attarde pourtant pas, car il est invité à accompagner à Bordeaux le fils aîné de sa protectrice Philippa : le Prince Noir. L'année suivante, il fait partie de la suite d'un autre de ses fils, le duc Lionel de Clarence, qu'il escorte jusqu'à Milan où celui-ci doit épouser Violante Visconti, la fille du duc des lieux. Il pousse jusqu'à Ferrare et même Rome. Sur le chemin du retour, il fait une halte à Valenciennes ; c'est là, en 1369, qu'il apprend la mort de la reine d'Angleterre à qui il doit tant.

LE PORTAIL DES TÊTES COURONNÉES

Jean Froissart se trouve alors un nouveau mécène en la personne de Venceslas de Luxembourg, puis de Guy II de Châtillon, comte de Blois. Il reprend sa vie de jet-setter mondain itinérant. Après la Flandre, puis Blois, il découvre le Béarn en 1388 auprès du comte Gaston Fébus, prince solaire, poète et chasseur d'ours devant l'Éternel. Il prend congé après plusieurs mois pour ne pas manquer l'événement chic et branché de l'année : le mariage de Jeanne de Boulogne et du duc de Berry. Puis il se rend à Avignon. Y aurait-on organisé un festival très en vue ?

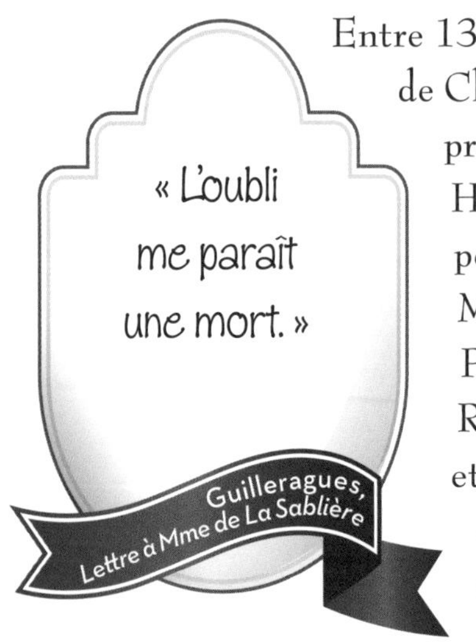

Entre 1390 et 1391, il abandonne son protecteur Guy de Châtillon, devenu *has been*, pour se placer sous la protection d'Aubert de Bavière, colérique comte de Hainaut, dont le fils, Guillaume d'Ostrevant, lui permet de poursuivre la rédaction de son œuvre. Même âgé, notre mondain continue à se rendre à Paris et à Londres où il fait cadeau de poèmes à Richard II. Philippe le Hardi, duc de Bourgogne et grand amateur d'art et de livres, est l'un de ses derniers mécènes. Enfin un mentor visionnaire et fastueux digne de son talent ! Travailleur infatigable et prolixe, le chroniqueur travaille jusqu'à son dernier souffle, après 1420.

SECRETS D'HISTOIRE

Jean Froissart a écrit à n'en pas douter pour la postérité, en prenant toutefois soin de ne pas froisser ses mécènes. Ainsi la première version du tome I de ses chroniques, probablement rédigée entre 1369 et 1379, alors qu'il était sous la protection de Venceslas, est-elle incontestablement favorable aux Anglais. Froissart rend-il ainsi un hommage posthume à la reine Philippa, sans gêner pour autant son mécène du moment, plus occupé à composer des poésies qu'à se préoccuper des démêlés franco-anglais ? Le second jet, écrit sous l'influence de Guy de Châtillon, donne le beau rôle aux Français. Le troisième *draft* (brouillon), retravaillé après 1400, est quant à lui franchement hostile aux Anglais. Avec les trois tomes suivants, ces textes enrichis d'enluminures forment un ensemble dense consacré à l'histoire européenne mouvementée des années 1322 à 1400.

LES LIBERTÉS DU CHRONIQUEUR

Les chroniques de Froissart accumulent les approximations et les inventions. Vraisemblablement afin de rendre son récit plus palpitant, de lui donner plus de force. Ainsi, pour mettre en scène la mort au champ d'honneur du chevalier Jean l'Aveugle en 1346, ressuscite-t-il deux preux chevaliers qu'il a fait trépasser à ses côtés quelques feuillets plus haut. Sans doute la présence de témoins oculaires s'imposait-elle pour rendre l'histoire irréfutable ?
Froissart sait aussi sélectionner les faits divers qui présentent un réel intérêt historique et politique. Parmi eux, la mésaventure de Charles VI de France au bal des Ardents de 1393. Le souverain, dont le déguisement de sauvage enduit de poix s'enflamme accidentellement, est sauvé d'une mort certaine et atroce par sa courageuse tante, Jeanne de Boulogne, duchesse de Berry, qui a la présence d'esprit d'éteindre le feu avec sa robe. Sauf mais choqué, le roi abandonne quelques jours après le pouvoir qu'il transmet à un régent.

VOICI

Le chroniqueur n'hésite pas non plus à rapporter des détails croustillants sur les mœurs du monde politique de l'époque. C'est ainsi que l'on apprend que le duc Jean Ier de Berry aurait dépensé sans compter pour entretenir un valet faiseur de chausses dont il était furieusement épris. Plus tard – *don't bullshit a bullshiter*[1] – Froissart raconte comment le même aristocrate, à qui la défense du château de la Roche-Vendeix a été confiée, s'acquitte de sa

1. On n'apprend pas à un vieux singe à faire la grimace.

tâche à distance, le plus loin possible des combats.

LE SAVIEZ-VOUS ?

Les combats de la guerre de Cent Ans s'enchaînent. Froissart, bien sûr, les raconte avec force détails, même s'il n'y assiste guère. À l'instar des journalistes peu scrupuleux du roman *Scoop*[2], le reporter de guerre semble s'être fait une spécialité de ne jamais être sur le terrain des opérations militaires.

À la fin de sa vie, Froissart s'émeut de l'extinction de l'esprit de chevalerie qu'il avait contribué à magnifier dans ses poèmes et dans ses chroniques, en racontant par exemple comment le Prince Noir a accueilli avec le respect dû à son rang le roi de France, Jean le Bon, fait prisonnier. Une version, là encore, sans doute quelque peu enjolivée.

Qu'importe ! Après tout, comme l'écrit si bien Stéphane Bern, « le roman est l'histoire du présent, tandis que l'Histoire est le roman du passé. »

2. Roman du Britannique Sir Evelyn Waugh publié en 1938.

La Peste noire : sept ans de réflexion[1]

1347 , *annus horribilis*[2]. La guerre de Cent Ans entre Anglais et Français est sur la touche « pause ». Le pape Clément VI a obtenu des deux rois belligérants la signature d'une trêve de sept ans. À une calamité succède une autre : la Peste noire, cette malédiction qui déferle sur l'Europe. La première épidémie fait vingt-cinq millions de victimes. En cinq ans, entre un tiers et la moitié de la population du Vieux Continent est décimée. L'Angleterre perd un million et demi d'habitants sur quatre (35 % de sa population), la France sept millions sur dix-sept millions (41,1 %).

1. *Sept ans de réflexion*, titre de la comédie de Billy Wilder, avec Marylin Monroe, sur les tribulations d'un mâle new-yorkais en proie à la tentation de l'adultère estival.
2. « Année horrible », citation de la reine Élisabeth II d'Angleterre à propos de l'année 1992, qui consiste en un jeu de mots sur le poème *Annus mirabilis* de John Dryden.

THE SEVEN YEAR ITCH[3]

Le bacille de la peste se transmet du rat à l'homme par la puce qui les pique successivement. « Ça vous chatouille, ou ça vous gratouille ? », comme dirait le bon docteur Knock. C'est justement en se frottant au sang que le malade permet à l'infection de se distiller sournoisement. Après l'apparition éventuelle de la fièvre, des ganglions pouvant atteindre la taille d'un œuf, les bubons, apparaissent sur le cou, sous les aisselles et au niveau de l'aine. Puis vient le temps des pustules rubis et celui des hémorragies internes, qui donnent cette délicate teinte noirâtre à la peau et cette « odeur pestilentielle » caractéristiques – vous n'emploierez plus le verbe « empester » à la légère ! Pour les plus faibles, la mort s'ensuit dans d'atroces souffrances, trois à cinq jours plus tard.
La peste bubonique arrive par les côtes et se transmet à la vitesse de la lumière du fait du manque absolu d'hygiène – le tout-à-l'égout n'existe pas encore – et surtout de la méconnaissance du mode de contagion. Pensant que la maladie est transmise par les animaux domestiques, les habitants n'hésitent pas à occire leurs chiens et chats au moindre soupçon, éliminant du même coup les prédateurs du rat, vecteur indirect du bacille. Pendant ce temps-là, les cadavres, faute de combattants pour les enterrer, sont entassés et contaminent les fleuves.

PEUR SUR LA VILLE

La Peste noire atteint Marseille en novembre 1347, puis Avignon. De la cité papale, alors carrefour des civilisations, elle va essaimer dans le sud de la France pour atteindre Paris en août 1348. En Angleterre, elle accoste en juillet-août par le sud-ouest, dans le

3. Titre original de la comédie de Billy Wilder *Sept ans de réflexion* : littéralement « sept ans de démangeaison ».

Gloucestershire, au port de Bristol, deuxième ville anglaise. En septembre de la même année, c'est depuis le port de Londres qu'elle débarque perfidement à Calais…

En France, la tension démographique est à son comble : les techniques de défrichement ne permettent pas de faire face à l'accroissement important de la population – dix-sept millions d'habitants – sans réduire le territoire consacré à l'élevage. Même si la situation est moins tendue en Angleterre avec ses quatre millions d'habitants, après plusieurs années de mauvaises récoltes en Europe, les paysans là-bas aussi crient famine et sont affaiblis. La peste va comme en France frapper les agglomérations à forte densité.

HORS NORME

La Peste noire est une tragédie que l'homme, avec la pire volonté du monde, n'a pu reproduire. Comme le souligne l'historien Yves Renouard, elle est un traumatisme hors norme, incomparable même à la Seconde Guerre mondiale et ses 5 % de morts ou à l'anéantissement des villes du Japon frappées par la bombe atomique. Après la Peste noire, plus rien ne sera comme avant.

WHEN SORROWS COME…

« *When sorrows come, they come not single spies,* écrit Shakespeare dans *Hamlet, but in battalions* »[4], formule librement traduite – plagiée ? – par Jacques Chirac : « Les emmerdes, ça vole toujours en escadrille. » La peste bubonique se double effectivement souvent des complications de la peste pulmonaire qui, elle, se transmet par simple inhalation, déclenchant la mort en quelques heures. En l'espace de cinq ans, un tiers de la population européenne est rayé de la carte, des villes, des villages. Et ce n'est qu'un début : jusqu'à la fin du siècle, quatre nouvelles épidémies de peste toucheront la France et six l'Angleterre. La première frappe plus particulièrement les adultes et la seconde cible les enfants,

4. *Hamlet*, acte IV, scène V : quand viennent les malheurs, ils ne sont jamais de solitaires éclaireurs, mais des bataillons.

laminant ainsi la prochaine génération. Il faudra plusieurs siècles pour reconstituer la population européenne.

APOCALYPSE NOW

Le relâchement moral est total, l'équilibre fragile de la société est mis à mal. Les animaux sont abandonnés, les champs ne sont plus cultivés, le coût des denrées augmente, celui de la main-d'œuvre devenue rare aussi, ce qui cause la faillite des propriétaires terriens et la fin du système féodal. En Angleterre, pour maintenir son économie, Édouard III en vient à interdire à ses sujets de quitter le royaume. Pour limiter les risques d'augmentation du coût de production, il fait promulguer le 18 juin 1349 devant le Parlement le Statut des travailleurs qui encadre les salaires des ouvriers et des artisans. Dans *le Capital*, Karl Marx prendra l'exemple de la politique du roi anglais pour illustrer sa théorie de l'accumulation primitive.
Sur l'île comme sur le continent, les clivages sociaux sont exacerbés sous les effets de la peste : les riches, qui vivent dans des conditions d'hygiène meilleures que les pauvres et peuvent fuir les foyers infectieux, meurent moins et héritent… des riches. Ils deviennent donc de plus en plus fortunés.

QUI VEUT NOYER SON CHIEN L'ACCUSE DE… LA PESTE

En France, les Juifs incarnent ceux qui ont profité de l'expansion économique aux XIIe et XIIIe siècles. Pratiquant les seuls métiers qui leur sont autorisés, le commerce et l'usure, ils vont devenir, comme en Suisse et en Allemagne, des boucs émissaires tout

désignés. Certains débiteurs voient là l'occasion inespérée de se libérer de leur dette et notent qu'ils semblent « mourir moins que les autres »: les Juifs sont soudain accusés d'avoir empoisonné les puits. À Strasbourg, deux mille d'entre eux sont brûlés vifs le 14 février 1349. Accusés de propager la peste comme les lépreux le furent en 1321 à Perpignan, ils cristallisent sur leur personne les angoisses les plus profondes. Si on ne note pas en Angleterre un tel déchaînement de violences antisémites, c'est qu'il ne s'y trouve plus de communautés à massacrer depuis qu'en 1290, un édit d'Édouard Ier a déjà expulsé les seize mille Juifs de son royaume. En France, Philippe VI de Valois autorisera leur châtiment jusqu'à ce que le pape Clément VI sorte une bulle, affirmant que la communauté hébraïque n'est pas responsable de la peste. Trop tard. La rumeur a enflé et les persécutions continuent sous la houlette de sectes mystiques comme les Flagellants (jusqu'à huit cent mille âmes en France).

IN GOD WE TRUST[5]

Et comme charité bien ordonnée commence par soi-même, ces illuminés se flagellent eux-mêmes plusieurs fois par jour, dans l'espoir de s'attirer la commisération de Dieu pour leurs péchés. L'Église n'est pas en reste. À l'appel du pape, qui fait de 1350 une année où tout pèlerin vers Rome se verra gratifié d'un accès direct au Paradis, sans passage au Purgatoire, des centaines de croyants désireux de profiter de l'offre se précipitent vers la Ville éternelle. Et, ce faisant, accélèrent la diffusion de la maladie. D'autres pensent pouvoir faire l'économie du voyage en cédant tous leurs biens à l'Église. *God* reconnaîtrait-il les siens ?
Les Écossais, persuadés que la colère du divin cible exclusivement

5. « En Dieu nous avons confiance », devise officielle des États-Unis d'Amérique.

À QUI LA FAUTE ?

Tout a commencé en 1347, à Caffa, en Crimée[6]. Les soldats mongols qui faisaient le siège du comptoir génois, pris d'un mal mystérieux, renoncent à leur assaut. Cependant, avant de se retirer, à l'aide de catapultes, ils envoient à leurs ennemis un cadeau empoisonné : les cadavres de leurs soldats décimés par la peste. Contaminés à leur tour par le fléau, les marins génois vont semer la mort partout où ils feront escale.

les Anglais, coupables d'avoir fait prisonnier leur roi à Neville's Cross le 17 octobre 1346, envahissent au nord de l'Angleterre la ville de Durham. Résultat : cinq mille Scots meurent de la peste et les survivants reviennent au pays avec des bacilles plein les poches. Avec la météo locale, la peste vire pulmonaire et s'étend à toute l'Écosse, au pays de Galles et en Irlande au printemps 1349. À Kilkenny, petite ville de la pointe ouest, il n'y aura aucun survivant.

DÉCADENCE

La peste est associée à un châtiment divin, auquel nul ne saurait se soustraire, encore moins ses messagers. Au contact des mendiants et des pauvres, les ecclésiastiques, quel que soit leur rang, sont les premiers touchés. En France, les moines et les prêtres tombent comme des mouches. En Angleterre, deux tiers des membres du clergé anglais périssent, archevêques compris. Les religieux constituant la seule population instruite de l'époque, leur décès signe aussi la disparition de l'intelligentsia.

Après cette hécatombe, pour reconstituer ses troupes, l'Église catholique recrute en masse « des ignorants peu zélés », écrit l'historienne Jacqueline Brossollet. En France comme en Angleterre, « la décadence des foyers d'érudition et de foi est l'une des causes de la Réforme ». L'Église a ouvert, malgré elle, la voie au protestantisme.

6. Aujourd'hui Feodosia, en Ukraine.

IN ENGLISH DANS LE TEXTE

En Angleterre, la destruction des élites aura aussi une conséquence en apparence anodine : la pénurie de professeurs de français. À tout malheur quelque chose est bon : la fin de la suprématie de la langue de Froissart est aussi le début d'une littérature *in English* dans le texte, incarnée par le poète Chaucer. C'est aussi, avec cet auteur prolixe qui en cette période macabre dessine un portrait vitriolé de la société britannique, les premiers pas du fameux *black humour* anglais…

> « La Peste (puisqu'il faut l'appeler par son nom)/ Capable d'enrichir en un jour l'Achéron »
>
> Jean de La Fontaine, *Les Animaux malades de la peste*

En 1352, la première pandémie de peste s'épuise. Chassez le naturel, il revient au galop : la guerre de Cent Ans peut reprendre.

Azincourt : le bourbier

Comme le chante l'ex-mascotte de la *Royal Air Force* et la plus française des chanteuses britanniques, Petula Clark[1] : « Du mois de septembre au mois d'août, faudrait des bottes de caoutchouc pour patauger dans la gadoue, la gadoue, la gadoue, la gadoue… »

Une information sensible et stratégique, indispensable pour comprendre la débâcle française d'Azincourt, le 25 octobre 1415.

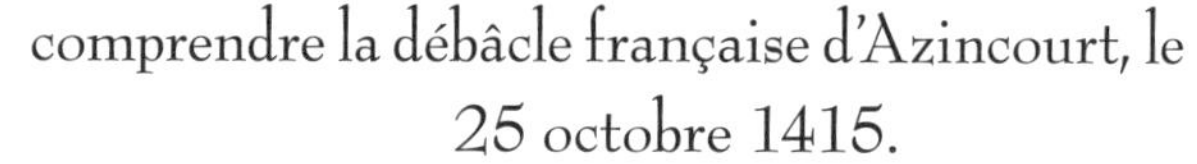

BATS IN THE BELFRY[2]

Once upon a time[3], au royaume d'Angleterre, régnait *King* Henri V. Arrêt sur image : fraîchement couronné en 1413, dans une Angleterre divisée entre les maisons royales des York et des Lancastre, le souverain se doit de rassembler. Est-il un programme plus fédérateur

1. *La gadoue*, paroles de Serge Gainsbourg, 1966.
2. Littéralement : « des chauves-souris dans le clocher », à traduire par « une araignée au plafond ».
3. Il était une fois.

qu'une bonne guerre contre les Français ? Et peut-on rêver meilleures circonstances ? Le roi de France, Charles VI, qui avait une araignée au plafond depuis quelques années, a basculé dans la folie. Tantôt en proie à des épisodes maniaques durant lesquels il devient extrêmement violent, tantôt plongé dans un état de prostration durant ses phases de rémission, il est désormais hors d'état de gouverner. Son royaume est fragilisé, tiraillé entre deux camps – les Bourguignons et les Armagnacs – qui se disputent le pouvoir.

A CUCKOO IN THE NEST[4]

C'est en toute tranquillité qu'Henri V et ses six mille hommes réunis à Southampton traversent la Manche en août 1415 pour faire le siège d'Harfleur. Au bout de cinq semaines, la ville, abandonnée par son propre camp, se rend. Les habitants sont chassés sans ménagement de leurs douillettes maisons au profit de colonies d'Anglais qui s'y installent avec leur nichée, tels des coucous.
Avec la conquête d'Harfleur, l'accès à Paris via la Seine est la porte ouverte aux incursions de nos ennemis héréditaires. *A serious matter*[5] ! Les Français se réveillent enfin et sortent l'oriflamme – l'étendard royal réservé aux grandes occasions belliqueuses – de la basilique de Saint-Denis. Un appel est lancé à tous les seigneurs de France : Montjoie ! Sus à l'Anglois, tous en Normandie !

DOG DAY AFTERNOON, UN APRÈS-MIDI DE CHIEN...[6]

Henri V, qui n'a plus un penny en caisse depuis le siège d'Harfleur et dont les hommes sont décimés par une méchante

4. Un coucou dans le nid.
5. L'affaire est sérieuse !
6. Film de Sidney Lumet, 1975.

IT'S RAINING CATS AND DOGS[7]

La pluie qui s'abat au début de la bataille d'Azincourt est une bénédiction pour le camp anglais à qui les intempéries ont toujours réussi. N'est-ce pas l'orage qui leur a permis de tirer leur épingle du jeu sur le champ de bataille de Crécy en 1346 ? À cette occasion, les arcs des Anglais, les *longbows*, dont la corde est faite de chanvre, avaient fait la preuve de leur supériorité sur les arbalètes des Français, dont la corde de crin se distendait sous la pluie...

dysenterie, s'apprête à descendre de sa colline et à reprendre la mer au plus vite pour regagner son *home sweet home*.

Quand soudain se profilent les lances et les casques de la meute de treize mille cinq cents gens d'armes français enragés, prêts à fondre sur eux. Les *Frenchies* se tiennent désormais entre eux et Calais : la sortie de l'Hexagone leur est barrée. C'est alors – *thank God !* – qu'il se met à pleuvoir des cordes. Henri V installe son campement militaire dans des granges à proximité. À l'aube, ses hommes descendent le long de la colline jusqu'au point le plus étroit du futur terrain de bataille tandis que les troupes françaises s'activent en contrebas de la colline, jusqu'au point le plus étroit du futur terrain de bataille. Le piège machiavélique du roi d'Angleterre est en place.

COMME UNE OIE GRISE

Les chevaliers français, coincés dans un champ récemment labouré et bordé de chaque côté par des bois, se rassemblent comme Henri V l'a prévu sur une bande de terre de moins d'un kilomètre de long gorgée d'eau. En l'absence du roi Charles VI indisposé, le commandement est partagé entre le connétable Charles d'Albret, le duc d'Orléans et le duc de Bourbon. C'est le maréchal Jean le Meingre, plus connu sous le nom de Boucicaut,

7. Littéralement : « il pleut des chats et des chiens », à traduire par « il pleut des cordes ».

qui dirige les opérations. La réputation d'habileté des archers anglais et plus encore celle des Gallois, redoutablement entraînés, n'est pas surfaite. « D'un coup d'aile d'oie grise [avec les plumes de laquelle on équilibre les flèches] – chantent les ballades –, les *Britons* savent semer la mort. »
Pour vaincre, Boucicaut doit mettre les archers ennemis hors d'état de nuire. Les surprendre. Son plan de bataille tourne au fiasco : en raison de la cohue, les combattants à pied français, pièces maîtresses du dispositif d'attaque, se retrouvent éloignés de la première ligne. Leurs arcs ne seront d'aucune utilité pour la suite.

FAITS COMME DES RATS

Les Anglais, comme à leur habitude, tirent les premiers. À raison de dix flèches par minute. Les puissants chevaux de trait français, déjà largement embourbés en raison du poids de l'armure de leur maître, paniquent. Les archers *Britons* exploitent la situation : ils visent les montures qui, après avoir désarçonné leurs cavaliers, s'effondrent sur eux non sans avoir piétiné les combattants à pied postés à leur côté.
Dans l'incapacité de se mettre à l'abri car en surnombre, les Français se trouvent faits comme des rats, à quelques centaines de mètres seulement des archers anglais. Que faire ? Reculer et perdre la face ? Ce serait contraire aux règles de la chevalerie. Les vagues de cavaliers français s'élancent donc l'une après l'autre, galopant vers leur funeste destin.
Un carnage. Car du côté anglais, on ne s'embarrasse guère de principes éthiques. Les hommes d'Henri V sont des mercenaires de basse extraction, mus par le seul appât du gain. En cas de défaite, ils ne seront pas faits otages, mais liquidés. Ils ont la rage de vaincre.

LAMBS TO THE SLAUGHTER[8]

L'issue de la bataille se présente favorablement pour les Anglais, déjà affairés à capturer des prisonniers, lorsqu'une nouvelle inquiétante parvient à Henri V : des troupes françaises tenteraient de les prendre à revers. Serait-ce la dernière carte du plan ourdi par Boucicaut ? La réplique du roi d'Angleterre sera terrible.

TO KILL THE GOLDEN GOOSE[9]

Au mépris du code de bonnes manières en temps de guerre, le cruel souverain anglais ordonne à ses hommes d'exécuter les prisonniers, y compris les nobles. Une très grande partie d'entre eux périront brûlés vifs dans les granges ou égorgés.
Une heure plus tard environ, Henri V savoure sa victoire : il n'a perdu que mille six cents hommes, contre près de six mille morts pour les Français, et qui plus est la fine fleur de leur chevalerie et de leur élite. Quand le souverain anglais découvre que ses bourreaux ont épargné en douce les plus *bankable*[10] des prisonniers français dans l'idée d'en tirer une rançon, il se garde bien de sanctionner cette désobéissance. Avec ces personnalités de premier plan retenues en otages, n'est-il point là pour *His Majesty* une lucrative opportunité de se refaire ? Voici le temps de faire des affaires...

MONKEY BUSINESS[11]

Henri V a la bosse du commerce et le sens du *monkey business*, comme en témoignent les divers contrats d'obligations couchés sur parchemin encore conservés aux archives de Londres. Ces

8. Comme un agneau à l'abattoir.
9. Tuer la poule aux œufs d'or.
10. Sur lesquels on peut investir.
11. Littéralement : « un commerce de singe », à traduire par « des combines juteuses ».

documents engagent ceux qui se sont rendus maîtres de prisonniers français à s'acquitter de droits royaux sur leur rançon. Quant aux prisonniers les plus précieux, ils sont réservés au roi lui-même, contre dédommagement *of course*.

> **LE SAVIEZ-VOUS ?**
>
> En l'absence de direction générale du trésor, l'estimation du patrimoine de chacun des prisonniers est fondée sur une enquête de... réputation. Et cela pour le plus grand malheur de Boucicaut, qui a été fait prisonnier. Connu pour être le plus brave d'entre les braves, il n'a pour ainsi dire pas de prix : le pauvre mourra au bout de six ans de captivité.

LA RÉCONCILIATION PAR LA LITTÉRATURE

La rançon exigée par les Anglais en échange de la libération de Charles d'Orléans, prince de sang et père du futur Louis XII, est si élevée qu'il faudra près de vingt-cinq ans pour la réunir ! Une éternité dont le captif saura tirer le meilleur profit. Au contact de son geôlier, Sir Thomas Cumberworth, Charles se découvre une subite passion pour la poésie de Chaucer et dévore ses *Contes de Canterbury*. Il va se lier d'une sincère amitié avec le duc de Suffolk, William de la Pole. Ensemble, ils vont écrire des rondeaux, ces poésies chantées ramassées en treize vers. Ils échangent, ils composent ensemble et, une fois Charles d'Orléans libéré, les deux ennemis héréditaires vont chacun en leur pays œuvrer pour la paix. Le Français sera l'un des artisans de la trêve conclue en 1444 à Tours, annonciatrice de la fin de la guerre de Cent Ans. L'Anglais en sera l'un des signataires. Le début d'une improbable réconciliation… bien avant que Petula Clark ne chante : « Tous les pays où j'aime vivre ont un drapeau bleu, blanc, rouge »…

Geoffrey Chaucer, plagiaire patenté, traducteur compulsif et vulgarisateur scientifique

Il n'y a pas que les Shadoks qui pompaient. Il y a aussi Geoffrey. Chaucer de son patronyme, le grand, le merveilleux poète anglais, est-il « un traducteur cleptomane »[1]? Celui qui, sans complexe, emprunta son art aux classiques comme à ses contemporains, passerait aujourd'hui pour un plagiaire patenté.

LE *COPYCAT* À L'HONNEUR

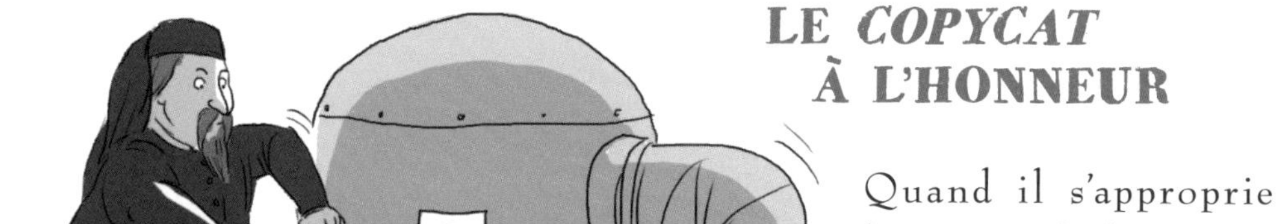

Quand il s'approprie *le Roman de la rose* du Français Guillaume de Lorris, fait un copier-coller du texte de Jean de Meung pour ses *Contes de Canterbury*, pique au *Décaméron* de l'Italien Boccace la substance de ses intrigues, l'auteur est-il un vulgaire

1. *Le Traducteur cleptomane* du Hongrois Dezsö Kosztolanyi, 2006.

copycat ? Not at all… Jusqu'au siècle des Lumières, la « citation » littéraire est considérée comme une opportunité pour la diffusion d'une œuvre et une source d'amélioration du texte, ainsi que la définit encore le comte de Lautréamont en 1870 : « Le plagiat est nécessaire. Le progrès l'implique. Il serre de près la phrase d'un auteur, se sert de ses expressions, efface une idée fausse, la remplace par l'idée juste. »

PLAGIER, C'EST JOUER

Contrairement à son contemporain et ami le poète John Gower, compilateur devant l'Éternel, Chaucer, traducteur boulimique, a un talent qui dépasse celui de recycleur. Il débarrasse les textes spoliés du surnaturel cher aux Français pour y injecter le réalisme qui plaît à Londres, purge les œuvres italiennes de leur excès en y apportant une tempérance tout anglaise. Et surtout, il insuffle aux œuvres qu'il pille une gaîté, une fraîcheur et une pétulance, le fameux *British humour*. Il introduit l'ironie et la satire, le troisième – voire le quatrième ! – degré dans le monde mièvre de l'amour courtois.

TRENTE PERSONNAGES EN QUÊTE DE HAUTEUR

Dans les *Contes de Canterbury*, une trentaine de personnages truculents partent en pèlerinage au sanctuaire de Thomas Becket. Parmi eux, deux chevaliers rivaux en amour, un charpentier vivant dans la peur d'être fait cocu, une bourgeoise de Bath cinq fois veuve et versée dans l'interprétation théologique du mariage, un juriste qui se déclare inapte à raconter de bonnes histoires, à l'instar d'un certain Chaucer…

Le récit *full of humour and self-mockery*, qui croque la société anglaise de manière incisive, rencontre un succès immédiat auprès du grand public. Ses contemporains poètes, comme Hoccleve et Lydgate, ne se gêneront pas pour, à leur tour et sans vergogne, pirater son œuvre, se mettant eux aussi à écrire en anglais dans le texte.

FRENCH GO HOME!

C'est là en effet un des apports considérables de Chaucer. En choisissant d'écrire dans sa langue natale, le poète répond à l'aspiration de tout un peuple à se débarrasser d'une tutelle intellectuelle vis-à-vis du Continent. Depuis Guillaume le Conquérant, le français, langue du droit, s'est imposé en plus du latin comme la langue noble, reléguant – c'est difficile à croire de nos jours – l'anglais au statut de dialecte de seconde zone.

MOI QUI AI SERVI LE FILS DU ROI D'ANGLETERRE…

Rien ne prédestine le jeune Chaucer, né vers 1340, à une telle postérité. Fils d'un marchand de vin aisé, il n'en est pas moins roturier. Sa chance sera de décrocher un premier job en 1357 comme page attaché à la duchesse de Clarence. Cette dernière n'est autre que l'épouse de Lionel d'Anvers, le deuxième fiston d'Édouard III et de Philippa de Hainaut. Un atout non négligeable lorsqu'en 1359, près de Reims, Chaucer, envoyé sur le front picard alors qu'il n'a aucune disposition pour la chose militaire, est capturé quelque temps après. Le roi d'Angleterre n'hésite pas à payer la rançon du jeune homme au service de son fils bien-aimé.
Si Chaucer ne dispose d'aucun talent pour le métier de soldat, ses qualités linguistiques vont rapidement le faire passer du statut de page polyglotte à celui d'émissaire diplomatique au pays de

ses anciens geôliers, mais aussi en Italie, d'où on espère peut-être qu'il tirera le meilleur profit de sa rencontre avec Boccace et Pétrarque.

HOPE AND GLORY

Chaucer écrit l'un de ses premiers grands poèmes, *le Livre de la duchesse*, dédié à Blanche de Lancastre, emportée trop tôt par la peste. Sa composition a l'heur de plaire à son mécène-commanditaire : la récompense ne se fait pas attendre. Geoffrey enchaîne les fonctions importantes. En 1374, il occupe le poste hautement lucratif de contrôleur des taxes sur la laine et les peaux à Londres, puis il devient représentant du Kent au Parlement. En 1389, on le retrouve inspecteur des travaux finis : clerc du roi chargé de la surveillance des constructions.

UNE LANGUE À PART ENTIÈRE

Dans son *Traité de l'astrolabe* (vers 1390) qu'il rédige pour son fils Lewis, Chaucer, visionnaire, affirme haut et fort que l'anglais se doit de devenir une langue à part entière, au même titre que le latin, la langue des savants, ou même que le français, l'italien ou encore l'arabe. Il sera le premier à procéder à une vulgarisation de la connaissance scientifique pour l'instruction des enfants sans certainement jamais avoir la mesure de ce qu'il vient d'accomplir pour la langue anglaise.

MA PETITE ENTREPRISE...

Sa petite entreprise ne connaît pas la crise. Même lorsque Jean de Gand s'éloigne de la cour en 1386, Chaucer, relevé un temps de ses charges, profite de ces deux années sabbatiques pour se mettre à l'écriture des *Contes de Canterbury*. Privé, en l'absence de son protecteur, d'une pension digne de ce nom, il en vient à gagner sa vie comme jardinier dans le Somerset, au parc royal du roi d'Angleterre Richard II.
Quand son successeur Henri IV accède au trône en 1399, pris de pitié pour Chaucer, dont il apprécie le sens de la diplomatie,

le souverain lui rétablit ses deniers. Grâce à ces émoluments, Chaucer s'installe dans un appartement situé dans le jardin de la chapelle Sainte-Marie de l'abbaye de Westminster où il meurt en 1400, laissant les *Contes de Canterbury* inachevés.

LE JOUR DE GLOIRE EST ARRIVÉ

S'ensuit une longue traversée du désert posthume. Entre ceux qui voient en lui un ancêtre cacochyme et moralisateur et ceux qui, tel le fondateur du mouvement quaker George Fox, tentent de récupérer sa pensée, Chaucer va demeurer incompris pendant deux siècles.

C'est le poète élisabéthain Edmund Spenser qui va lui redonner sa dimension d'auteur à part entière. Il sera suivi au XVIIe siècle par le poète John Dryden, qui s'émerveille soudain de l'une de ses créations – la mesure héroïque à dix syllabes – selon lui bien supérieure à la métrique ovidienne ! Cela lui vaut bien le titre de « père de la poésie anglaise ».

Il faudra attendre encore la fin du XIXe siècle pour qu'enfin les Anglais cessent de voir en ses facétieux *Contes de Canterbury* une œuvre vulgaire et réhabilitent le grand auteur. Une perle rare depuis longtemps détectée par les Français. Le poète Eustache Deschamps ne rend-il pas hommage, du vivant de Chaucer, au « grand translateur, noble Geffroy Chaucier » ? Son patronyme, d'origine française, y apparaît orthographié comme il aurait dû le rester : celui d'un auteur de génie que nous autres, *Frenchies*, pourrions bien être tentés de récupérer, en grande… pompe !

Pourquoi on continue d'en vouloir aux Anglais de nous avoir brûlé Jeanne d'Arc !

« Votre mission, Jeanne, si vous l'acceptez, consiste à libérer le royaume de France du joug des Anglais et à conduire le Dauphin sur le trône. » C'est à peu près en ces termes que la fille de laboureurs du petit village de Domrémy, née en 1412 et âgée de treize ans, reçoit sa feuille de route. Les instructions lui sont laissées, non pas sur une cassette qui s'autodétruira dans cinq secondes, mais directement par saint Gabriel, sainte Catherine et saint Michel.

UNE MYSTÉRIEUSE « PUCELLE »

Jeanne n'hésite pas. Elle a assisté, impuissante, aux exactions des Bourguignons alliés aux Anglais. Elle les a vus saccager Domrémy et ses alentours pour asseoir leur domination sur le territoire français. La jeune paysanne va donc trouver le capitaine de la ville

voisine, Robert de Baudricourt, et demande à rencontrer le « gentil Dauphin ». Le militaire lui rit au nez. Qui ferait confiance à cette jouvencelle effrontée ? Pour sa plus grande surprise, Jeanne lui annonce la défaite de Rouvray. Comment pourrait-elle être au courant d'une bataille qui vient de se livrer et dont personne n'a encore « tweeté » la nouvelle ? Se pourrait-il que Jeanne dise vrai ? Le capitaine accepte que la jeune « pucelle » soit conduite jusqu'au Dauphin. Charles VII, réfugié à Chinon, n'a pas grand-chose à perdre.

LE GENTIL DAUPHIN FACE AU REQUIN ANGLAIS

Soupçonné d'être l'enfant illégitime d'Isabeau de Bavière et du fringant Louis d'Orléans, mais surtout accusé d'avoir commandité l'assassinat du duc de Bourgogne (chef du parti des Bourguignons aspirant au pouvoir), son avenir est pour le moins compromis. Le souverain vient d'être évincé du pouvoir par le jeune Henri VI d'Angleterre. En l'absence d'héritier français incontesté, le Britannique s'est arrogé la couronne du royaume de France. L'heure est grave.
Comment Jeanne reconnaît-elle Charles VII parmi une foule, sans jamais l'avoir vu ? Un miracle selon ses hagiographes. Une chose aisée, selon les *Britons*, puisque l'altesse royale a les mains blanches et manucurées alors que son entourage les a crasseuses, comme tous les Français dont la réputation en matière de saleté n'est plus à faire. Les historiens, plus platement, estiment qu'elle a vraisemblablement pu apercevoir un portrait royal à Nancy, chez le duc de Lorraine où elle a séjourné.
Quoi qu'il en soit, Jeanne a reconnu Charles VII et le conjure de se battre pour reprendre Orléans aux Anglais.

ORLÉANS OUTRAGÉE, ORLÉANS LIBÉRÉE !

Encouragé par la jeune femme, le souverain français va libérer Orléans avant de battre les Anglais à Patay. Mais alors, Jeanne d'Arc, redoutable chef de guerre des troupes françaises, ou simple mascotte ? La controverse persiste encore aujourd'hui. Il semble que Jeanne portait l'étendard royal et qu'elle n'a jamais participé aux combats. Elle est cependant blessée à deux reprises, à l'épaule par une flèche. Qui était vraiment cette icône guerrière, habillée en page, qui jurait comme un charretier, rudoyait ses troupes et frayait avec Gilles de Rais, premier *serial killer* français, plus connu sous le nom de Barbe-Bleue ?

JEANNE, UNE HÉROÏNE POUR TOUS

Amazone, féministe avant l'heure, Jeanne a fait en France l'objet de toutes sortes de récupérations politiques : d'héroïne républicaine victime du fanatisme religieux pour Jules Michelet, elle deviendra sur le tard l'égérie du Front national... Tout cela sous l'œil amusé des Britanniques, qui ne croient pas au mythe.

REMARQUABLE GUERRIÈRE OU MALHEUREUSE SCHIZOPHRÈNE ?

GI Jeanne était-elle un stratège hors pair ou, comme certains médecins le laissent entendre, atteinte de troubles bipolaires, voire de schizophrénie ? Les voix de saint Gabriel, de saint Michel et de sainte Catherine ne seraient-elles que de vulgaires hallucinations auditives de nature épileptique ? Le mystère reste entier.

Toujours est-il que grâce à son courage, à sa combativité, et peut-être à sa folie, Jeanne va inverser le cours de la guerre de Cent Ans et « bouter l'Anglois » hors de France. Une dette que Charles VII, une fois fait roi à Reims, aura aussitôt oubliée. Probablement trop occupé à digérer la honte d'avoir été sacré

avec un ersatz de couronne, l'original étant conservé à Saint-Denis encore aux mains de l'envahisseur…

Retenons cette réplique de l'Irlandaise Maureen O'Hara dans le film *le Miracle de la 34e rue*: « I speak French, that doesn't make me Joan of Arc », que vous aurez aisément traduit en langage contemporain : « Ce n'est pas parce que je parle français qu'il faut me prendre pour une blonde. »

Maureen O'Hara, dans le Miracle de la 34e rue

JÉSUS ! JÉSUS ! JÉSUS !

Lorsqu'en 1430 les Bourguignons livrent Jeanne à l'évêque de Beauvais, Pierre Cauchon, suppôt des Anglais, le souverain abandonne sa coéquipière illuminée à son triste sort. Jeanne sera jugée l'année suivante. Quelque deux cent trente et un théologiens et universitaires se succèdent à la barre et l'accablent de soixante-dix chefs d'accusation : de la fugue de la maison familiale au travestissement en homme, en passant par le blasphème et la sorcellerie… En ces temps de fanatisme religieux, le pire de ses crimes est d'avoir pris ordre de Dieu directement, sans l'intermédiaire d'un prêtre.

Jeanne est accusée ni plus ni moins d'hérésie par l'évêque Cauchon. Ce dernier lui propose un marché : si la prophétesse accepte de se parjurer, elle échappera au bûcher et commuera sa peine en un emprisonnement à vie dans l'enceinte d'une prison religieuse. La jeune guerrière accepte et se soumet. Elle se déclare coupable d'avoir inventé les voix divines l'exhortant au combat ; elle consent même à faire acte de contrition en renonçant à s'attifer avec des frusques *boyish*.

Quelques jours plus tard pourtant, Jeanne change d'avis,

revêt à nouveau l'habit d'homme et revient sur ses aveux. L'évêque Cauchon la livre à la justice séculière anglaise. Elle périt sur le bûcher le 30 mai 1431, à l'âge de dix-neuf ans, non sans avoir hurlé le nom de Jésus par trois fois.

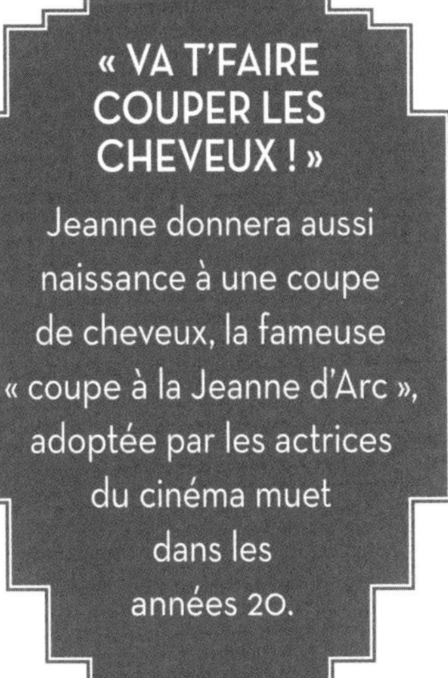

JEANNE EST VIVANTE !

Cependant, un peu partout en France, la rumeur se répand comme une traînée de poudre : Jeanne n'aurait pas péri dans les flammes ; elle serait vivante. Dans les années qui suivent son exécution, on voit apparaître dans plusieurs endroits en France des femmes, habillées en page, qui prétendent être Jeanne d'Arc. La plus célèbre d'entre elle, Claude des Armoises, sera démasquée. Parmi ces impostures, celle également des deux frères de Jeanne, Jean et Pierre, qui se griment, dit-on, pour perpétuer la mémoire de leur sœur. Leur quête ne sera pas vaine, puisqu'ils obtiendront du pape Calliste III l'instruction en révision du procès de Jeanne. Pour la canonisation, il faudra attendre… 1920.

LE DÉBUT DE LA FIN AVEC NOS VOISINS

Au cours de ce second jugement, il ne sera plus question ni de voix ni d'hérésie, mais du combat de Jeanne, qui s'est battue pour la défense de la patrie. Si le sentiment national français n'est pas né avec la pucelle de Domrémy, il s'épanouit avec la guerre de Cent Ans. Ce conflit marque aussi le début d'un divorce entre les deux peuples : les Anglais cessent peu à peu de parler la langue de François Villon qui devient rapidement chez eux

un obscur jargon pratiqué uniquement par les juristes.

Un fossé culturel que traduisent fort bien Winston Churchill et son sens de l'humour résolument britannique : « Quand je suis Jeanne d'Arc, je m'exalte. » Autrement dit : jamais ! foi de sujet de Sa Gracieuse Majesté pour lequel le flegme est érigé en art de vivre !

LE SAVIEZ-VOUS ?

Dès les débuts du septième art, Jeanne d'Arc attire les cinéastes : Georges Méliès lui consacre un premier film, suivi par Albert Capellani. La Jeanne de Cecil B. De Mille est très patriotique en 1916. Bientôt, les images de Jeanne d'Arc sont de plus en plus complexes : l'héroïne est mystique et intérieure chez Dreyer, fière et courageuse avec Ingrid Bergman, interprète de Victor Fleming puis de Roberto Rosselini, pure et dépouillée avec Robert Bresson, modernisée par Jacques Rivette et Luc Besson. Et gageons que la figure de Jeanne d'Arc n'a pas fini d'être adaptée !

You, dirty Frenchies ![1]

Si les *Dirty Frenchies* sont aujourd'hui des DJ de musique house très propres sur eux, outre-Manche, la réputation de saleté des Français reste tenace. Avec quelque raison, n'est-il pas ?

SHIT HAPPENS[2]

Depuis la nuit des temps, Paris croule sous les immondices. Il faut circuler en chaise à porteurs pour éviter les déjections des cochons, chèvres, volailles, chiens... Leur divagation ne sera formellement interdite que par un arrêté de François Ier en 1539. Nonobstant, la question canine reste entière : si l'on en croit le Britannique Stephen Clarke et son best-seller *A Year in the Merde*, la glissade sur étron demeure un incontournable de la vie parisienne contemporaine.

1. Vous, sales Français !
2. Les ennuis ça arrive !

Au Moyen Âge, les rues « crottées » ne sont pas le seul fait d'animaux, loin s'en faut. Il est de bon aloi de vider les pots de chambre, *if you please*, par la fenêtre, non sans avoir averti le passant d'un « à l'eau ! » prononcé par trois fois. Saint Louis, *himself*, recevra ainsi le contenu d'un vase de nuit sur la tête. *Shit happens*, comme disent les Anglais. Malgré l'interdit de 1378, et les efforts de la maréchaussée, cette sale manie va perdurer, tout comme celle des étudiants de la Sorbonne, qui dès le XVe siècle s'amusent à soulager leur vessie contre les murs de la faculté.

DU DANGER DE SE LAVER

La cour de Versailles, quelques siècles plus tard, est-elle autre chose qu'un vaste urinoir collectif ? D'où la créativité des parfumeurs français !, raillent les *Britons*. Que penser d'un peuple qui fit de la défécation de Louis XIV sur son trône percé un événement réservé au gotha ! Au même moment, quelques persifleurs émettaient l'idée que la quantité d'eau utilisée pour leur toilette pourrait bien être inversement proportionnelle à la vertu des femmes. Louis XVI, quant à lui, n'aurait pris son premier bain qu'à sept ans…
Sous Napoléon Ier, l'eau et le savon ne sont toujours pas jugés indispensables. Sauf pour ceux qui, comme lui, souffrent d'une maladie de peau. Un manuel de civilités donne aux hommes bien portants ce conseil de prudence : « Prenez des bains avec précautions et jamais plus d'une fois par mois. » Au XIXe siècle, certains médecins sont encore persuadés que la peau est perméable et que l'eau pourrait perturber les organes internes, voire y véhiculer quelques miasmes mystérieux. Les bains ne rendent-ils pas les femmes « hystériques » ? Et puis, n'oublions pas l'érotisation des odeurs corporelles et la fameuse lettre de

Napoléon à Joséphine, *so shoking :* « Ne vous lavez pas, j'arrive dans une semaine », comme Henri IV, le Vert- Galant, l'avait quelques siècles plus tôt susurré à l'oreille de Gabrielle d'Estrées. Les Français sont décidément des cochons. Mais c'est une autre histoire…

MIEUX VAUT ÊTRE BEAU QUE SENTIR MAUVAIS

Longtemps, la notion de propreté ne fut pas celle de l'intime, mais celle des apparences. Ainsi les rues de Paris comptent bon nombre de « décrotteurs », payés à brosser les souliers souillés des piétons. Un métier d'avenir jusqu'à ce que les Londoniens aient l'idée géniale d'inventer le trottoir. Le « pavement » est unanimement adopté par les Parisiens, qui descendent dans la rue et exigent l'équipement de tous les boulevards.

ET PARIS DANS TOUT ÇA ?

Malgré ces avancées, les effluves nauséabonds écornent l'image de la capitale. L'avènement « des fosses septiques, qu'il convient de vider régulièrement – quand elles existent – contribue à la puanteur méphitique ambiante », décrite par la romancière voyageuse Frances Trollope, dans *Paris and the Parisians*. En 1835, sa plume féroce évoque les « vapeurs infectes » de ces multitudes de fosses d'aisances, la souillure des puits et les rejets putrides dans la Seine. En 1832, alors que Londres a plusieurs décennies d'avance en matière d'hygiène avec ses *water-closets* (qui deviendront les WC), une pandémie de choléra venue du Gange fait des ravages. À Londres, puis à Paris, l'air est irrespirable.

L'ÉGOUT ET LES DOULEURS

Après le *Great Stink* de l'été 1854, le Britannique John Snow établit enfin une corrélation entre la maladie et les eaux usées ; il préconise de les collecter et de les mener par des canalisations enterrées à des sites de rejet naturel. Westminster débloque immédiatement les crédits nécessaires à la construction

des égouts. En France, c'est sous la houlette du préfet Haussmann la même année qu'Eugène Belgrand rénove le système d'évacuations de la capitale. Il faudra attendre 1894 pour qu'une loi interdise le rejet des eaux souillées dans la Seine.

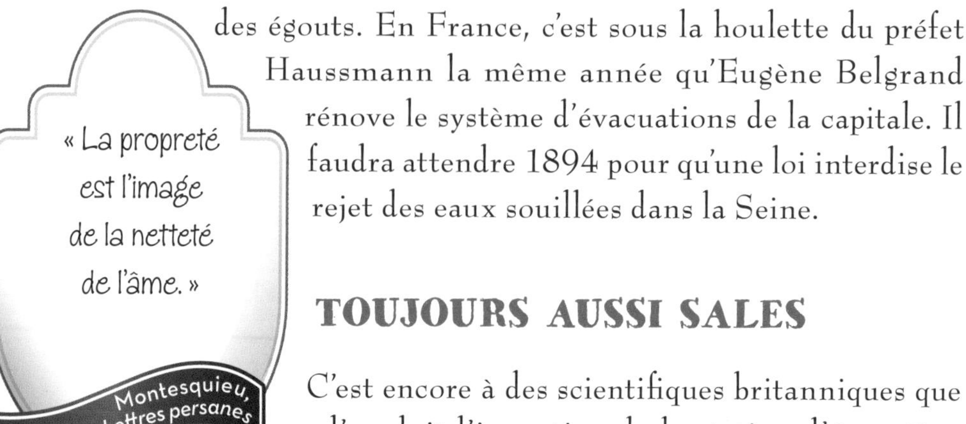

TOUJOURS AUSSI SALES

C'est encore à des scientifiques britanniques que l'on doit l'invention de la station d'épuration en 1915. La première voit le jour à Paris en 1930. Bien que l'eau courante soit arrivée dans les maisons au début du XXe siècle, les *Froggies* semblent avoir toujours autant de mal à se laver. Un sondage de l'institut BVA de septembre 2012 n'indiquait-il pas qu'un Français sur cinq, surtout les hommes, ne se lavait pas tous les jours et que seules 11,5 % des personnes interrogées se lavaient les mains après être allées aux toilettes ? *You, dirty Frenchies*…

Henri VIII / François Ier : Amicalement vôtre

Dans un montage parallèle, défilent les vies des jeunes princes charmants. D'un côté, Lord Brett Sinclair, alias Henri VIII, *born in Greenwich* en 1491 avec une petite cuillère en argent dans la bouche, digne héritier de son *daddy* pas très « cool », Henri VII d'Angleterre. De l'autre, Danny Wilde, alias François Ier, noble de seconde zone – duc d'Angoulême – né à Cognac en 1494, orphelin de père, marié à la fille de Louis XII, roi à la mort de beau-papa. François a vingt ans quand il prend la tête des quinze à vingt millions de sujets français. Henri en a dix-huit quand il prend les rênes du royaume d'Angleterre et de ses trois millions d'habitants.

BOY MEETS GIRLS

Comme Henri, François est un séducteur compulsif, un *womanizer*[1]. Outre l'aréopage

1. Coureur de jupons.

d'*escort girls* à éventails qui gravitent autour de la cour, le souverain français affiche au compteur deux épouses choisies pour leur pedigree : Claude de France, fille du défunt Louis XII, grâce à laquelle il a décroché le trône, puis, après son décès, Éléonore d'Autriche, la sœur de Charles Quint, qui lui a permis de le garder.
Henri, tout aussi intéressé, s'est quant à lui rapproché de la famille de l'empereur germanique, dont il a épousé la tante, Catherine d'Aragon. L'*English man* est le genre « serial marieur » : au total, six épouses, triées sur le volet pour la dot et les territoires qu'elles pouvaient apporter à son petit pays en mal d'alliances.

BOYS WILL BE BOYS[2]

Pour le fun, Henri, dont la devise est « Cœur loyal », compte officiellement trois maîtresses, dont une en commun avec François : Marie Boleyn, que le souverain *British* a tout de suite accueillie dans son lit quand elle est venue se réfugier à sa cour comme demoiselle d'honneur, après avoir été chassée du royaume de France. Il finira par lui préférer sa sœur, Anne, dont il fera sa seconde épouse. François semble avoir peu apprécié que la dame l'ait trompé : « une grande putain, écrira l'amant dépité mais connaisseur, la plus infâme de toutes ».

OH BOY!

François a accédé au pouvoir par les femmes. Elles causeront sa perte. Entre sa maîtresse, Françoise de Chateaubriand, qui le convainc de nommer son incompétent de frère, Lautrec, comme grand connétable (ce qui lui vaudra deux défaites

2. Les garçons restent des garçons.

militaires importantes) et une mortelle MST : « Je vous avise, écrit François Ier à son ambassadeur à Londres en septembre 1558, que j'ai été bien tourmenté d'un rhume qui m'est tombé sur les génitoires. » Une blennorragie mal soignée – qu'on prend à tort pour ce que les Anglais appellent « le mal français », la syphilis – qui l'achève…

À l'inverse, ce sont les femmes qui périssent par Henri VIII entre son épouse n° 2, Anne Boleyn, et son épouse n° 5, Catherine Howard, qu'il fait monter à l'échafaud.

THE BOYS IN THE BACKROOM[3]

Henri aurait pu également faire décapiter la première, l'encombrante Catherine d'Aragon. Cependant, après avoir d'avord demandé l'autorisation d'en divorcer auprès du pape Clément VII, la manœuvre aurait pu paraître suspecte. Pour s'en débarrasser, Henri, qui ne fait pas dans la dentelle de Calais, s'autoproclame donc chef de l'Église anglicane, consacrant ainsi le schisme ave Rome.

François Ier, relativement tolérant vis-à-vis des protestants – il a protégé certains intellectuels, mais n'empêchera pas le massacre des Vaudois –, va, lui, s'affirmer comme un chef religieux catholique. Il saura convaincre le pape Léon X de lui laisser la main sur la nomination des archevêques, des évêques et des abbés de son royaume.

François est respectueux des ecclésiastiques, à qui il doit sa belle culture française, mais aussi l'apprentissage du latin et du grec. Il va réorganiser les finances de l'État et réformer la justice par l'ordonnance de Villers-Cotterêts (1539) qui impose notamment la rédaction en français des actes juridiques et administratifs.

3. Cette expression désigne les hommes d'influence qui prennent les vraies décisions. Titre d'une chanson interprétée par Marlene Dietrich pour le film *Destry rides again* du réalisateur George Marshall (1939).

SAVOIR S'ENTOURER

Élevé au château d'Amboise, en Touraine, le duc d'Angoulême a aussi croisé des humanistes, dont il va encourager la traduction des œuvres, et fonder le futur Collège de France. Bercé de culture italienne, le roi bâtisseur des châteaux de Chambord, de Blois et de Fontainebleau fera appel aux plus grands artistes de son temps : Benvenuto Cellini, Leonard de Vinci, le Rosso, le Primatice, qui vont à jamais laisser leur empreinte en ces demeures royales.
Henri est lui aussi un érudit. Il s'entoure des intellectuels qui ont introduit la Renaissance en Angleterre : William Grocyn, un helléniste distingué ; John Colet, versé dans l'art d'enseigner, et l'humaniste Thomas Linacre, son médecin. Érasme lui-même figure parmi les lettrés qui se sont précipités en Angleterre, dès la nouvelle de son accession au trône. Féru de théologie, le roi d'Angleterre rédige, avec l'aide précieuse de Thomas More, le traité *la Défense des sept sacrements : publiée contre Martin Luther* (1521), remarqué par le pape avec qui il est encore en odeur de sainteté. Ce dernier lui décerne en retour le titre de « défenseur de la foi » que continue de porter la reine Élisabeth II.

VERY SPORTY

Esthètes, les deux rois sont aussi – *mens sana in corpore sano* – de grands sportifs. Chasseurs, amateurs de joutes équestres, ils pratiquent la lutte, excellent aux jeux de balle. François pratique le jeu de paume, ancêtre du tennis et c'est Henri qui lui offrira ses premières raquettes pour jouer au *royal tennis*. Ils sont tous les deux passionnés de chasse à courre. Selon l'historien anglais David Starkey qui décrit Henri comme un décathlète avant

l'heure, le souverain anglais passe le tiers de sa vie à cheval… Une vilaine chute lors d'un tournoi, causant l'ulcération de l'une de ses jambes, le force à s'aider d'une longue canne. Cessant le sport, Henri VIII, devenu obèse, doit s'aider d'une machine pour monter les escaliers et meurt vraisemblablement du diabète.

GÉNÉRIQUE DE FIN

Les deux rois s'éteignent tous les deux en 1547, Henri veillé par son épouse n° 6 au palais de Whitehall de Londres, François à Rambouillet sous les yeux de sa seconde femme.
Si les souverains ont contribué au développement maritime et commercial de leur pays, ils laissent derrière eux des royaumes ruinés par leurs dépenses somptuaires. L'un avec l'image d'un roi sanguinaire (« Henri VIII, dit l'historien David Starkey, a la morale d'un gangster italien »), un peu *wild* comme Danny Wilde décidément. L'autre, François Ier, aura acquis ses lettres de noblesse, devenant ainsi le gendre idéal et le roi préféré des Français… Un peu Lord Brett Sinclair finalement ?

PET SHOP BOYS

Du haut de son 1,85 m, le teint clair et les cheveux d'un blond vif tirant sur le roux, Henri, sous sa chamarre hyper épaulée doublée de fourrure, est *smart* dans son habit très flatteur pour sa silhouette de jeune premier. François, beau *latin lover* de près de 2 m, élégant lui aussi dans son costume bicolore en tissu italien, est un être solaire, bien élevé, galant. Il passe sa vie de château en château, où il donne des fêtes somptueuses. Henri et lui ont en partage le goût du luxe, des étoffes, des bijoux, la *fashion attitude*, les plaisirs de la chère et de la chair…

Le Camp du Drap d'or : Inamicalement vôtre

François Ier et Henri VIII, respectivement vingt-cinq ans et vingt-huit ans, jeunes rois érudits, réformateurs, fêtards, amateurs de sport et de femmes, ont a priori tout pour s'entendre entre le 7 et le 24 juin 1520. Lors de cette rencontre, le souverain français espère convaincre son ennemi héréditaire de sceller avec lui une alliance contre l'expansionnisme de Charles Quint.

LE BÛCHER DES VANITÉS

L'immense Saint Empire romain germanique, dont François Ier s'est fait souffler la tête, s'étend dorénavant de l'Allemagne à la Silésie, tout en comprenant en outre la Flandre, le royaume de Naples et l'Espagne : le royaume de France est pris en étau. Pour faire barrage à Charles Quint, l'Angleterre est la seule puissance sur laquelle l'Hexagone peut compter. Afin

de mener à bien ces pourparlers, François et Henri n'ont pas lésiné sur les moyens...
À côté du château de Guînes, territoire anglais situé à quinze kilomètres de Calais, le roi d'Angleterre a fait construire le Palais de Cristal, une somptueuse demeure destinée à lui servir de résidence pendant ces trois semaines de rencontres diplomatiques. Un lieu, pense-t-il, de nature à impressionner le roi de France. François Ier n'a-t-il pas décidé d'établir un campement champêtre à proximité d'Ardres, petite cité française ? LOL.
Henri ne peut toutefois réprimer un pincement de jalousie quand il découvre le faste des tentures d'or doublées de velours bleu et l'inventivité dont le *Frenchy* a fait montre. Un luxe par trop « bling-bling », qui va rester à la postérité comme l'« entrevue du Camp du Drap d'or ».

TOUT VA POUR LE MIEUX

Jusqu'ici rien de dramatique. Les festivités off de cette rencontre au sommet battent leur plein. Les concours de tir à l'arc sont très courus. Les joutes équestres, les combats de lutteurs se succèdent pour le plaisir des yeux dans les deux camps. Le vin coule à flots, et les mets sont délicieux.
Pendant ce temps, les discussions progressent et la confirmation du mariage du Dauphin de France, François III de Bretagne, avec Marie Tudor, la fille d'Henri VIII et de Catherine d'Aragon, moyennant l'abandon du soutien de la France à l'Écosse, semble acquise.

PRIDE AND PREJUDICE[1]

Tout va bien dans le meilleur des mondes jusqu'au moment où le roi d'Angleterre, dans un accès de vantardise, invite François à

1. *Orgueil et Préjugés*, roman de Jane Austen.

LE SAVIEZ-VOUS ?

Après la défaite de Bannockburn, en 1314, le roi Édouard III d'Angleterre a rendu obligatoire la pratique du tir à l'arc à l'exclusion de tout autre sport le dimanche. C'est pourquoi depuis ce jour la réputation des archers anglais n'a jamais failli.

un petit combat à mains nues. « Mon frère, je veux lutter avec vous », lance Henri alors qu'ils conversent sous sa tente. François relève le défi. Et voici les deux monarques se livrant à un combat de coqs, devant un parterre de gentes damoiselles et de diplomates. Ces derniers craignent le pire, et ils ont raison !

MATCH POINT

François, plus grand qu'Henri, – 2 m contre 1,85 m – est resté svelte alors que le souverain anglais n'est pas loin de l'obésité. En moins de temps qu'il n'en faut pour le dire, François fait le coup de la prise bretonne et Henri mord la poussière au su et au vu de tous. Comme si l'humiliation n'était pas assez grande, François, décidément pas très fair-play, refuse de faire la belle, déclenchant l'ire du souverain anglais.

C'en est officiellement fini de leur belle amitié virile. Non seulement Henri VIII quitte la table des négociations avec fracas sans avoir signé aucun accord, mais il s'empresse de s'allier avec Charles Quint. En réalité, les pourparlers franco-anglais avaient peu de chance d'aboutir. Le cardinal Wolsey, véritable maître d'œuvre de la diplomatie du royaume d'Angleterre, avait secrètement déjà pactisé avec Charles Quint.

GENTLEMEN'S AGREEMENT[2]

Juste retour de l'Histoire, douze ans plus tard, en 1532, les deux frères ennemis, oubliant leur vieille rancœur, vont se retrouver

2. Accord de gentleman.

à Boulogne. En préambule à toute discussion, et forts de leur précédente expérience au Camp du Drap d'or, ils s'engagent à ne pas faire de *show off*. L'heure, il est vrai, n'est plus aux folles dépenses. François Ier, sorti ruiné par la défaite italienne de Pavie, n'est plus capable d'affronter seul l'empereur Charles Quint. Henri VIII, qui souhaite divorcer de Catherine d'Aragon, est menacé d'excommunication par le neveu de son épouse. Charles Quint, encore lui, s'apprête cette fois-ci à sceller avec le pape Clément VI un accord qui les affaiblirait tous les deux. *In the end*, Henri VIII, débarrassé de Wolsey, et François Ier signeront entre « bons frères » un accord de secours mutuel…

D'OR ET DE VERRE

Pour accueillir Henri VIII d'Angleterre, François Ier a fait dresser non loin de Calais, entre Guînes et Ardres, un campement au luxe inégalé dont le plus bel ornement est une immense tente de drap d'or doublé de velours bleu, entourée de trois à quatre cents tentes et pavillons, « et avaient dessus lesdites tentes force devises et pommes d'or et quand elles étaient tendues au soleil, il les faisait merveilleusement beau à voir. » Henri VIII n'est pas en reste, qui a fait dresser deux mille tentes blanches et une maison « en bois et en verre amenée par mer toute faite ». Mais ce faste sera bien inutile…

Jeu de paume / Tennis : *Match Point*

Le jeu de paume est le roi des jeux et le jeu des rois, n'est-il pas ? François Ier est le joueur le plus impressionnant de son temps, Henri II, le meilleur, Charles IX et Henri IV s'en montreront également grands amateurs. Avant eux, Louis X dit le Hutin avait payé sa passion de sa vie, mourant à Vincennes le 5 juin 1316 d'avoir bu trop froid après une partie endiablée.

QUI DE LA POULE… OU DE L'ESTEUF

Ce sont, dit la légende sportive, des moines français en mal d'exercice ou de distraction qui inventent le jeu de paume au XIIIe siècle en faisant rebondir une balle (appelée l'esteuf) sur le sol, les murs et les piliers de leur cloître, avec la paume de la main.

PAS DE BOOGIE-WOOGIE AVANT VOS PRIÈRES DU SOIR !

Adopté par les étudiants au XIVe siècle, le jeu de paume va peu à peu enthousiasmer la noblesse puis le reste de la population française. Hommes, femmes, enfants, ecclésiastiques, tous s'y mettent. Avec frénésie. On joue sur les places de village, dans les cours d'auberge, sur les champs de foire… Les *Frenchies* en viennent à négliger leur travail, leur foyer, leur église. Un trouble à l'ordre public, selon le prévôt (maire) de Paris, qu'il convient de faire cesser. En 1397, il en interdit la pratique, sauf le dimanche. En vain.

THE SHOW MUST GO ON

En plus du jeu de « longue paume » de plein air se développe, d'abord dans la clandestinité, la « courte paume » que l'on pratique en salle, dans les tripots où les paris d'argent vont bon train et où l'on discute affaires. Au XVIe siècle, ce jeu est très populaire, il existe quelque deux cents salles de jeu de paume à Paris. Au début du XVIIe siècle, on compte mille huit cents salles de paume en France.

LA BALLE AU BOND

Le sport se pratique d'abord avec une balle en laine et poils d'animaux, puis avec une balle en cuir remplie de sable et de chaux, avant de revenir en 1481 à la constitution initiale. Louis XI juge le cuir trop douloureux ! Car à l'époque, on joue encore avec la main. On passe alors au gant en cuir (comme pour la pelote basque) et ensuite au « battoir » en bois, qui va devenir la première raquette au XVIe siècle. Les joueurs ont

LE SAVIEZ-VOUS ?

Au XVIe siècle, ce jeu est devenu tellement populaire que les femmes donnent à la mode qu'elles lancent en tenant leurs cheveux dans un filet très *fashion* le nom de « coiffure à la raquette ».

initialement le droit (comme au squash) de prendre la balle au rebond sur les murs ; la corde qui apparaît pour séparer les deux joueurs deviendra ultérieurement un filet (comme au badminton).

ROYAL TENNIS

Le jeu de paume connaît un engouement qui dépasse largement les frontières de la France. Dans toutes les cours européennes, il prend le nom de « tennis », une déformation de « Tenez Messire » qui annonçait à l'adversaire que le joueur s'apprêtait à servir. En Australie, il prend le nom de *royal tennis* ou de *real tennis*. Les Anglais le rebaptisent *court tennis* pour le distinguer du jeu qu'ils viennent d'inventer : le *lawn tennis*, un jeu de paume sur gazon. Le premier court est créé à Hampton Court par Henri VIII. La légende dit que le souverain anglais y aurait tranquillement terminé sa partie alors qu'il faisait décapiter son ex Anne Boleyn. Un nouveau jeu anglais apparaît vers 1850, le « jeu de rackets ». Il se joue à plusieurs contre un mur avec des raquettes et une balle en cuir qui rebondit. Son succès est de courte durée.

AVANTAGE

Il sera remplacé en 1873 par un jeu de balle et de raquettes sur pelouse inventé par un retraité de l'armée des Indes dans sa résidence de Londres. Walter Clopton Wingfield fait breveter à la chambre des métiers de Londres ce jeu qui mêle les règles du jeu de raquettes et celles du jeu de paume. Le « sphairistiké »

(du grec « art de la balle »), référence au premier jeu pratiqué dans la Grèce antique, est rebaptisé en 1877 *lawn tennis* (jeu de paume sur gazon), nom plus facile à retenir. Le tennis contemporain est né.

ENFANT DE LA BALLE

Alors que le sport anglais part à la conquête du monde, le jeu de paume va lentement décliner à partir du XVIIe siècle. Les salles, qui ont des galeries sur le côté pour accueillir le public, sont désormais plus volontiers utilisées pour les spectacles. Molière ou Corneille y donnent leurs pièces. À la Révolution française, l'heure n'est plus au divertissement : il ne reste plus qu'une douzaine de salles à Paris. Elles accueillent des meetings politiques. C'est au cours de l'un d'entre eux qu'est prononcé le fameux serment du Jeu de Paume, le 20 juin 1789 : les députés du tiers état jurent de ne pas se séparer tant qu'une Constitution ne sera pas donnée au royaume...

RESTER SUR LE CARREAU

Au milieu du XIXe siècle, ne subsiste à Paris qu'une seule salle, construite en 1862 aux Tuileries par Napoléon III en remplacement de celle qu'il a fait détruire pour édifier l'Opéra Garnier. La salle du jeu de paume est transformée en musée. Le jeu de paume, ancêtre de la pelote basque, du badminton et du tennis, est moribond.

TIE BREAK

De l'autre côté de la Manche, le *lawn tennis* poursuit son essor. En juillet 1877, le *All England Club* organise son premier championnat. Il s'agit du premier tournoi de Wimbledon.

ÉPATER LA GALERIE

Au XVIIe siècle, quand les salles de jeu de paume deviennent salles de théâtre, les mots du sport entrent dans les expressions courantes : les artistes sont « les enfants de la balle », on « épate la galerie », il faut « prendre la balle au bond » sans « rester sur le carreau », on dit volontiers « prendre l'avantage », peut-être moins souvent « peloter », les enfants aiment toujours à s'écrier : « qui va à la chasse perd sa place »...

Ce sport va faire florès sur tous les continents où l'Angleterre est présente à travers le Commonwealth. Compte tenu de la diversité des surfaces de jeu locales (terre battue, ciment,...), on ne parlera plus de *lawn tennis* mais de *tennis*.

IT'S MORE FUN TO COMPETE

C'est au Havre, à Dinard et à Cannes, lieux de villégiature anglais, que les premiers clubs de *lawn tennis* sont créés en France. Le Racing Club de Paris, le Stade français et le club sportif de l'île de Puteaux construisent les premiers terrains de tennis français vers 1890. La presse parisienne se révolte, accusant l'Union des sociétés françaises de sports athlétiques d'importer des « sports anglais ». *Shame on you !* Il faudra l'intervention de Pierre de Coubertin, l'inventeur des jeux Olympiques modernes, pour ramener les anglophobes à la raison : *it's more fun to compete !* (C'est plus drôle d'être en concurrence !)

Bloody Mary !

La recette est élémentaire, mon cher Watson : autant de vodka que de jus de tomate. Pour le reste, c'est *up to you*[1] : jus de citron, sauce Worcestershire, raifort, Tabasco, sel de céleri, sel, poivre de Cayenne, voire paprika. Du moment que c'est explosif…

THE BUCKET OF BLOOD

Le *Bloody Mary* voit officiellement le jour en 1921 au *Harry's New York Bar* (rebaptisé *Harry's Bar* plus tard) à Paris, dans le shaker du maître de la glace pilé, Fernand Petiot. Le cocktail élaboré pour le pianiste américain Roy Barton entend ainsi honorer la mémoire du *Bucket of blood* (le Godet de sang), l'établissement de Chicago où le musicien se produisait, et raviver le souvenir de Mary, une serveuse à fort tempérament avec qui il

1. À vous de voir.

travaillait. La légende urbaine est lancée. Elle n'aura de cesse de se transformer.
Le cocktail écarlate a vite fait d'être associé à Marie Ire d'Angleterre, la bien nommée « *Bloody Mary* ». En cinq ans de règne, la souveraine a réussi à envoyer ad patres deux fois plus d'hérétiques que ses prédécesseurs en… cent cinquante ans ! À moins que la sanglante Mary ne fût Mary Read, une Anglaise enrôlée dans l'équipage du pirate Jack Rackham, celui-là même qui inspirera Hergé pour les aventures de Tintin.

RED SNAPPER

Un zeste d'hémoglobine et une pincée d'aventure qui se perdent en survolant l'Atlantique. Lorsqu'en 1934, Petiot devient le barman en chef de l'établissement new-yorkais *le Regis*, il adapte le cocktail au goût de ses clients en remplaçant la vodka par du gin : son *Red Snapper* (le rouget) passe pour être un remède efficace contre la gueule de bois. L'inventif barman, peut-être sous le coup de l'ivresse, raconte alors une nouvelle histoire : il n'a pas créé le *Bloody Mary*, mais amélioré la recette initiale servie aux soirées du compositeur et producteur de comédies musicales George Jessel. Il affirme également que la boisson tire son nom d'un personnage du show *South Pacific*, une certaine *Bloody Mary*, maquerelle sans cœur aux dents colorées en orangé par les baies d'arec qu'elle mâchouille en permanence.

MAIS QUI EST LE PÈRE ?

Une version contestée par Harry Mac Elhone, le propriétaire parisien du *Harry's New York Bar*. Celui-ci jure avoir servi le cocktail dès 1919 à Ernest Hemingway. Contraint à la sobriété par son médecin, l'écrivain lui aurait demandé de concocter

une boisson qui ne sente pas l'alcool pour tromper la vigilance de sa quatrième femme, Mary Welsh, qu'il appelait fort délicatement *« Bloody Mary »* ou « satanée Mary ». Dans une lettre datée de 1947, le plus français des auteurs américains ne confirme pas ces dires, mais prétend avoir fait découvrir le *Bloody Mary* aux soldats américains à Hong-Kong, en 1941.
Alors, « Marie la sanguinaire », « Marie la sanglante » ou « satanée Marie » ? C'est vraiment à vous de voir ! ou de boire…

BLOODY MARY, LE RETOUR !

L'autre légende urbaine du *Bloody Mary* est américaine. Elle va nourrir l'imaginaire gothique des petites filles dès l'époque victorienne et inspirer le psychiatre suisse Carl Gustav Jung. Le jeu consiste à consulter l'avenir en invoquant le fantôme d'une mystérieuse Mary Worth, alias Mary, alias Mary Jane. Si le nom n'est pas toujours le même, l'adjectif qui le précède, oui : *bloody*. Ce personnage est à la fois effrayant et protecteur, maternel et… infanticide.
Marie Ire d'Angleterre pourrait être à l'origine de ce mythe. Pas seulement pour avoir versé le sang des protestants, mais aussi en référence à ses nombreuses fausses couches et grossesses nerveuses. Il pourrait aussi s'agir de la « dame sanglante de Csejte », Élisabeth Báthory, comtesse hongroise du XVIIe siècle, qui aurait torturé de nombreuses jeunes filles afin de recueillir leur sang et d'accéder à la jeunesse éternelle… *Bloody* elles !

« HELL MARY »

Voici la recette pour prendre rendez-vous avec cet étonnant oracle qu'est le fantôme de Mary Worth : disposez une ou deux chandelles dans un endroit obscur. Prononcez sept fois *« Hell Mary »* devant un miroir, jusqu'à ce que l'image de Satan apparaisse. Répétez encore trois fois la phrase magique, de telle sorte que le miroir devienne rouge. Encore cinq fois : le visage sombre du fantôme de *« Bloody Mary »* apparaît.
Il est prêt à être interrogé.

La guerre des Miss : Élisabeth versus Marie

Pas de quartier à Buckingham Palace. Le 8 février 1587, à 10 heures du matin, sur les ordres de sa cousine Élisabeth Ire d'Angleterre, Marie Stuart est décapitée en place publique. On lui arrache sa croix catholique et le bourreau abat sa hache sur la frêle nuque. Il doit s'y reprendre à trois fois pour séparer le corps du tronc. Que s'est-il passé entre ces deux prétendantes à la couronne de Miss Angleterre ?

UN FRAGILE ÉQUILIBRE

To make a long story short (pour faire bref), revenons en l'année 1559, l'année où la Réforme fait souffler sur l'Europe un vent de liberté, où le monde est dominé par des femmes. Catherine de Médicis, quarante ans, règne sur une France qui peut à tout instant sombrer dans la guerre civile, entre les ultras-catholiques, aimantés par l'Espagne de Philippe II, et les protestants, attisés par... Élisabeth Ire

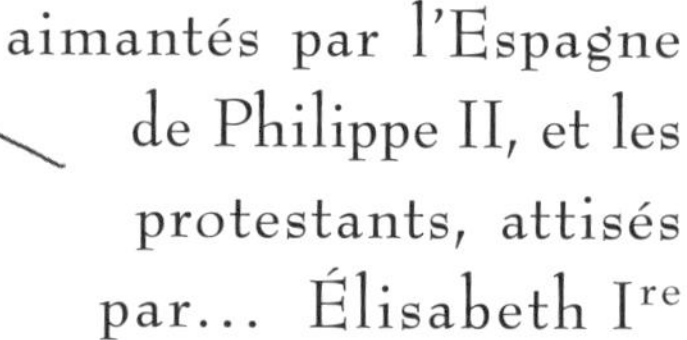

d'Angleterre. À vingt-six ans, reine depuis un an, l'anglicane flamboyante excommuniée par le pape, fille d'Henri VIII et d'Anne Boleyn, fait figure d'usurpatrice et peut à tout instant perdre le trône que lui dispute sa cousine catholique Marie Stuart. Cette dernière, dix-sept ans, est reine d'Écosse, d'Irlande et de France. Petite-fille de Marguerite Stuart, la sœur aînée d'Henri VIII, elle peut légitimement prétendre à la couronne d'Angleterre... Mais elle est aussi le maillon faible de cet équilibre religieux et politique précaire : elle va en payer le prix fort.

MARY À TOUT PRIX

La vie de Marie Stuart commence sous de sinistres auspices. Six jours après sa naissance, son père, Jacques V d'Écosse, rend son âme à Dieu. Là, soudainement, la voici reine d'Écosse. La jeune Marie devient immédiatement l'objet de toutes les convoitises. Elle n'a que quatre ans lorsqu'Henri VIII, pris d'une envie subite d'annexion, tente de la faire enlever afin de la marier à son fils héritier Édouard. Pour assurer la sécurité de sa fille, sa mère, Marie de Guise, décide d'envoyer l'enfant en France, alors alliée à l'Écosse.

C'est ainsi qu'à l'âge de six ans, Marie Stuart grandit dans les châteaux de la Loire, devenant la plus française des souveraines anglo-saxonnes. Catherine de Médicis se prend d'affection pour la petite princesse qu'elle destine à son fils, le Dauphin François. Ils grandissent ensemble à la cour du royaume de France. Très belle, très intelligente, Marie Stuart monte à cheval, apprend la couture, pratique la fauconnerie, joue de la musique, parle plusieurs langues. Elle épouse comme prévu François. Elle a seize ans, il en a quatorze, et ils s'aiment d'un amour tendre. Un an plus tard, le roi français Henri II meurt, en ayant pris soin auparavant, à la mort de *Queen Bloody Mary* en 1558, de revendiquer pour sa

reine d'Écosse de belle-fille Marie Stuart les trônes d'Irlande et d'Angleterre. À la triple couronne qu'elle pourrait bien un jour porter, la jeune reine en ajoute donc une nouvelle : celle de France. Mais son bonheur sera de courte durée puisque l'année suivante, en 1560, *bad luck*, son époux François II meurt d'une otite mal soignée.

4 MARIAGES ET 30 000 ENTERREMENTS

Pourquoi la reine Élisabeth ne s'est-elle pas mariée ? La question semble obséder Catherine de Médicis qui, pendant près de trente ans, va s'obstiner à présenter ses fistons à celle qu'on surnomme la « Reine vierge ». Une union entre un roi catholique et une reine protestante serait, il est vrai, un gage de paix dans une France où les huguenots sont à couteaux tirés avec les ultra-catholiques.
Mais Charles IX puis le duc d'Anjou et le duc d'Alençon échouent tous trois à conquérir le cœur de *the Queen of England*. Ne parvenant pas à s'allier à l'Angleterre, la régente, de guerre lasse, décide de marier sa fille, la très catholique Marguerite de Valois, au protestant Henri de Navarre.
Ce mariage, rejeté par les catholiques ultras, Philippe II d'Espagne et le pape, sera à l'origine du massacre de la Saint-Barthélemy et de ses trente mille morts.

BACK TO EDIMBOURG

En devenant veuve à dix-huit ans, Marie, désormais douairière, perd le pouvoir réel. Celui-ci échoit à Catherine de Médicis, dont l'affection, elle va le découvrir, était pour le moins circonstanciée. Belle-Maman, obnubilée par la remise en ordre de son royaume « tout dyvyse », pense désormais à marier son fils survivant, Charles IX, qu'elle verrait bien avec Élisabeth Ire. Sa rivale, Marie, non seulement ne lui est plus utile, mais elle devient persona non grata à la cour de France. La souveraine écossaise rentre donc en Écosse, un pays où elle n'a jamais vécu et qui lui est étranger, sinon hostile. Sa mère, Marie de Guise, vient de mourir, et le pouvoir est désormais aux mains de la noblesse protestante. Marie Stuart a tout perdu.
La souveraine, dont on a longtemps moqué le sens politique, va pourtant faire preuve d'une certaine habileté. Se montrant

tolérante avec les protestants, elle parvient à trouver un modus vivendi avec le gouvernement calviniste de John Knox. En épousant Lord Darnley, qui devient Henry Stuart, catholique et successeur potentiel au royaume d'Angleterre comme elle, la souveraine s'offre un *glorious comeback* sur la scène politique européenne. La voici tout à coup en pole position pour la couronne d'Angleterre, face à une Élisabeth Ire que les catholiques considèrent comme la fille illégitime d'Henri VIII, une usurpatrice. Au moment où l'Inquisition fait rage en Espagne et menace de déferler sur le continent européen, Marie devient pour Élisabeth la femme à éliminer. Comment s'en débarrasser sans la tuer ?

MEURTRE DANS UN JARDIN... ÉCOSSAIS

Cela commence par une campagne de dénigrement au parfum de soufre. Comment Marie Stuart, qui ne tient pas son mari volage, peut-elle tenir son royaume ? L'indolente aurait de son séjour français pris l'habitude de passer sa vie dans son lit... On la décrit passive, lascive, libertine. Son fils serait non pas celui de son mari, mais celui de David Rizzio, un courtisan italien... Tout au long de sa vie, les hommes vont la conduire à sa perte. En choisissant pour amant son conseiller personnel, Lord Jacques Hepburn comte de Bothwell, la souveraine écossaise va définitivement ruiner sa réputation. L'ambitieux, qui brigue la couronne d'Écosse, fait assassiner le dernier obstacle à son projet, le roi d'Écosse *himself* : le corps de ce dernier, visiblement étranglé, est retrouvé dans le jardin de son palais ravagé par un incendie criminel... Accusée de complicité sans que cela ait jamais pu être établi, Marie Stuart ne pleure certes pas ce mari infidèle et violent qui n'a eu de cesse de l'humilier. Qui pourrait le lui reprocher ? Elle

va commettre toutefois l'irréparable en convolant en justes noces avec l'assassin de son mari.
Shocking! Le mariage scandaleux déclenche un soulèvement populaire. Les nobles écossais, soutenus par les protestants d'Élisabeth d'Angleterre, en profitent pour évincer Marie et lui faire signer son abdication sous la menace. Le 24 juillet 1567, le fils unique de la souveraine, âgé d'à peine un an, devient Jacques VI d'Écosse. Il ne reverra jamais sa mère.
Arrêtée, Marie Stuart est enfermée au château de Loch Leven, abandonnée à son triste sort par son amant diabolique, qui a filé... à l'anglaise.

LONDON CALLING

Quand Marie réussit à s'évader grâce à l'aide de ses partisans, elle demande asile à sa cousine et plus grande rivale... Elle ignore, en posant le pied sur le sol anglais, que dix-neuf longues années d'emprisonnement l'attendent.
Pourquoi Marie Stuart se jette-t-elle ainsi dans la gueule du loup? Les deux femmes ont jusqu'ici échangé des lettres et s'estiment. Élisabeth s'est toujours montrée bienveillante à son égard. N'est-elle pas la marraine de son fils? Sans doute la reine catholique, tout auréolée de la légitimité papale et sachant Élisabeth Ire en disgrâce, présume-t-elle de ses forces. Peut-être imagine-t-elle que son ex-belle-mère, Catherine de Médicis, intercédera en sa faveur? Mais même si cette détention est considérée comme une insulte aux Valois, la régente de France est bien trop préoccupée par les huguenots pour fâcher la reine d'Angleterre, qui a fait de Londres leur base arrière.

JAILHOUSE ROCK

> « Je sais que j'ai le corps d'une femme fragile et faible ; mais j'ai le cœur et l'estomac d'un roi, et d'un roi d'Angleterre également. » [1]
>
> Élisabeth Ire

À peine arrivée sur le sol anglais, Marie Stuart est arrêtée et placée en résidence surveillée par Élisabeth, qui montre pourtant qu'elle est soucieuse du bien-être de sa cousine. La prisonnière chasse et se promène, entourée de ses dames de compagnie.

Une geôle, toute dorée soit-elle, demeure une geôle. Au fil des années, l'idée d'une rébellion, susurrée à son oreille par son nouvel amant le duc de Norfolk, fait son chemin. Thomas Howard se propose, ni plus ni moins, de renverser Élisabeth Ire du trône d'Angleterre et d'y placer Marie… non sans l'avoir épousée. La reine écossaise accepte l'idée du complot, immédiatement déjoué par Élisabeth qui fait arrêter et décapiter Norfolk. Si la reine laisse la vie sauve à sa cousine, ses conditions de détention seront désormais celles des prisonniers de droit commun, dans des pièces humides et froides. Marie n'a plus l'autorisation de correspondre avec l'extérieur. Élisabeth entend simplement empêcher la reine catholique de lui nuire, en la coupant de ses partisans catholiques soutenus par l'Espagne. La souveraine anglaise hésite encore à faire couler le sang royal.

QUAND L'ENTOURAGE ENCOURAGE

Ses conseillers, eux, estiment qu'il conviendrait de se débarrasser du problème Marie Stuart d'une manière… définitive. Ils vont alors mettre sur pied un plan machiavélique.

1. « I know I have the body of a weak, feeble woman ; but I have the heart and the stomach of a king, and of a king of England too. »

Un certain Guilford se présente à l'encombrante prisonnière, se prétendant prêt à renverser Élisabeth ; il demande à la reine déchue de rédiger des lettres à destination de la France et de l'Espagne. Marie, naïve et sans doute désespérée, commet l'erreur de correspondre avec un groupuscule catholique qui fomente l'assassinat de la reine d'Angleterre. Les lettres rédigées de sa main constituent désormais les preuves irréfutables dont l'entourage d'Élisabeth avait besoin pour accomplir son sinistre dessein. La reine d'Angleterre fait arrêter sa cousine. Marie Stuart est jugée coupable de trahison et de tentative de régicide.

À EN PERDRE LA TÊTE !

Marie aura beau arguer qu'elle a été victime d'une conspiration, Élisabeth, pressée par ses hommes de l'ombre, ordonne son exécution le 1er février 1587. Marie meurt en martyre catholique en prononçant ces dernières paroles : « En ma fin gît mon commencement. » Son propre fils, le protestant Jacques VI d'Écosse, qu'elle a abandonné au berceau, ne daigne pas lui rendre une dernière visite. Celui qui écrit à Élisabeth *« Your loving and devoted Brother and Son »* s'est depuis longtemps rallié à la reine d'Angleterre sa marraine, qu'il appelle *« Madam and dearest Mother »*. Lorsqu'Élisabeth s'éteint en 1603, après quarante-quatre ans de règne, juste retour de l'Histoire : c'est lui, fils de Marie Stuart et fils spirituel d'Élisabeth Ire, qui succède à cette dernière à la tête du royaume d'Angleterre.

Les water-closets étaient fermés de l'intérieur : Élisabeth Ire et la chasse d'eau

Quand notre Renaud national chante : « Le roi des cons, sur son trône, il est français, ça, j'en suis sûr », il convient de préciser que dans l'Hexagone, le fécal fauteuil est forcément rudimentaire, percé et malodorant. S'il est en revanche artistiquement ouvragé et équipé d'une chasse d'eau dernier cri, il y a de fortes chances pour qu'Élisabeth Ire d'Angleterre *herself* y siège en majesté. The « *Fairy Queen*[1] », comme elle était joliment surnommée, a effectivement enchanté la vie de ses sujets jusque dans leurs préoccupations les plus intimes.

TEMPÊTE SOUS UN CRÂNE

Sous son règne, empreint de poésie, les références mythologiques remises au goût du jour depuis la Renaissance mêlent sans complexe le trivial et le vulgaire. Bon mot rime joyeusement avec grossièreté,

1. La reine des fées.

SONT-ILS BIZARRES CES FRANÇAIS !

Les Français entretiennent définitivement de curieuses relations avec l'objet ! Ainsi, à la mort d'Henri II, en 1559, Catherine de Médicis a eu ce geste *incongruous* de faire draper l'une de ses trois chaises percées de la couleur noire du deuil !

chez le cultivé Ben Johnson comme le populaire William Shakespeare. Ce dernier, dans sa comédie *Peines d'amour perdues*, s'amuse à reprendre un calembour très en vogue à la cour : l'homophonie parfaite dans la prononciation de l'époque entre les mots « a jakes » – « les latrines » dans l'argot anglais du XVIe siècle – et « Ajax », nom porté par deux héros de la mythologie grecque.

C'est dans cette atmosphère joyeuse propice à la création qu'en 1592, Sir John Harington, poète de son état et filleul de la reine Élisabeth Ire, invente le concept des toilettes individuelles munies d'une chasse d'eau. Sa royale marraine, enthousiaste à toute nouveauté, ordonne immédiatement que son palais de Richmond soit doté de la chose. Et désigne la trouvaille par l'homérique nom d'« Ajax ».

HARINGTON, BIENFAITEUR DE L'INTIMITÉ

L'Histoire ne dit pas si c'est dans la position du penseur de Rodin que Harington commet en 1596 un traité jubilatoire en vers et en prose sur la triviale question[2]. L'ouvrage fait, dans un premier volet, le parallèle entre transit intestinal et cheminement de la création littéraire tandis qu'un second volet dépeint sous le signe de la satire politique une société qui mériterait d'être vidangée au moyen d'une chasse d'eau. Entre les deux, un guide pratique, illustré par Thomas Combe, digne d'IKEA : comment construire un Ajax et à quel coût ? Cette contribution majeure à l'hygiène et à la salubrité publiques fait scandale. La reine

2. *New Discourse of a Stale Subject called the Metamorphosis of Ajax (Nouveau traité sur un sujet éculé : la métamorphose d'Ajax).*

elle-même en est grandement fâchée. Incompris et moqué, *shit happens*[3], Harington, bienfaiteur de l'intimité, n'en retire aucune gratitude, seulement un sobriquet : « Monsieur Ajax ».

FRENCH BASHING[4]

Dans la préface de son traité, l'inventeur des water-closets a pourtant pris des gants… en se livrant à un exercice très prisé à l'ère élisabéthaine : le *French bashing*. Les *Frenchies* sont une source inépuisable de plaisanteries de mauvais goût à la cour d'Angleterre. Le prénom « Jacques », aime-t-on y rappeler, ne ressemble-t-il pas au terme anglais « jakes » (latrines) ? On s'émeut aussi de cet usage, chez ces *dirty filthy lechers* (« immondes dégueulasses » !) de Français et leurs souverains, de faire la conversation aux invités partout dans la maison, y compris au petit coin. Parfois même au péril de leur vie, comme Henri III, assassiné par Jacques Clément en 1589 alors qu'il trônait sur son siège percé.
Harington rappelle également qu'en France, dans l'entourage d'un prince de sang, on ne craint pas de s'interroger à haute voix sur les propriétés du matériel idéal pour se torcher. Le papier blanc pourrait être trop fragile, le papier brun trop rugueux, le satin trop glissant, le velours trop cher. In fine, le recours à un « oison duveté » s'impose. Derrière le « préposé à la chaise percée » qu'il fait parler, Harington sait-il seulement qu'il cite à la fois deux auteurs français, Eustorg de Beaulieu, poète scatomane assumé, et l'immense Rabelais ?

VOLUTES SUR PORCELAINE

Après une panne d'inspiration de près de deux cents ans, les Anglais renouent avec la créativité en la matière.

3. Les ennuis ça arrive.
4. Campagne de dénigrement.

LE SAVIEZ-VOUS ?

Le nom d'« Ajax » deviendra, entre autres, la marque leader des produits d'entretien du géant américain Colgate Palmolive.

En 1775, l'inventeur Alexander Cummings dépose un brevet sur un système encore utilisé de nos jours : les toilettes équipées de canalisations en forme de « S ». Trois ans plus tard, Joseph Bramah résout en partie la délicate question des remontées d'odeurs fétides en inventant le premier siphon. Il faudra attendre celui en col-de-cygne, créé quelques années plus tard par John Gaittait, pour véritablement venir à bout des effluves nauséeux. Un autre inventeur de génie, Josiah Wedgwood, propose de remplacer la structure des toilettes, jusque-là faite de bois et de métal, par de la porcelaine non seulement moins onéreuse, mais aussi plus aisément *customizable*[5]. Du design *cheap but chic* avant l'heure.

Alors que le premier *Journal du design et de l'industrie*[6] vient d'être lancé, Thomas Twyford va faire de son entreprise familiale éponyme, située dans le Staffordshire, une manufacture réputée pour sa production de bidets et de cuvettes de toilettes. Il faudra plus de vingt ans à l'entreprise française de céramique sanitaire, Villeroy et Boch, pour rattraper enfin son retard.

Laissons le mot de la fin au poète américano-irlandais Thomas Lynch : « la chasse d'eau plus que toute autre invention nous a "civilisés" au-delà de la religion et de la loi. »[7] Là encore, force est de constater que les Anglais ont tiré les premiers...

5. Personnalisable.
6. *Journal of Design and Manufactures.*
7. "The flush toilet, more than any single invention, has 'civilized' us in a way that religion and law could never accomplish" (*The Undertaking: Life Studies from the Dismal Trade*).

Shakespeare, William et Guillaume…

En ce mois d'avril 2010, une tempête, mêlée de tonnerre et d'éclairs, frappe l'Angleterre : William Shakespeare, le grand Shakespeare, aurait des origines… françaises. Beaucoup de bruit pour rien ou tragédie nationale ? Les études menées au département d'archéologie de l'université de Birmingham sont formelles et les preuves accablantes. Dans la maison de New Place, résidence où meurt le célèbre dramaturge en 1616, vient d'être découvert un billet rédigé en 1587 à son attention par sa mère pour « son Guillaume »… en français dans le texte. Le doute n'a plus lieu d'être. Shakespeare est des nôtres !

« *HORROR, HORROR, HORROR !* »

Les *Frenchies*, qui n'ont jamais accepté que le génie puisse éclore en dehors de chez eux, en rêvaient depuis que Voltaire leur a fait connaître le maître de la dramaturgie. Déjà ils s'activent : une demande d'ouverture de commission d'enquête aurait été déposée à l'Assemblée nationale. Quant à l'ancien ministre de la Culture Jack Lang, il ne peut, sur les ondes de BBC 4, cacher son enthousiasme à voir le divin barde rejoindre le panthéon de la littérature française, aux côtés de Montaigne ou encore de Racine. Terrible perspective. « *Horror, horror, horror !* » reprennent en cœur nos *sweet enemies*, citant comme un seul homme le fantôme d'Hamlet.

DE LA FORÊT DES ARDENNES JUSQU'À STRATFORD-SUR-L'AVON

De William et de sa famille, on sait peu de choses. Il est baptisé à Stratford-sur-l'Avon en 1564. Son père, John, est gantier et maire de la ville. Sa mère, Mary Arden, élevée dans la foi catholique, est née vers 1537, alors que le roi Henri VIII d'Angleterre achevait de prendre la tête de l'Église anglicane, consommant sa rupture définitive avec le pape et par ricochet avec la très catholique France. Cette découverte du billet écrit en français impose désormais une relecture critique de la vie et de quelques œuvres significatives de Shakespeare. Les passionnés de tout poil s'agitent. Se pourrait-il que la francophobie ambiante en Angleterre ait nécessité la prudence et l'anglicisation du nom de la française Marie Ardennes – patronyme éponyme du massif forestier qui court du nord de la France jusqu'à l'actuelle Belgique – en Mary Arden ?

Dès lors, la question du rôle de John, premier magistrat de la ville, dans la falsification des registres paroissiaux gagnerait à être posée dans de futurs travaux de recherche…

CAIUS DEVANT FALSTAFF

Les acteurs eux-mêmes témoignent de cette propension shakespearienne à valoriser les personnages français : l'un des rôles les plus intéressants n'est-il pas celui de Caius, volubile et rageur docteur à l'épouvantable accent français des *Joyeuses Commères de Windsor* ? Au point que certains acteurs de premier plan préfèrent ce rôle à celui de Falstaff, pourtant personnage principal de la pièce !

LES TOURMENTS DES ORIGINES

Ce lourd secret des origines ne transparaît-il incontestablement dans les œuvres de William ? C'est bien ce qui saute aux yeux de Sigmund Freud qui décrypte les mécanismes du complexe d'Œdipe en lisant *Hamlet*. Pour le père de la psychanalyse, l'auteur de la pièce entretient sans conteste des rapports familiaux complexes. Ainsi la comédie héroïque *Henri V* pourrait-elle révéler les tourments de l'auteur, rejeton d'un père anglais et d'une mère native d'un pays ennemi ? À l'instar du personnage de Catherine, fille du roi de France, qui ne s'exprime quasiment qu'en français dans la pièce et peine à apprendre quelques mots anglais. Tout comme son promis, Henri V, vainqueur de son futur beau-père à la bataille d'Azincourt, qui, lui, massacre littéralement la langue de Corneille. Et si la pièce était en réalité l'autofiction d'une famille minée par l'absence de talent pour les langues étrangères des deux parents ? Et si, derrière l'appel du personnage du duc de Bourgogne et son vibrant plaidoyer en faveur du retour de la paix dans le fertile royaume de France, Shakespeare disait ainsi, à mots couverts, sa préférence pour le pays dont sa mère était originaire ?
Dans sa comédie *Comme il vous plaira*, adaptation du roman pastoral *Rosalynde* de Thomas Lodge, le dramaturge ne multiplie-t-il

pas les signes discrets en direction de la France ? S'il transpose l'action, qui se déroule dans la forêt des Ardennes, dans celle d'Arden, située dans son Warwickshire natal, n'est-ce pas pour éviter d'être taxé de francophile par ses compatriotes ? Certains lecteurs imaginatifs iront jusqu'à voir, dans l'apparition d'un grand félin dans la pièce de Shakespeare, un hommage subliminal à saint Denis, le saint patron hexagonal. D'autres remarqueront que le héros de la pièce, Orlando, est présenté comme le « garçon le plus opiniâtre de France ». Notons enfin que ce personnage semble doté d'un irrésistible charme typiquement *Frenchy*, puisque les deux jeunes filles de la pièce finissent par lui succomber...

ALL'S WELL THAT ENDS WELL

Heureusement, sauvant l'honneur perdu des Saxons, dans sa comédie *All's well that ends well*, le dramaturge qualifie la France de *doghole* : une « niche à chiens »[1]. « Tout est bien qui finit bien » pour les Britanniques, qui découvrent que l'annonce des origines françaises de Shakespeare, sur les ondes de la BBC en ce 1er avril 2010, était un *April fool* organisé avec la participation complice de Jack Lang ! Un poisson d'avril. À moins que ce ne fût là une manière fort habile de préparer en douceur les Britanniques au douloureux départ du footballer David Beckham pour le club du PSG en octobre 2011. *That is the question...*

1. *All's well that ends well*, acte II, scène 3.

Catherine de Médicis et Élisabeth Ire d'Angleterre : *pussy power*

En cette fin de XVIe siècle, la paix en Europe est suspendue au bon vouloir de deux souveraines et pas n'importe lesquelles : Catherine de Médicis et Élisabeth d'Angleterre. La première a le parti catholique à ses pieds ; la seconde le parti protestant à sa botte. Dans ce monde de brutes où, comme dans la chanson de Renaud, les hommes n'entendent qu'à se faire la guerre, ces femmes du monde tentent de toutes leurs forces de les en empêcher.

MAMMA MIA !

Tout semblait pourtant s'arranger en 1570. Avec la paix de Saint-Germain-en-Laye, Catherine de Médicis venait de mettre fin à la troisième guerre de Religion de l'Hexagone en arrachant un accord instaurant une certaine tolérance envers les calvinistes. La princesse italienne, veuve d'Henri II, venait de démontrer qu'elle n'avait rien d'une potiche. Le calme revenu au royaume de France, la reine douairière espérait toutefois, en bonne *mamma* italienne, pouvoir se consacrer

« Le pouvoir est une action, et le principe électif est la discussion. Il n'y a pas de politique possible avec la discussion en permanence. »

Honoré de Balzac, *Sur Catherine de Médicis*

à ses trois passions : son fils Charles IX, l'assemblage des parfums et la préparation de bons petits plats florentins.

L'AUBERGE ESPAGNOLE

C'était sans compter sur le tempérament bouillonnant de Philippe II d'Espagne qui règne désormais sans partage sur Naples, la Sicile, la Sardaigne, le Milanais, la Franche-Comté et les Pays-Bas espagnols. Le fils de Charles Quint, catholique fanatique, est au bord de la guerre. Il voit d'un très mauvais œil la foi de Calvin, passée par l'Angleterre, gagner peu à peu le nord des Flandres.

FAITES L'AMOUR, PAS LA GUERRE

Les soubresauts qui accompagnent la Réforme ne sont pas non plus sans inquiéter Catherine de Médicis, qui surveille la situation comme le lait sur le feu. Soucieuse de s'assurer une pacification durable entre les partis catholique et protestant sur le sol français, elle opte pour la formule « faites l'amour, pas la guerre », en donnant sa fille Marguerite à un prince Bourbon protestant, Henri de Navarre. Tant pis pour Margot si son promis a conservé de son Béarn natal l'haleine empestée d'ail… Pour contrer les aspirations belliqueuses de Philippe II d'Espagne, Catherine essaie en parallèle de ménager l'ombrageuse reine d'Angleterre Élisabeth Ire, afin de trouver un modus vivendi avec les nations protestantes sur lesquelles l'Anglaise exerce un ascendant considérable. L'éventualité d'un mariage entre un prince de France et Élisabeth est évoquée. Tout comme le soutien que pourrait apporter l'Hexagone aux révoltés protestants des

Pays-Bas. Une aide que la reine souhaite discrète, contrairement au projet de l'amiral de Coligny.

SUR LES SENTIERS DE LA GUERRE

Le chef des protestants prône l'affrontement direct avec l'Espagne auprès de Charles IX de France, devenu sourd aux conseils de sa mère. Lorsque l'amiral de Coligny manque de se faire assassiner le 22 août 1572, redoutant que les va-t-en-guerre ne l'emportent, Catherine prend alors l'initiative de régler le « problème protestant » de manière… radicale.
Profitant du mariage d'Henri et de Margot, prévu le lendemain, la reine douairière donne l'ordre d'éliminer tous les chefs huguenots rassemblés à Paris pour l'occasion. La « purge » intervient à l'issue de la noce, dans la nuit du 23 au 24 août, alors que l'on célèbre la Saint-Barthélemy. L'expédition punitive, menée par le duc de Guise, commence au logis de Coligny. Puis l'équipée sauvage se rend au Louvre, où les invités sont hébergés. Les corps des victimes seront jetés dans la Seine.

BLOODBATH

Excitée par l'odeur du sang et par des prédicateurs catholiques, la populace parisienne prend le relais et traque les protestants de la capitale. Les exactions se multiplient et gagnent la province. Les ordres du roi et de sa mère ne parviendront pas à arrêter le massacre : certains avancent le nombre de trente-trois mille morts.

BLOODY CATHERINE

La personnalité de Catherine de Médicis restera dans l'Histoire celle d'un monstre sanguinaire. Une simplification dans laquelle

Élisabeth d'Angleterre ne versera jamais. La fille d'Henri VIII (le roi *Briton* qui a rompu avec Rome) n'est pas que la chef de l'Église anglicane, elle est aussi une femme d'État aguerrie. Elle consentira donc à ce que des négociations de paix soient menées en vue de rapprocher les deux familles royales. Avant d'accepter de devenir, le 2 février 1573, la marraine de Marie-Élisabeth, la fille du roi de France, Élisabeth Ire fait mine de croire ce dernier qui lui écrit que le massacre est intervenu « sans ses ordres », contrairement à ses premières déclarations devant le parlement de Paris. Une reconnaissance implicite et inédite : en France aussi, la religion est affaire de roi, et plus seulement du Saint-Père.

QUI EST RESPONSABLE ?

La responsabilité de la Saint-Barthélemy fut imputée tantôt au roi régnant, tantôt à la reine mère, Catherine de Médicis. L'incertitude qui prévaut encore aujourd'hui est bien significative d'un règne dont le pouvoir fut partagé entre un roi longtemps enfant (il est âgé de dix ans à peine quand il monte sur le trône et meurt à vingt-quatre ans) et une régente qui tint les rênes du gouvernement bien au-delà du mandat accordé. Omniprésente dans les affaires du royaume, Catherine de Médicis imprima sa marque à la politique française au point d'effacer la mémoire de celui qui, pourtant, régnait théoriquement sur elle.

MÉMOIRE VIVE

Au-delà de sa volonté de préserver à tout prix la paix, la reine anglaise aurait-elle compris que la guerre de Religion qui vient de diviser les *Froggies* est un des actes fondateurs du gallicanisme ? Ce mouvement d'autonomie de l'Église catholique française par rapport au pape ne serait-il donc finalement pas le miroir de l'avènement de l'anglicanisme opéré par son père ? L'Angleterre est désormais indépendante de Rome et la France affirme son autonomie par rapport à la papauté : là encore, la France et l'Angleterre se répondent par un jeu de miroir...

De Catherine de Médicis à Victoria : parfum de peau contre pot-pourri

La Saint-Barthélemy commence comme une partie de Cluedo[1]. Qui a commandité l'assassinat du *Reverend Green*, dit l'amiral de Coligny, à l'arquebuse le 22 août 1572 dans une rue de Paris ? *Professor Plum*, dit le duc d'Albe, pour le compte de Philippe II d'Espagne ? Le *Colonel Mustard*, dit Guise, dont la maison a servi au *sniper*, ou bien encore *Miss Scarlett*, la reine de France, *herself* ? À la veille du massacre des protestants, un parfum de meurtre flotte au Palais-Royal. Catherine de Médicis, épouse du défunt Henri II, endosse le rôle de principale suspecte.

1. Jeu inventé par Anthony Pratt et sa femme à Birmingham en 1943, commercialisé par la marque Hasbro.

ANGE OU DÉMON

Catherine de Médicis s'est-elle jamais départie de sa réputation sulfureuse d'empoisonneuse, qui lui colle à la peau ? Elle aurait, dit-on, cultivé la sale manie d'offrir à ses ennemis des gants parfumés dont l'effluve dissimulerait de toxiques poisons… La réalité est tout autre. La souveraine, dotée de fort belles mains, aime à porter des gants, symbole du pouvoir à Florence. Les fragrances animales (musc, ambre et civette) dont leur cuir est imprégné sont en fait destinées à masquer, non pas de diaboliques substances, mais l'odeur pestilentielle des peaux mal tannées de l'époque. Pourquoi une telle rumeur à son encontre ? Si Catherine de Médicis est parente du Saint-Père Clément VI, qui est aussi son tuteur, elle n'en reste pas moins issue d'une famille de banquiers florentins dont la fortune immense ne saurait faire oublier les origines vulgaires. Méprisée aussi par son époux adoré, qui lui préfère la belle Diane de Poitiers de vingt ans son aînée, injustement tenue pour responsable du massacre de la Saint-Barthélemy, Catherine va cristalliser la haine du bon peuple français, toujours en quête d'un bouc émissaire.

L'AIR DU TEMPS

C'est pourtant à cette princesse toscane immensément raffinée que le royaume de France doit le comble du chic. L'usage de la fourchette, le port des hauts talons, des corsets, c'est elle. L'introduction dans la culture française des ballets, de la cuisine italienne et surtout du parfum, dont les Italiens raffolent et font commerce, c'est encore elle… Banquiers florentins, armateurs vénitiens et génois ont établi leur fortune sur le trafic de l'ambre, de l'aloès ou de la cannelle, du camphre, de la muscade, du girofle, du santal, de l'encens et de la gomme arabique…

MAGIE NOIRE

Quand Catherine de Médicis arrive à la cour du roi de France, dans ses bagages, outre son astro-alchimiste et ses artistes favoris, elle a emporté son parfumeur personnel. Renato Bianco, dit René le Florentin. L'esthète ferait, susurre-t-on, commerce de venins sophistiqués. Son laboratoire scientifique, où le secret de ses essences est jalousement gardé, n'est-il pas directement relié aux appartements de la reine ? C'est sur les bords de Seine, au pont au Change, que le créateur a pignon sur rue. Il y a ouvert sa boutique de parfumeur-gantier. La mode des gants parfumés lancée par Catherine de Médicis crée le buzz et va être suivie par toute la noblesse prise par la folie des arômes : les ceintures, les manteaux et même les chaussures embaument. C'est à Grasse, ville réputée pour le traitement des peaux, que seront désormais fabriqués les accessoires en cuir parfumé de la reine. C'est ainsi que, supplantant l'Italie, cette petite ville du sud de la France deviendra plus tard le berceau de la parfumerie. Son climat favorable à la culture des diverses essences et le dynamisme de la faculté de pharmacie de Montpellier vont assurer la pérennité de la production à l'échelle industrielle d'un savoir-faire vieux comme le monde.

UN AIR EMBAUMÉ

Il y a six mille ans, les Égyptiens brûlaient des essences aromatiques (baumes, plantes et résines) en l'honneur des divinités. Paré de vertus sacrées et guérisseuses, le parfum (du latin *per fumum*, par la fumée) est entré dans l'univers de la beauté avec Cléopâtre, ses onguents et ses bains capiteux. C'est avec les croisés, les épices rapportées d'Orient et les premières distillations des alchimistes qu'il va devenir un signe extérieur de richesse. Les nantis portent

LE SAVIEZ-VOUS ?

L'essor de l'industrie du parfum tient aussi aux talents des maîtres verriers italiens, dont la créativité a été encouragée par Catherine de Médicis. Les Anglais ne sont pas en reste. La fameuse fabrique de porcelaine de Chelsea, créée en 1745, produit les plus beaux flacons pour toutes les cours d'Europe. C'est l'Angleterre qui, la première, lance la mode des « *throw away* ». Les flacons jetables, en cristal, gravés et peints à la main, glissés entre les seins, permettent aux dames corsetées promptes à s'évanouir de revenir à soi de façon délicieuse.

des « pommes d'ambre » appelées aussi « pomanders », des boules remplies d'ambre, de musc, de civette et de castoréum – quatre substances obtenues à partir d'animaux – ainsi que des épices, mélange dont l'odeur soutenue est censée protéger de la peste bubonique. *L'Eau de la reine de Hongrie* (1370), premier parfum alcoolique, conserve lui aussi une qualité curative. Il faut attendre la Renaissance et les nouveaux produits parfumés rapportés d'Amérique et d'Inde par les grands navigateurs, ainsi que la maîtrise de la distillation et des essences, pour que reines et courtisanes se passionnent pour le parfum, pour le simple plaisir des sens.

DÉSIR PRINCIER

Élisabeth Ire d'Angleterre, qui s'est vue offrir une paire de gants parfumés d'Italie par le *charming* comte d'Oxford, Édouard

de Vere, en est tout étourdie : « Après les distillations de l'été, écrira Shakespeare, un fluide captif en sa prison de verre, bel effet de beauté dérobé à la terre, à peine un souvenir, rappelle le passé.[2] » La souveraine anglaise ne jure plus que par le parfum. Déjà, elle enrage de l'accord passé entre François Ier et Soliman le Magnifique. Avec le Traité des Capitulations signé en 1536, le roi de France s'est en effet assuré l'accès aux matières premières d'Orient, dont celles utilisées pour la parfumerie. Élisabeth engage alors le corsaire Sir Francis Drake – dont elle fera ultérieurement son amant – pour ramener les premiers chargements d'épices et de parfums dès 1570.

UNE FLEUR

The Fairy Queen lance son *high concept* de *still-rooms*, ces chambres à parfum où l'on distille des essences florales. Des dames y confectionnent des sachets odorants de lavande et d'herbes aromatiques pour la maison. C'est la mode des *sweet bags*, ces sachets contenant des poudres parfumées, des *sweet coffers*, les boîtes à parfums et des *casting bottles*, flacons de senteur emprisonnant de subtiles essences, qui contrastent singulièrement avec les parfums entêtants que l'on hume à Paris.

MUSC RAVAGEUR

En France, les notes animales (musc, civette, ambre) continuent d'entrer dans la composition de la plupart des fragrances ; on les considère comme envoûtantes et aphrodisiaques ; elles sont aussi

2. Shakespeare, Sonnet V: "Then, were not summer's distillation left/A liquid prisoner pent in walls of glass/Beauty's effect with beauty were bereft,/Nor it, nor no remembrance what it was."

une nécessité de salubrité publique. Utilisées à l'origine pour masquer l'odeur du cuir, elles couvrent les émanations corporelles depuis qu'on ne se lave plus guère au royaume de France. Ambroise Paré, chirurgien royal de François Ier, persuadé que la dilatation des pores de la peau permet l'invasion du corps par les microbes, n'a-t-il pas fait fermer les bains publics dès 1538 ? En plus, ces lieux n'incitent-ils pas à la débauche ? arguent les prédicateurs catholiques et huguenots. Alors qu'à Londres, la *Fairy Queen* se targue de prendre un bain par mois, « qu'elle en ait besoin ou pas », à Paris, exit les ablutions et l'hygiène. Un siècle plus tard, l'usage du parfum est poussé à son paroxysme à Versailles où, en guise de toilette, on poudre, on farde, on parfume. Au point de laisser à notre Roi-Soleil le surnom de « roi le plus fleurant du monde »...

SOIR DE PARIS

Lorsque Charles II d'Angleterre succède à Élisabeth en 1660, foin du puritanisme, vive la *french touch !* Les hommes se mettent aux longues perruques bouclées et les femmes exhibent des décolletés pigeonnants. *The King* porterait même sous sa perruque un petit coussin de poudre parfumée. Sa garde-robe, ses galeries privées et ses appartements embaument eux aussi. Pourtant, malgré la fabrication des parfums, des crèmes, des fards et des mouches, en vogue sous son règne, les premiers parfumeurs anglais, contrairement aux Français, ne disposent toujours pas de leur propre guilde.En Angleterre, le parfum reste identifié à la pharmacopée et sa distillation demeure l'apanage des pharmaciens avec la fondation de la *Distillers' Company* en 1638. En France à l'inverse, il est associé au cuir et d'une certaine manière à la sensualité. N'est-ce

pas la corporation des gantiers parfumeurs, créée en 1656, qui obtiendra sous Louis XIV le monopole de la distribution de parfum ?

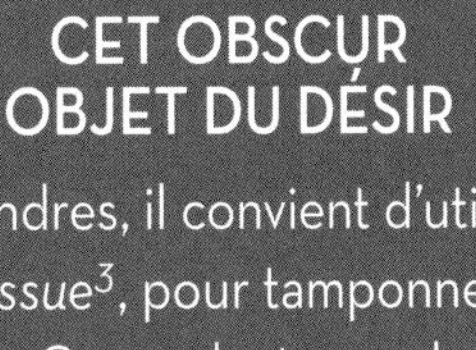

CET OBSCUR OBJET DU DÉSIR

À Londres, il convient d'utiliser un *tissue*[3], pour tamponner le parfum. Cependant, sous le règne de la reine Victoria, au XIXe siècle, ce n'est pas pour se pâmer, mais bien au contraire pour mettre l'obscur objet du désir à distance. On ne saurait porter le parfum à même la peau, trop sensuel, trop troublant.

EAU SAUVAGE

Avec le siècle des Lumières et l'amélioration relative de l'hygiène, la France boude les parfums capiteux. Des senteurs plus délicates, annonciatrices d'un retour au naturel, font leur apparition. L'on voit apparaître les premières eaux de Cologne à la cour de Louis XVI et de Marie-Antoinette, modèle de raffinement en Europe. Les parfumeurs sont reconnus. La ville de Grasse, réputée pour ses jasmins et ses roses, devient le centre de leur fabrication, et Paris la capitale du commerce des produits parfumés.

SCANDAL

Pendant ce temps-là, l'Angleterre est plongée dans le puritanisme. L'austère République de Cromwell a durablement marqué les esprits… parfumeurs. L'usage des effluves est jugé si préjudiciable qu'un acte du Parlement datant de 1770 croit bon de préciser : « Toute femme de tout âge, de tout rang, de toute profession ou condition, vierge, fille ou veuve, qui à dater dudit acte, trompe, séduit ou entraîne au mariage quelqu'un des sujets de Sa Majesté à l'aide de parfum, encourt les peines établies par la loi actuellement en vigueur contre la sorcellerie et autres manœuvres, et que le mariage sera décrété nul et non avenu. »

3. Mouchoir.

CARNAL FLOWER: L'EMPIRE DES SENS

En France, le parfum demeure l'empire des sens. Louis XV et madame de Pompadour portaient le même et en changeaient tous les jours dans une sorte de jeu érotique. Joséphine de Beauharnais apprécie particulièrement l'huile de musc quand Napoléon, amateur d'essences d'agrumes, ne jure que par l'eau de Cologne, dont il se frictionne abondamment. On célèbre le romantisme des femmes diaphanes, leur évanescence et la mode du mouchoir parfumé font fureur.

XMAS BELLS: LE POT-POURRI

La meilleure place du parfum n'est-elle d'ailleurs pas à la maison ? En épousant le teuton prince Albert de Saxe-Cobourg-Gotha en 1840, Victoria a redécouvert avec bonheur la tradition chrétienne de Noël, les effluves du sapin, mêlés à ceux de la cannelle, du clou de girofle et de la cire des bougies, le fameux pot-pourri sans danger aucun pour la décence.

ESCALE À PONDICHÉRY: LE SENS DE L'EMPIRE

Si *Queen Victoria* lance la mode des châles imprégnés de patchouli, ce parfum boisé entêtant, il ne s'agit pas d'un accès de volupté soudain. C'est pour glorifier les essences venues d'Inde, symboles de la nouvelle puissance britannique. Depuis que Victoria a été sacrée impératrice des Indes en 1876, l'Angleterre, assurée de l'importation de matières premières pour la parfumerie, peut enfin jouer dans la cour des grands. Les parfums anglais présentés à la Grande Exposition de Londres de 1851 se vendront à prix d'or. Au grand jeu du Monopoly, Victoria vient de passer par la case départ et de toucher le pactole...

Mission foie gras : *never say never again !*[1]

Autres temps, autres mœurs. En 1983, dans *Jamais plus jamais,* 007 vieillissant se faisait sermonner par son supérieur : sa consommation en viande rouge, en pain blanc et en Martini sec exposait dangereusement l'agent de Sa Majesté aux radicaux libres. Dans une clinique *new age,* une blonde créature, miss Fearing, tentait de lui redonner le goût des aliments sains, lui offrant quelques pilules pour accompagner son fromage de chèvre sur un lit de pissenlits. Comment échapper à cette infamie – les Anglais détestent la salade – et mettre la belle dans son lit ? James, d'un geste sensuel, déclenchait l'ouverture de sa valise et déployait l'artillerie lourde : œufs de caille, caviar Beluga, vodka et – *Goddammit !* – un bloc de… foie gras ! C'était Sean Connery et c'était le bon temps…

LICENCE TO KILL

Avec Roger Moore, l'heure n'est plus à la bagatelle et encore moins aux

1. Jamais plus jamais.

pâtés du Gers. La guerre contre les producteurs de foie gras est déclarée. L'acteur britannique se bat depuis douze ans pour interdire le gavage des « plumacés ». Après une campagne de boycott contre les supermarchés *Selfridges*, 007 s'attaque en 2012 à la prestigieuse enseigne *Fortnum and Mason* et son foie gras en provenance de deux sociétés gersoises. L'acteur prête sa voix à un spot de l'association de défense des animaux, PETA[2], qui dénonce la maltraitance envers les canards et les oies, leur élevage en batterie et les insoutenables séances de gavage.

KILLING THE GOLDEN GOOSE[3]

Le lobbying porte ses fruits. Après la Chambre des communes, la Chambre des lords ôte le foie gras de la carte de son restaurant la même année. Une règle adoptée depuis longtemps à la table du prince Charles. En décembre, le ministre britannique de l'Agriculture et de l'Alimentation, David Heath, leur emboîte le pas à l'occasion d'un débat parlementaire sur le bien-être animalier : « Les gens ne devraient pas acheter de foie gras en raison de la manière dont il est produit [...] et tant qu'il n'existe aucun moyen de le produire qui soit respectueux des animaux [...]. » Une plainte est déposée par cinq associations pour la protection des animaux à Bruxelles en 2012 dans l'espoir d'obtenir, comme en Californie, l'interdiction pure et simple de la consommation de foie gras.

FOIE GRAS CONTRE FAUX GRAS

Le malheur des uns ferait-il le bonheur des autres ? La chaîne britannique de supermarchés *Waitrose* a été la première à

2. People for the Ethical Treatment of Animals.
3. Tuer la poule aux œufs d'or.

commercialiser le Faux Gras. Un pâté composé de foies d'oies ou de canards britanniques élevés en plein air et non gavés, mélangés à de la graisse des mêmes volatiles. La préparation offrirait une consistance similaire au célèbre produit français. Et un goût légèrement différent. « Il s'agit, ni plus ni moins, d'une mousse de foie qui cherche à se faire de la publicité », dénonçait le très puissant comité interprofessionnel du foie gras. L'inscription de cette spécialité au patrimoine culturel de la France en 2006 vaut à Paris d'avoir obtenu un sursis de la part de la commission européenne pour trouver une alternative au gavage. En attendant, le Faux Gras continue de faire des émules en Angleterre et en Belgique, où il est désormais vendu dans les enseignes de la grande distribution. À quand James Bond démantelant un réseau international de trafiquants de Faux Gras ?

HYPOCRITES ROSBIFS !

Le boycott du foie gras en Angleterre et dans certains états des États-Unis est pour les Français une vaste hypocrisie. Car si les *Froggies* en consomment 7000 tonnes en moyenne par an, les Rosbifs importent quant à eux quelque 3000 tonnes. Un enjeu commercial de taille pour la France, où le marché du foie gras représente quelque 1,5 milliard d'euros et 35000 emplois.

La République anglaise de Cromwell : *once bitten, twice shy*[1]

Quand *The Guardian* décide en juillet 2013 d'expurger de son site toute information relative au *Royal Baby*, ce n'est pas une boutade, ni un simple mouvement d'humeur. Même si Élisabeth II est toujours aussi populaire, l'hostilité envers le système dynastique est récurrente. *The Royal Family* incarne l'Angleterre « d'avant », souligne Marc Roche, correspondant du *Monde* à Londres, « profondément conservatrice, attachée à la hiérarchie, à la division de classes, voire de castes, et aux privilèges de l'aristocratie ».

WASP : NID DE GUÊPES

On reproche à la monarchie d'être WASP *(White Anglo-Saxon Protestant)*, c'est-à-dire anglo-saxonne, protestante et blanche et peu représentative

1. Chat échaudé craint l'eau froide.

des minorités ethniques. La presse de gauche souhaite une réforme de fond des institutions et leur démocratisation : une constitution écrite, la séparation de l'Église et de l'État, la levée des interdits pesant sur la minorité catholique et l'élection au suffrage direct de la Chambre des lords.
C'est dans cet état d'esprit qu'en décembre 2000, *The Guardian* lançait une campagne en faveur de la République, appelant de ses vœux un référendum national sur le sujet.

JETER LE *ROYAL BABY* AVEC L'EAU DU BAIN ?

Une initiative restée lettre morte. Si, selon l'institut de sondage Ipsos Mori, 10 % des Britanniques demeurent hostiles à la monarchie (20 % au moment de l'accident de Lady Diana Spencer en 1997), de là à balancer le *Royal Baby* avec l'eau du bain, il n'y a qu'un pas.
La dernière fois que les *Britons* ont voulu se débarrasser de leurs têtes couronnées et ont goûté à la République, c'était en… 1649. Et ils ne sont pas prêts de l'oublier.

PLEASE REWIND: S'IL VOUS PLAÎT REMBOBINEZ

Nous sommes en 1624… Lorsque Jacques Ier s'éteint, la monarchie anglaise s'est déjà considérablement décrédibilisée. En quête de pouvoir absolu, le fils de Marie Stuart n'a-t-il pas réduit honteusement les pouvoirs du Parlement ? N'a-t-il pas confié les reines du gouvernement à son favori, George Villiers Ier, duc de Buckingham ? Bien que le conseiller

> **THE FRENCH DO IT BETTER**
>
> L'expérience étant, c'est bien connu, difficilement transmissible, la France à son tour va expérimenter le régicide et l'aventure républicaine en dépit des avertissements de Pascal dans ses *Pensées* : « Cromwell allait ravager toute la chrétienté. La famille royale était perdue et la sienne à jamais puissante sans un grain de sable qui se mit dans son uretère. Rome même allait trembler sous lui, mais ce petit gravier s'étant mis là, il est mort, sa famille abaissée, tout en paix et le roi rétabli. »

soit honni, Charles Ier, qui succède à son père, choisit pourtant de le maintenir à ses fonctions. L'intrigant et séduisant personnage, qui inspirera Dumas et Dickens, et sa passion folle pour la guerre, vont entraîner le pays dans l'humiliante défaite du siège de La Rochelle (1628, quatre mille morts) devant les troupes françaises de Richelieu.

COUP DE SANG

La crise traversée par le pouvoir royal de l'époque est aussi morale et spirituelle. Les *Britons* anglicans regardent d'un mauvais œil l'épouse de leur roi. Henriette de France, fille du roi de France Henri IV et de la très catholique Marie de Médicis, irrite les puritains anglais en pratiquant ostensiblement le catholicisme. Et, en plus, la manne financière qui se déverse sur le pays, conséquence de la nouvelle politique douanière royale, n'encouragerait-elle pas le pays à la débauche et à la frivolité ?
La foule, enflammée par le verbe du parlementaire John Pym, sorte de Mirabeau anglais, se soulève. Sous l'effet de surprise, l'élu puritain parvient à obtenir de son roi la purge de son entourage. *Hip, hip, hurray !*

KABOUL KITCHEN

Forts de ce premier succès, les ultra-protestants s'emploient à la « talibanisation » de la société. Pour lutter contre le Malin, ils veillent au respect du jour du Seigneur et punissent de mort

l'adultère. Ils ferment manu militari les théâtres en prenant soin de fouetter les intermittents du spectacle qui y sévissent.

WHEN THE SAINTS GO MARCHING IN

Charles Ier, voyant son pouvoir lui échapper au profit de milices extrémistes, décide de réagir. La guerre civile éclate, semant le chaos. Jusqu'à ce qu'une armée de « saints », constituée de « soldats pieux, honnêtes et jamais ivres » volontaires, mette les cavaliers du roi en déroute à Marston Moor (2 juillet 1644) avant de les anéantir une petite année plus tard à Naseby (14 juin 1645).
À l'origine de la création de ce bataillon de purs et durs, un député de Cambridge promis à un bel avenir : Oliver Cromwell.

THE UGLY DUCKLING: LE VILAIN PETIT CANARD

Rien pourtant ne prédestinait ce *gentleman-farmer* à briller sous les feux de la rampe. Issu d'un milieu désargenté, il hérite de peu de choses si ce n'est d'une éducation puritaine stricte et d'une parenté lointaine avec Thomas Cromwell, le fameux conseiller d'Henri VIII. Cette ascendance lui permettra toutefois de se faire élire à la Chambre des communes en 1628.

REBEL WITHOUT A CAUSE

Ses premiers pas en politique ne sont pas très concluants. Ce tribun mal vêtu se contente de défendre la veuve et l'orphelin, le domestique contre l'arbitraire royal, le valet accusé d'avoir distribué des pamphlets insultant pour la reine... Rien de révolutionnaire. Quoique...

> « L'État,
> lorsqu'il choisit les hommes qui le serviront, ne tient aucun compte de leurs opinions. S'ils veulent bien lui être fidèles et le servir, cela suffit. »
>
> Oliver Cromwell

A STAR IS BORN

Quelle personnalité ! Quelle intelligence, quel talent d'orateur ! Bossuet lui-même, pourtant fervent catholique, ne peut cacher l'admiration qu'il porte au leader protestant extrémiste, député à la Chambre des communes. Oliver Cromwell soulève l'enthousiasme populaire : il parle comme un livre (la Bible, dont il s'abreuve sans modération), tout en faisant preuve d'une hypocrisie redoutable, sachant à la fois « tout cacher et tout entreprendre ». À la tête de son armée aussi, il est tout simplement invincible.

O MIGHTY GOD: Ô DIEU TOUT-PUISSANT

1643 est l'année de la consécration et de ses cinquante-neuf ans. Alors qu'on lui propose le trône d'Angleterre, Cromwell décline l'offre. Celui qui est plus puissant qu'un roi préfère se tailler un titre sur mesure : celui de *Lord Protector*.
Depuis la décapitation de Charles Ier, qu'il a mise en œuvre, jusqu'à la purge du Parlement où il a terrorisé ses opposants, tout semble lui réussir divinement : n'a-t-il pas révolutionné la vie de ses concitoyens jusqu'à leur faire renoncer aux courses de chevaux et à l'alcool ? Ne s'est-il pas réconcilié avec les Français ? Seul maître à bord et à la tête d'une armée de soixante mille hommes fanatisés prêts à mourir sur un simple ordre de sa part, le dictateur est, en 1658, au sommet de sa gloire. Il va enfin pouvoir accomplir ce rêve fou de faire de l'Angleterre une… République !

UNLUCKY STRIKE

Plus rien, en principe, ne peut faire obstacle à son dessein, ni l'épidémie de grippe à laquelle il a survécu, ni la colite néphrétique dont il souffre, traitée par des médecins incapables. Mais, soudain, son destin radieux bascule. Sa fille chérie, Élisabeth, tombe malade. Cromwell accourt, la veille, prie le Seigneur… et la voit mourir. Fou de chagrin, il plonge dans un état de sidération et s'alite. Dieu l'aurait-Il abandonné ?

JE MEURS D'UNE PETITE FIÈVRE…

Diminué par la fièvre, il n'a pas pour autant renoncé à faire preuve d'autorité. À ses médecins il intime l'ordre de ne pas le soigner. Si ces derniers tiennent leur autorité d'Hippocrate, lui a reçu la sienne de Dieu *himself*. *Alas*, le Tout-Puissant l'abandonne à son sort : le 3 septembre 1658, Cromwell expire. Une goutte mal soignée a évolué en gravelle, laquelle a engendré des calculs venus se loger dans son urètre, lesquels ont entraîné une infection rénale fatale…
En toute hâte, on l'enterre à Westminster Abbey, sa dépouille pourtant embaumée se décomposant à vue d'œil du fait de la chaleur. Des funérailles somptueuses sont organisées en novembre. Une cérémonie à laquelle la foule assiste en masse, mais sans vraiment montrer de chagrin.

FILS À PAPA

Son fils Richard, proclamé à son tour Protecteur d'Angleterre par le Parlement, reconnu par les puissances étrangères (dont la France monarchiste) ne va pas faire long feu. Jugé illégitime par l'armée,

le fils à papa renoncera bien vite au pouvoir, préférant, comme le décrit Victor Hugo, profiter de la vie, voyager et organiser des parties de pêche…

LE SAVIEZ-VOUS ?

En 1827, Victor Hugo publie une pièce de théâtre intitulée *Cromwell*. Sa longueur démesurée (6920 vers) fait d'elle une pièce difficile à jouer, et donc par conséquent peu représentée. Elle est aujourd'hui surtout connue pour sa préface, qui expose les caractéristiques du drame romantique élaborées par Victor Hugo.

ONCE WE WERE KINGS

C'est le moment choisi par Charles II, fils de Charles numéro I, pour revenir de Hollande où il s'était exilé. Lorsque le 29 mai 1660, il revient sur sa terre natale, les *Britons*, nostalgiques du bon temps de la monarchie, le portent en triomphe jusqu'au trône.

ONCE BITTEN, TWICE SHY

Vaccinée désormais contre l'aventure républicaine, comme le note l'historien Philippe Erlanger, l'Angleterre retrouvera ses marques pour mieux traverser le XVIIIe siècle et ses révolutions, sans même songer à interroger sa tradition monarchique. Promis, juré, craché : on ne l'y reprendra plus !
Bref, si la tentation d'une République subsiste dans une frange de l'intelligentsia britannique, *once bitten, twice shy*, chat échaudé craint l'eau froide : Kate et William n'ont pas trop de souci à se faire pour l'avenir du *Royal Baby*…

Louis XIV / Charles II : les cousins

Pour Charles II d'Angleterre, Worcester n'est pas simplement le nom de cet étrange condiment préparé à partir de mélasse, de vinaigre, d'anchois, d'échalotes, de pulpe de tamarin, d'ail et d'épices diverses. C'est aussi celui d'une sinistre bataille perdue en 1651 contre Oliver Cromwell.

WE ARE FAMILY[1]

Deux ans après avoir fait décapiter son père, le despote républicain n'a fait qu'une bouchée du jeune héritier spolié converti en chef d'état-major et de ses alliés écossais. Charles, dont la tête a même été mise à prix mille livres, est forcé à l'exil. Au terme de six semaines de clandestinité, grimé en domestique, il parvient enfin à gagner le rivage de la Normandie. À la cour du roi de France, Charles se retrouve en famille chez son cousin germain...

1. Nous sommes de la famille.

Louis XIV. Les deux souverains sont tous les deux les petits-fils d'Henri IV. Ils ont également en commun de s'être vu confisquer le pouvoir et de l'avoir récupéré presqu'au même moment. Si Louis a été couronné à Reims à l'âge de cinq ans, il lui a fallu attendre jusqu'en 1661 la mort de l'homme de l'ombre que fut le cardinal de Mazarin, amant de sa mère. Pour Charles, c'est le décès de Cromwell, son ennemi de toujours, frappé par la malaria, qui marque son retour aux affaires en 1660 : ses sujets l'implorent de restaurer la monarchie en Angleterre. À trente ans, celui qui est aussi roi d'Écosse et d'Irlande est accueilli par des *standing ovations*. En dieu vivant.

ALMIGHTY GOD[2]

Ça tombe bien. Charles se verrait bien, comme son cousin Louis (XIV), de son deuxième petit nom Dieudonné, monarque de droit divin. La définition de poste correspond davantage à celui d'un pays catholique ? Qu'à cela ne tienne ! En cette période post-traumatique qui suit la République de Cromwell, le parlement anglais accède à la revendication de Charles. Ce que roi veut…

Pas sans contrepartie toutefois : en échange du titre ronflant de « roi de droit divin », le souverain consent à rétablir les deux Chambres, et si *the King* reste le chef de l'exécutif, il perd son droit de regard sur les gouvernements locaux, et surtout sur les finances publiques, ses émoluments personnels étant d'ailleurs réduits à la portion congrue… En contrôlant les cordons de la bourse, le parlement de Westminster vient de s'octroyer un pouvoir considérable, qui jamais plus ne sera remis en cause.

2. Dieu tout-puissant.

IN GOD WE TRUST

Charles, qui, contrairement à Louis, n'a pas eu Mazarin comme mentor, ne mesure pas encore la portée de ce changement, ni l'impasse politique qui sera bientôt la sienne. Fidèle à la pensée de son grand-père, Henri IV, le souverain anglais se montre tolérant vis-à-vis des catholiques comme des protestants dissidents, presbytériens et quakers. Mais très vite se dessinent des conflits entre les grands propriétaires terriens proches de l'église anglicane d'un côté et les marchands et les financiers, protestants dissidents, de l'autre. La liberté de culte est rejetée par le Parlement, attaché au pouvoir religieux. En France, où la liberté de culte a été instaurée par l'édit de Nantes en 1598, Louis XIV se contente pour l'heure de renforcer ses alliances catholiques, stratégiques.

FLYING DUTCHMAN

Après avoir épousé Marie-Thérèse, la dévote fille du roi d'Espagne, le souverain français entend se protéger des forces obscures que sont les protestants bataves dont la puissance maritime est plus importante que celle de toutes les nations européennes réunies. Les Hollandais ont instauré une république libérale, une production forte, le respect du droit de propriété, ils sont à la pointe de la technologie en matière de navigation… Bref, ils font de l'ombre au Roi-Soleil et constituent une menace politique et économique pour son pouvoir absolu.

MADE IN FRANCE

Le ministre des Finances français, Jean-Baptiste Colbert, qui ne porte pas de marinière Armor-lux, prône cependant le *made in France*. Il établit des taxes qui protègent les produits français de la concurrence hollandaise. Un protectionnisme qui représente un grave danger pour le commerce hollandais.
Aussi, à la mort de Philippe IV d'Espagne, beau-père de Louis XIV, les Hollandais refusent-ils de laisser ce dernier mettre le grappin sur les Pays-Bas espagnols (grosso modo l'actuelle Belgique) dont il devrait hériter. Le souverain français déclenche l'offensive de la première guerre contre la Hollande en 1667, la guerre de Dévolution. Sous la pression des Suédois et des Anglais, il se retire en 1668, content de lui : il a récupéré une bonne partie de la Flandre et assis sa réputation de chef de guerre. Avec une armée allant jusqu'à quatre cent mille hommes, Versailles et ses folles dépenses, le souverain français a besoin de renflouer les caisses de l'État. Deux autres guerres contre la Hollande suivront.

LE FRIC, C'EST CHIC

Fin stratège, Louis va s'assurer du soutien de l'Angleterre protestante pour sa troisième guerre hollandaise (1672-1674) en achetant la loyauté de son cousin anglais, Charles II. Celui-ci, dont les émoluments et le pouvoir sont bridés par le *Parliament*, accepte un deal secret. Louis XIV lui verse la coquette somme de deux millions de livres tournois payables en trois ans (l'équivalent d'environ soixante-seize millions d'euros !) en échange de quoi, l'Anglais s'engage à soutenir Louis XIV dans ses futures guerres contre les Hollandais : « avec une dépense bien moindre que celle qu'il fit pour bâtir et décorer Versailles et Marly, écrit l'historien anglais Thomas

B. Macaulay, [Louis] réussit à faire de l'Angleterre, durant près de vingt années, un membre aussi insignifiant du système politique de l'Europe que la République de Saint-Marin. »

L'ÉDIT DE NANTES

L'édit de Nantes, promulgué en 1598 sous le règne d'Henri IV, institue une tolérance religieuse. Mais s'il autorise le culte pour chacune des confessions, celles-ci ne sont pour autant pas toutes sur le même plan. Le catholicisme reste la religion du roi et du royaume et s'impose partout, tandis que les protestants doivent payer la dîme, un impôt catholique, et sont plus tolérés qu'acceptés.

SOFT POWER

Pour en arriver là, Louis est passé maître dans la technique du *soft power*. Cet art *British* d'influencer les décideurs sans recourir à la moindre coercition est chez lui une seconde nature. Le *Frenchy* n'a-t-il pas convaincu son frère cadet, le duc d'Orléans, dit Monsieur, d'épouser la sœur de Charles II, Henriette-Anne d'Angleterre, devenue Madame ?

COUSIN COUSINE

Quand la jeune fille était venue se réfugier à la cour du roi de France pour échapper à la vindicte de Cromwell, le roi se souvenait d'une sorte de vilain petit canard maigrichon. Lorsqu'il voit réapparaître la promise de son frère, devenue une créature fort à son goût, il ne résiste pas. *The feeling is mutual* (c'est réciproque).

LES LIAISONS DANGEREUSES I

L'Anglaise fricote avec le roi et s'en éprend. Par souci de discrétion, elle se choisit immédiatement une demoiselle d'honneur comme leurre. Le *red herring* (hareng rouge) malheureusement réussit bien au-delà de ses espérances. Louis tombe follement amoureux de la demoiselle en question, Louise de La Vallière, un cœur suffisamment pur pour aimer

l'homme et non le souverain. Henriette-Anne, qui se voyait bien reine de France, n'en prend pas ombrage trop longtemps. Elle va s'accomplir dans ce rôle d'entremetteuse. C'est à elle que les parents d'une autre jeune bretonne s'adressent pour faire de leur enfant, Louise Renée de Penancoët de Keroual, la maîtresse de Louis XIV. Henriette-Anne prend la jeune fille à son service, mais sous le charme de la Montespan, le Roi-Soleil reste de glace. Il réfléchit déjà aux précieux services que sa cousine anglaise pourrait rendre à la nation française...

LES LIAISONS DANGEREUSES II

Pourrait-elle convaincre son cher frère Charles II de s'allier aux Français contre les Hollandais volants dans les conflits à venir ? Henriette-Anne, qu'on appelle désormais Madame, va s'y employer de bonne grâce et le traité de Douvres est signé en 1670. Contre toute attente, en plus de toucher les deux millions de livres en passant par la case départ, Charles II s'entiche au passage de Louise de Keroual.

MADAME SE MEURT, MADAME EST MORTE

Quatre jours après le traité de Douvres, Henriette-Anne se meurt d'un mal mystérieux et foudroyant. La thèse du complot et du poison sera évoquée par Bossuet lui-même avec le fameux « Madame se meurt, Madame est morte », qui fait allusion aux « secrets d'État » détenus par la princesse. Charles II est tout prêt à rompre les relations diplomatiques avec la France.

AGENT K

Alors que la jeune Louise de Keroual, dévastée de chagrin d'avoir perdu sa maîtresse, se destine au couvent, Louis, connaissant

l'attrait qu'elle exerce sur son cousin, l'en dissuade et l'envoie comme demoiselle d'honneur à la cour d'Angleterre. Louis XIV va faire d'elle son meilleur émissaire, son espionne auprès de Charles II : « le ruban qui serre la taille de mademoiselle Keroual, murmure-t-on, unit les relations entre la France et l'Angleterre. »

LE SAVIEZ-VOUS ?

Les Hollandais sont champions dans le domaine de l'armement des navires. Ils se repèrent aisément grâce au sextant qu'ils ont mis au point récemment et innovent dans l'art de la voile. Ils sont aussi à l'origine de nombre de termes de navigation : le yacht, le foc, les verbes « affaler », « amarrer », « étarquer ».

THE MERRY KING

Comme Louis, Charles n'est pas le petit-fils d'Henri IV le Vert-Galant pour rien. Celui que l'on a surnommé « *the Merry King* », le roi joyeux, a hérité de son ardeur. Contrairement à son cousin, qui se contente d'une seule favorite *at a time*, Charles fait la désolation d'une Louise de Keroual exclusive. Il multiplie les liaisons avec les actrices et les chanteuses d'un soir et collectionne les maladies vénériennes. À sa décharge, après la République de Cromwell, le funeste destin de son père, l'épidémie de peste qui a frappé l'Angleterre en 1665 et le grand incendie de Londres en 1666, un relâchement des mœurs paraît compréhensible. La frivolité s'installe brutalement à la cour du roi d'Angleterre. Décolletés pigeonnants pour les femmes, perruques bouclées pour les hommes, parfumées et à la poudre… de riz. On y chante et on y danse. Et l'on s'y amuse follement.
Outre sa débauche légendaire, le parlement anglais reproche à Charles II d'être inféodé au roi de France, acheté, vendu ! N'a-t-il pas bradé Dunkerque, le repère de corsaires, aux Français ?

N'est-il pas un suppôt de Rome et de son pape ? Charles II a beau marier sa nièce au prince protestant Guillaume d'Orange en 1677, ne pas avoir cédé au roi de France qui exigeait contre ses deniers la conversion de l'Angleterre au catholicisme, son inclination ne fait pas de doute : tous ceux qui l'entourent ne sont-ils point catholiques ? Sa maîtresse, son épouse, Catherine de Bragance, et faute de descendance, son héritier, son frère, Jacques, duc de York, lui aussi papiste.
Tant et si bien que Charles, qui avait tant rêvé d'absolutisme, se fait plaisir en dissolvant le Parlement en 1681. Le roi d'Angleterre va gouverner seul jusqu'à la fin de son règne, dont le bilan est, il faut l'admettre, plutôt positif. Vingt-cinq ans durant, il préservera l'Angleterre de la guerre civile. Il colonisera l'Inde et les Indes orientales, reprendra New York aux Hollandais en 1664, et fera voter les *Navigation Acts* qui vont assurer la Grande-Bretagne de sa puissance maritime.

RIP

Le 6 février 1685, le roi peut partir en paix. Après une crise d'apoplexie, sur son lit de mort, il se convertit enfin… au catholicisme, pour la plus grande satisfaction de son cousin français ! Charles doit certainement se retourner dans sa tombe quand huit mois plus tard, en octobre 1685, son cousin Louis, pas très fair-play, révoque l'édit de Nantes – qui n'est pas une vieille anglaise (Lady de Nantes) –, obligeant les protestants à se convertir au catholicisme. Le roi de France, qui lance sur les routes françaises quelque deux cent mille à trois cent mille huguenots, vient de commettre l'irréparable entre les deux pays. Et ce n'est pas fini.

Révocation de l'édit de Nantes : premières délocalisations françaises

Si l'immigration choisie demeure en France *a piece of wishful thinking*, une chimère agitée par une partie de la classe politique au cours des récentes campagnes électorales, la City de Londres incarne, elle, la réussite d'une immigration professionnelle qualifiée et ciblée. Tout ça, c'est la faute à Louis XIV…

DRAGONNADES

En effet, encouragés depuis plusieurs années à abandonner leur religion, les protestants ont vu les mesures d'intimidation à leur encontre se multiplier. Sous la houlette du ministre de la Défense, François Michel Le Tellier marquis de Louvois, les persécutions sont devenues monnaie courante : confiscations de biens, viols, tortures. Aussi, quand en 1685 le roi de France Louis XIV supprime la liberté de culte, obligeant les protestants à se convertir au catholicisme, il donne le signal du départ aux huguenots de France, déjà dans les starting-blocks depuis cinq ans. Ils seront entre deux cent mille et un million à quitter le pays.

LONDON CALLING

Sans doute le ministre français des Finances a-t-il anticipé les conséquences économiques de l'exode des artisans protestants, qui partent en masse pour les pays *protestant friendly* : Pays-Bas, Suisse, principautés allemandes et bien sûr Angleterre. Un siècle plus tôt, Élisabeth Ire avait en effet fait de son pays une terre d'asile et la base arrière des huguenots pendant les massacres de la Saint-Barthélemy. De nouveau, l'île de Bretagne va devenir la patrie de cette main-d'œuvre hautement qualifiée qui déserte la France. Vingt ans après la grande peste de 1665 et l'incendie qui a ravagé Londres en 1666, ces cinquante mille à quatre-vingt mille réfugiés sont accueillis à bras ouverts par des Londoniens viscéralement anticatholiques, choqués par le récit des atrocités pratiquées en France.

PREMIÈRES DÉLOCALISATIONS

Les huguenots, qui ont été obligés d'abandonner leurs biens, arrivent à Londres avec leur savoir-faire. Ils sont miroitiers, horlogers, orfèvres, maîtres verriers, héritiers de la grande tradition française, et vont trouver leurs marques dans le West End, à Soho ou à Fitzrovia, des quartiers où l'on peut à l'époque s'imaginer en France. Les tisserands, originaires de Tours, s'installent quant à eux dans l'East End, à Spitafields, à l'extérieur des remparts de la City où ils vont rapidement supplanter la production lyonnaise. Ils seront rejoints peu à peu par les huguenots lyonnais.

AU BONHEUR DES DAMES

Perte irrémédiable pour l'industrie française : le tissage de la soie se délocalise à Londres ! Pour le plus grand bonheur des Anglais qui n'ont ainsi plus besoin d'importer ces étoffes. Fuyant l'ambiance de la Saint-Barthélemy, de nombreux imprimeurs s'étaient réfugiés à Amsterdam ; une seconde vague s'installe à Londres, tout comme les fabricants de papier venus d'Angoulême et du Sud-Ouest, qui gagnent la capitale anglaise par bateau.

LE SAVIEZ-VOUS ?

En France, les exactions et persécutions exercées contre les protestants sont d'autant plus barbares que le corps d'armée chargé de cette politique de terreur, les « dragons » collecteurs de l'impôt, se paient sur la bête et ont carte blanche. Et plus rien ne fait obstacle aux « dragonnades » lorsque leur plus virulent opposant, Jean-Baptiste Colbert, meurt en 1683.

IN THE CITY

Les huguenots vont aussi investir le domaine de la finance, contribuant à faire de Londres la première place financière européenne. Sept des vingt-quatre fondateurs des banques d'Angleterre ne sont-ils pas des descendants de réfugiés huguenots ? Parmi eux, le premier gouverneur de la banque d'Angleterre, Sir John Houblon. Les protestants français seront aussi très présents dans le domaine de l'assurance et du courtage en bourse. Ils vont s'épanouir dans cette Angleterre libérale qui introduit, en 1689, la liberté de la presse et de culte.

IN MEMORIAM

Cet exode affecte l'économie française, mais aussi la marine et l'armée, comme le déplore le grand bâtisseur de fortifications, l'ingénieur Vauban, dans son *Mémoire pour le rappel des Huguenots* publié en 1689.

SOLDIERS OF FORTUNE

Les huguenots se rallient au panache de Guillaume III d'Orange-Nassau, alors gouverneur (stathouder) des Provinces-Unies (Pays-Bas). Ils vont s'engager dans l'armée franco-néerlandaise dirigée par l'un des leurs, le maréchal de France Frédéric-Armand de Schomberg, resté fidèle à sa foi protestante. Quelque trois mille trois cents huguenots participent ainsi au coup d'État qui va destituer le catholique Jacques II d'Angleterre en 1688. Sans faire couler le sang, la Glorieuse Révolution instaurera en 1689 le fameux *Bill of Rights*, texte fondateur de la monarchie constitutionnelle en Angleterre. Guillaume est élu roi d'Angleterre par un parlement de convention. Auprès de son épouse anglaise Mary II Stuart, Guillaume III d'Orange-Nassau devient alors roi d'Angleterre, d'Écosse et d'Irlande.

BLOODY WEDNESDAY[1]

Comme autrefois son frère Charles, Jacques II d'Angleterre s'est réfugié chez Louis XIV, son catholique cousin. Le souverain en exil, assuré de la loyauté du vice-roi d'Irlande, le comte de Tyrconnel, va tenter grâce à ses troupes et celles de France réunies

1. Mercredi sanglant.

de reconquérir son trône. C'est la célèbre bataille de la Boyne de 1690, qui a lieu dans le sud de l'Irlande et qui voit s'affronter les deux rivaux aux trônes d'Angleterre, d'Écosse et d'Irlande : le catholique Jacques II d'Angleterre et le protestant Guillaume d'Orange. Le mercredi 12 juillet, le maréchal de Schomberg lance ses trente-six mille hommes contre les vingt-trois mille soldats de l'armée franco-irlandaise (parmi lesquels sept mille Français). Si le valeureux militaire y laisse la vie, la victoire protestante est éclatante.

PARIS-ON-THAMES

Neuf lieux de culte calvinistes sont édifiés à Londres. Hormis quelques soulèvements contre les tisserands et contre l'établissement de l'église française de Saint-Martin à Chipping Ongars dans l'Essex, les réfugiés ne sont pas l'objet de violences et sont facilement assimilés. Un statut de « *free denizen* » leur permettant de travailler à Londres sans être naturalisés, accordé par Charles II, est maintenu. Si l'on se plaint qu'ils ne parlent pas anglais, en cas de procès, ils ont droit à un traducteur et bénéficient d'un panel de jurés étrangers.

DUBLINERS

Forts de ce succès, quelque cinq mille artisans huguenots émigreront aussi à Dublin. Comme à Londres, ils vont développer l'industrie de la soie et du lin dans la région de Lisburn. Des cartographes, des graveurs, des artistes, des architectes ou des agronomes, venus de Picardie ou encore de Bordeaux, élisent domicile dans le désormais quartier estudiantin de Temple Bar. Avec cette défaite, les Irlandais catholiques voient quant à eux l'indépendance de l'Éire leur échapper définitivement. Cette victoire de Guillaume d'Orange, célébrée en grande pompe chaque année comme *the Glorious Twelve* – en référence au 12 juillet – par les protestants d'Irlande du Nord, est encore aujourd'hui vécue comme une provocation par les catholiques irlandais.

WILD GEESE

Jacques II s'exile définitivement au château de Saint-Germain-en-Laye avec sa cour d'aristocrates jacobites. Il emporte avec lui quelque douze mille valeureux soldats, qui vont s'enrôler comme mercenaires et constituer notamment la brigade irlandaise au service du roi de France. Les *Wild Geese* (Oies sauvages), connues pour leur capacité à se battre pour… des causes perdues, contribueront aux victoires militaires françaises.

Louis XIV, quant à lui, voit son rêve secret de conquête de l'Europe disparaître. Mais la paix d'Utrecht de 1713, qu'il signe deux ans avant sa mort, marque la fin de la puissance hollandaise, fait la part belle à la France et annonce la domination maritime et commerciale de la perfide Albion.

Non contents d'apporter leur savoir-faire, les huguenots offrent aussi en partage à l'Angleterre leurs valeurs morales calvinistes, formidable terreau pour l'esprit d'entreprise et accélérateur puissant du capitalisme, comme l'a magistralement démontré bien plus tard le sociologue Max Weber.

Cuisines et dépendances

Quand Alexandre Grimod de La Reynière évoque les talents culinaires des Britanniques, le pionnier de la critique gastronomique sous Napoléon Ier ne mâche pas ses mots : « La cuisine anglaise se borne à des poulets bouillis, chose fort insipide, et à ce qu'ils appellent du *plum pudding*, mélange indigeste et bizarre plutôt qu'une préparation savante et salubre. » Et d'ajouter sournoisement : « Cependant comme tous les peuples, même les moins civilisés, ils ont quelques ragoûts nationaux qu'ils vantent plus par patriotisme que par conviction. »

LES FRANÇAIS, UN PEUPLE CUIT DUR

Près d'un siècle plus tard, le romancier anglais Sir Evelyn Waugh n'y va pas non plus avec le dos de la cuillère : « Les Français, un peuple cuit dur, trop cuit, trop couvert

d'éloges pour sa cuisine. Je ne peux pas digérer, dit-il encore, cette saleté française avec ses ingrédients défraîchis venus du monde entier et travestis dans une sauce au vin blanc. »
Par ces citations, Anthony Rowley, historien de la cuisine, traduit à merveille cette compétition féroce entre Français et Anglais. Un jeu de miroir où chacun influence l'autre. Lorsque paraît le *Viandier*, ouvrage mythique d'un certain Taillevent, « queux » du roi de France Philippe de Valois, de l'autre côté de la Manche, *The Forme of Cury*, qui détaille la préparation des mets servis à la table du roi anglais Richard II, est en réalité un livre de recettes françaises.

GOD SAVES THE CUISINE

Jusqu'au XVIe siècle, les horaires des repas et leurs fonctions sont très proches chez les deux peuples, qui partagent encore le même calendrier religieux : avoir de la force pour travailler, se reproduire, se soigner par l'alimentation et respecter les jours maigres imposés par le catholicisme.
Avec Henri VIII et l'émergence de l'Église anglicane, non seulement cette dernière obligation n'a plus lieu d'être, mais il n'y a plus d'intermédiaire entre Dieu et ses ouailles. L'accès au texte implique une certaine instruction, celle des domestiques et des femmes. Le Britannique prosélyte soupe avec son épouse, tandis que le Français y répugne. La conversation ne risquerait-elle pas de fabriquer des femmes savantes ? Et puis, c'est bien connu, le vin les enlaidit… Le contexte religieux aura aussi une incidence sur les horaires des repas.

SUCRÉ SALÉ

Cependant, le grand schisme culinaire se produit au XVIIe siècle avec le boom des échanges entre la vieille Europe et ses comptoirs et

colonies. De la corne africaine, des Indes orientales et occidentales dans une moindre mesure, les Anglais font venir des épices. De la Barbade, île caribéenne reconvertie à la culture sucrière sous l'impulsion de milliers de réfugiés irlandais dans les années 1630, ils s'approvisionnent en sucre. C'est l'avènement du *sweet and sauer* (les saveurs aigres douces) et de la cuisine exotique à Londres. Les pickles, le clou de girofle, le gingembre excitent les papilles. Le porto va devenir très « hype » à Londres. Les vins français ayant été bannis par Charles II en représailles à la politique de protectionnisme menée par Colbert à l'égard des produits venant de l'étranger, c'est en cherchant des vins locaux que les commerçants *Britons* dénichent ce breuvage sucré de la région du Douro.

POTATOE COACH

À Paris, les aliments venus d'ailleurs sont désormais observés avec circonspection : le temps où Catherine de Médicis avait introduit dans les habitudes françaises le foie gras, les champignons, les asperges et les artichauts, mets servis dans son Italie natale, est révolu. Ainsi, la pomme de terre venue d'Amérique latine riche en glucides sera, malgré les disettes, donnée aux cochons pendant deux siècles. Il faudra attendre Antoine Parmentier, apothicaire agronome, pour que le tubercule entre dans la diète du peuple français. Le militaire, qui a goûté de la *Kartoffel* en captivité en Prusse, aura l'idée lumineuse, pour vaincre les réticences de ses compatriotes, de faire garder un champ de pommes de terre comme s'il s'agissait d'un trésor.

INVASIONS BARBARES

Pour chacun des deux peuples, le barbare, c'est l'autre. Le Français a la réputation de passer sa vie à ripailler et

d'accommoder ses salades avec des huiles en provenance d'un Sud douteux ; l'Anglais « s'alcoolise » à tire-larigot et termine ses repas par du thé, prenant, ô hérésie totale, son fromage après son dessert… N'est-il pas hermétique au caractère quasi sacré de la gastronomie ? Pour lui, la nourriture semble n'être qu'une marchandise comme les autres. Ne spécule-t-il pas, ô sacrilège, sur les huîtres de Colchester, comme auparavant sur les tulipes de Hollande ? Au tournant du XVIIIe siècle, des fortunes se font et se défont. Alors que les Britanniques sont en position économique dominante et devraient logiquement imposer leur goût, la France conserve sa suprématie en termes culinaires. La cuisine est, comme toute forme de culture, éminemment politique.

MOURIR POUR LA TABLE

C'est à Louis XIV que l'on doit la naissance de l'académisme gastronomique et l'ébauche d'une norme en la matière. Les festins sont conçus comme des spectacles qui s'éternisent, d'où cette tradition très française de passer beaucoup de temps à table. Tout imprévu dans le déroulement du repas est vécu comme une catastrophe. Ainsi, honteux de n'avoir pu servir les poissons inscrits au menu du 24 avril 1671 – la faute au mareyeur – le pauvre Vatel, cuisinier du Grand Condé, se suicide-t-il. Le goût obéit lui aussi à des règles très précises.

CUISINE ET DÉPENDANCE

Alors que les épices et le sucre s'accommodent à toutes les sauces outre-Manche, en France, le sel, par opposition au sucre, est à l'honneur. La cuisine doit stimuler le désir. La coloration des plats prisée en Angleterre est regardée comme une escroquerie,

un trompe-l'œil. En pleine Révolution française, le dessin prend le dessus sur la couleur. Le visuel est sacralisé. Un concept fait son apparition : la « vérité culinaire » et l'avènement de la pièce montée, une figure incontournable. La cuisine, elle, est élevée au rang d'art et le cuisinier à celui d'artiste.
D'ailleurs, en 1789, malgré la peur de la guillotine, les aristocrates anglais continuent à franchir la Manche pour se sustenter à Paris : un tiers des clients des restaurants sont britanniques.

LE SAVIEZ-VOUS ?

La nourriture est en France un marqueur territorial et donc une obsession du « consommer français » antérieure à la marinière Armor-lux. D'où, quelques siècles plus tôt, le mythe de la « poule au pot » que les paysans ne verront dans leur assiette... qu'en rêve. Un plat parfumé de cet ail qu'affectionne tant notre bon roi Henri IV. Dans le Béarn, pour son baptême, on lui aurait frotté les lèvres d'ail pour le protéger du mal et lui donner l'étoffe des héros. D'où cette réputation d'une « haleine à terrasser les bœufs à vingt pas » et celle des Français « bouffeurs d'ail » chez nos amis britanniques, qui semblent oublier qu'ils ont croqué eux aussi de la gousse jusqu'au XVIIIe siècle.

MÉLANCOLIE CULINAIRE

Les deux guerres mondiales vont changer le rapport à la cuisine : la nourriture devient consolation, avec deux approches pourtant radicalement différentes. Pour les Britanniques, l'accent est placé sur la santé, la science, avec une forte inclination pour le régime végétarien. Les Français, eux, donnent dans « la mélancolie

alimentaire », note Anthony Rowling : chaque génération regrette l'âge d'or qui l'aurait précédée, la préservation des terroirs. Un courant moderniste émerge en rupture : la nouvelle cuisine, allégée pour l'assiette, mais pas pour le porte-monnaie. Les Français, prompts à la guerre civile, se déchirent, entre les partisans du terroir et ceux de la « grande cuisine », jusqu'au classement de la cuisine française au patrimoine immatériel de l'Unesco en 2010.

OLIVER WITH A TWIST[1]

Dans son émission populaire, Jamie Oliver, celui que l'on appelle « *the naked chef* » (le chef nu), car il ne porte pas de toque, revendique la simplicité et des produits frais. Ce flamboyant chef britannique serait-il un vulgaire *copycat* de notre Raymond Oliver national ? L'ancien chef du *Grand Véfour*, qui fit la première émission de cuisine à la télévision (*Art et magie de la cuisine* en 1953), avait, il est vrai, ouvert la voie du show culinaire.

SHOW DEVANT

Depuis les années 1980-1990, le modèle anglais d'une alimentation-divertissement s'impose : les cuisines s'ouvrent, deviennent des lieux de spectacle. La mode est reprise par les émissions de cuisine française, qui font des records d'audience sur le petit écran avec *Master Chef* sur TF1 et *Oui chef !* sur M6. Mais le vent qui souffle d'Angleterre n'est pas que paillettes. Avec le tunnel sous la Manche, puis avec la mondialisation, les chefs britanniques apportent un nouveau souffle à une cuisine française quelque peu sclérosée et guindée.

1. *With a twist* signifie « décalé, qui n'est pas en phase avec la situation ». C'est aussi un jeu de mots sur l'expression culinaire *a twist of [lemon]* : une rondelle de [citron].

REVENGE IS A DISH BEST SERVED COLD[2]

Affranchis des codes de la gastronomie française, les *Brits* innovent en toute liberté. Si pendant longtemps les chefs anglais sont venus faire leurs classes en France, cette tendance tend à s'inverser. Certes, les Ducasse, Darozze et Robuchon ont toujours pignon sur rue à Londres. Mais n'est-ce pas l'Écossais Gordon Ramsay, propriétaire du restaurant éponyme trois étoiles de Chelsea, qui est aux commandes du Trianon Palace de Versailles, deux étoiles au Michelin ? Signe des temps, les cupcakes ont envahi les vitrines des pâtisseries françaises. Et Prêt À Manger, restauration rapide et saine anglaise, s'installe sur les Champs-Élysées…

MENU BEST OFF

Alors que les Français campent sur leurs acquis, les *Britons* prennent le meilleur de chaque culture. Ils s'intéressent à la sculpture et à l'art de la table italiens et, naturellement, s'inspirent de la cuisine française. En 1789, on recense cinquante plats français au menu des restaurants de Londres ; en 1830, ils sont plus de trois mille.

2. La vengeance est un plat qui se mange froid.

Les charmes de l'Habeas Corpus, ou la force du conservatisme anglais

Dès 1215, l'Habeas Corpus garantit à tout « homme libre » résidant sur le sol britannique le droit d'être jugé par ses pairs. Un principe de droit fondateur qui continue à forcer l'admiration des *Froggies*.

L'HERBE EST PLUS VERTE...

À preuve, le 29 octobre 2010, dans un billet rageur, un avocat-blogueur au barreau de Paris, maître Eolas, appelait de ses vœux un Habeas Corpus « à la française ». Avant lui, en 1958, Michel Debré, le « père de la Constitution de la Ve République », avait émis le même souhait. Une fascination française pour les institutions britanniques qui remonte au siècle des Lumières. Les *Frenchies*, en proie à l'absolutisme royal de Louis XIV et Louis XV, envient ce texte *Briton* avant-gardiste en matière de justice. « La nation anglaise, tempête Voltaire en 1734, est la seule de la terre qui soit parvenue à régler le pouvoir des rois en leur résistant et qui, d'efforts en efforts, ait enfin établi ce gouvernement sage où le prince, tout-puissant pour faire du bien, a les mains liées pour faire le mal ; où les seigneurs sont grands sans insolence et sans vassaux ; et où le peuple partage le gouvernement sans confusion. La Chambre des pairs et celle des communes sont les arbitres de la nation, le roi en est le surarbitre. » Dans *l'Esprit des lois*, en 1748, Montesquieu fait également l'éloge du texte anglais. Ah, le lumineux principe ; ah, quelle belle chose que le pouvoir de la loi !

NOBLESSE OBLIGE

Alors que les Français attendront la Révolution française et 1789 pour intégrer ce principe et protéger le citoyen de l'arbitraire royal, les barons anglais jettent les bases d'une justice équitable dès le Moyen Âge (XIIIe siècle), soit plus de cinq cents ans avant les *Frenchies !* C'est avec la belle Aliénor d'Aquitaine que le sujet anglais s'est accoutumé à disposer du droit à pouvoir se défendre lors d'un éventuel procès.

MAGNA CARTA

Après avoir bafoué ce beau principe sans aucun scrupule, son fiston, Jean sans Terre (le méchant dans *Robin des bois !*), se voit obligé de faire machine arrière. Écrasés d'impôts pour compenser la perte de la Normandie, de la Bretagne et de l'Anjou, les seigneurs *Britons* exigent en compensation la restauration du droit coutumier.

Jean sans Terre est obligé de lâcher du lest. En 1215, la *Magna Carta*, la Grande Charte, rétablit les acquis : en matière de succession, de droit des femmes, d'héritage et de saisie des biens en paiement des dettes, de droit à lever l'impôt et de droit des seigneurs à être jugés « normalement ». Ce droit, qui en réalité est un droit d'accès à un juge, est étendu aux ecclésiastiques et aux bourgeois, bref aux « hommes libres » dans le jargon de l'époque.

GUANTANAMO !

Quand Napoléon s'aperçoit que le *Bellerophon* ne l'emmène plus en Angleterre, ulcéré, il « proteste solennellement à la face du ciel et des hommes contre la violence qui [lui] est faite... » Pas plus que les penseurs français, il ne soupçonnait que, en plus de l'Habeas Corpus, l'Angleterre avait inventé... Guantanamo !

LE CORPS DU DÉLIT

L'Habeas Corpus est né. Au départ, la formule latine (littéralement « tu as un corps ») désigne l'obligation pour le geôlier de présenter le corps, c'est-à-dire le détenu, au juge. Le « prévenu » doit être présenté devant la cour réunie pour le procès. Et ce le plus rapidement possible, sur simple demande rédigée dans les formes. Indirectement donc, et sauf exception coutumière, l'internement arbitraire par le roi devient impossible. Le détenu connaît par le juge le grief qui lui est fait ; il peut alors organiser sa défense et être remis en liberté sous caution ou non.

PAS UNE RIDE, PLUSIEURS LIFTINGS

Si après huit cents ans l'Habeas Corpus n'a pas pris une ride, c'est parce qu'au fil des siècles il a subi plusieurs liftings. Pour assurer sa continuité, chaque nouveau roi en reprend la teneur sous forme de serment, intégralement ou à peu près. Même si la parole donnée en début de règne est rarement respectée, l'habitude est prise. À la Renaissance, les Tudors, comme par la suite les

Stuarts, pourtant tentés par l'absolutisme, se plient à cette obligation, coutume oblige. Mais ils inventeront les moyens de contournement modernes, tel le recours aux ordonnances.

JUGE ET PARTIE

Heureusement le *Parliament* veille au grain. En votant en 1689 le *Bill of Rights*, l'Acte d'Habeas Corpus, lui-même renforcé et précisé en 1679, généralise le principe de la *Magna Carta*. Il lui donne même force d'exécution en prévoyant des sanctions sévères en cas de violation de ses principes. La nouvelle mouture contraint les juges tout en leur assurant une sécurité nécessaire renforcée au fur et à mesure que leur indépendance s'accroît. Des limites sont toutefois fixées, parmi lesquelles la trahison et les crimes graves.

> Quand notre Victor Hugo national s'adresse aux Anglais, cela donne : « vous êtes le pays du vote, du *poll*, du meeting, vous êtes le puissant peuple de l'Habeas Corpus » !
>
> Victor Hugo, Actes et paroles 2

WATERLOO STATION

Quand Napoléon Ier choisit de se rendre en Angleterre à la suite de la défaite de Waterloo, c'est justement pour être placé sous la protection de l'Habeas Corpus de la *Magna Carta* britannique. Aussi étonnant cela puisse-t-il paraître, se rendre à l'ennemi héréditaire lui promet, a priori, un sort sensiblement plus clément que de se faire juger et condamner à mort dans une France redevenue royaliste.

LA CROISIÈRE S'AMUSE

« Je viens me mettre sous la protection de votre prince et de vos lois », dit ce fils de la Révolution et des Lumières au capitaine

du *HMS Bellerophon* le 15 juillet 1815, et d'ajouter : « Le sort des armes m'amène chez mon plus cruel ennemi, mais je compte sur sa loyauté. » L'empereur déchu compte bien profiter de son séjour à bord du navire de guerre de la marine britannique pour réfléchir à son lieu d'exil : pourquoi ne pas se refaire aux États-Unis ?

GOD IS IN THE DETAIL

C'est dans les eaux d'une Angleterre coupée en deux que le bateau finit par s'immobiliser. L'honneur anglais veut que ses lois de liberté soient respectées même pour un Français sanguinaire, affirment ceux qui défendent la cause de Napoléon ; l'intérêt du pays veut qu'il disparaisse, estiment ceux qui veulent sa perte, dont le gouvernement.
Mais, c'est bien connu, chez les « Grands-Britons », *God is in the detail*, Dieu réside dans le détail : tant que leur prisonnier n'a pas mis le pied sur le sol anglais, il ne peut se prévaloir d'aucune protection... Le *Bellerophon* prend soin de quitter le port et gagne le large. Alors que la côte s'éloigne, Napoléon Ier perd définitivement la perspective d'un procès équitable. Rien ne s'opposera plus à la déportation de l'ex-empereur à Sainte-Hélène, simple possession de la Compagnie anglaise des Indes orientales. Sur l'île, où les conditions de sécurité sont dictées par la Couronne, la loi anglaise n'assure plus aucune protection, en toute légalité *of course*...

LA PATRIE DES DROITS DE L'HOMME

Malheur à l'empereur vaincu : les Français acceptent, une fois n'est pas coutume, de tourner la page... et continueront tout au long du XIXe siècle à encenser le peuple anglais.

Au XXe siècle, suprême hommage, les Français se font une si haute idée de l'Habeas Corpus qu'ils la… confisquent aux Anglais. Alors que *la Déclaration des droits de l'homme* de 1789 avait déjà largement puisé son inspiration dans l'Habeas Corpus, la défense des libertés, intégrée dans la déclaration universelle du même nom en 1946, devient une exclusivité typiquement hexagonale justifiant à elle seule le titre autoproclamé de « France, patrie des droits de l'homme ». Cocorico !

« On dit avec raison que l'Angleterre est un pays de liberté ; sans doute on y jouit de l'Habeas Corpus et de la liberté de la presse. »

Prosper Mérimée, *Études anglo-américaines*

HABEMUS HABEAS CORPUS…

Cependant ce sont les obligations européennes qui feront passer la France de la théorie à la pratique, en instaurant même une protection de la liberté individuelle plus sûre qu'en Angleterre. La durée du maintien en garde à vue est désormais limitée par la loi et la présence de l'avocat garantie. La loi Guigou du 15 juin 2000, justifiée par la présomption d'innocence énoncée par *la Déclaration des droits de l'homme* de 1789, encadre très précisément la détention provisoire.

RULE, BRITANNIA !

En Angleterre, le principe, qui existe toujours, n'est plus guère invoqué que dix fois par an en moyenne. Mais il reste aux yeux du monde entier, grâce aux Français qui continuent d'en faire la publicité, accolé – *eternity and beyond ?* – au génie anglais…

Louis XV : *peace and love* et la guerre de Sept Ans, premier conflit mondial

« Tâchez de conserver la paix avec vos voisins. J'ai trop aimé la guerre. » Telles seraient, selon Voltaire, les dernières paroles adressées le 26 août 1715 par Louis XIV sur son lit de mort à son arrière-petit-fils de cinq ans et demi. Louis XV, qui hérite d'un État ruiné par les conflits, va appliquer les conseils de son « papa Roi » au-delà de ses espérances.

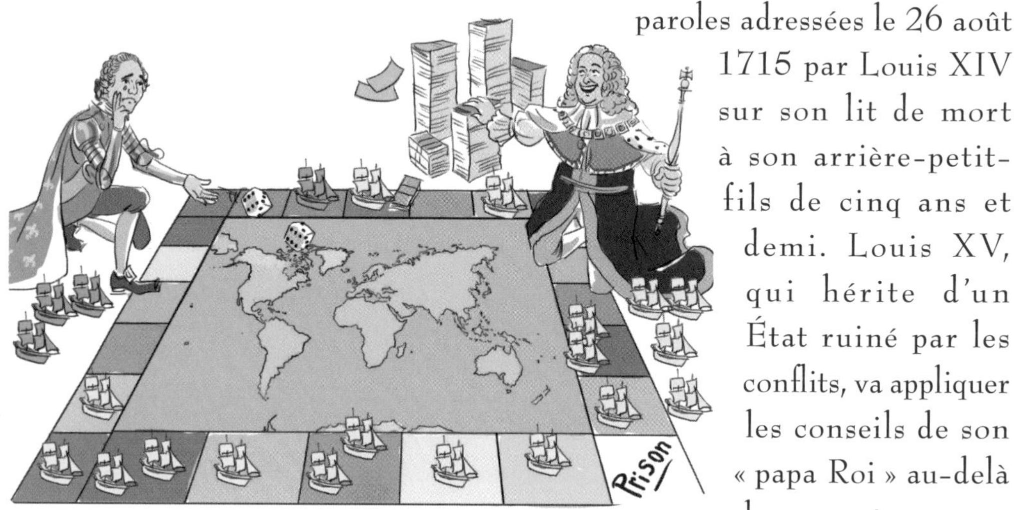

PEACE AND LOVE

Émotif, sensible, instruit, le souverain que l'on nomme le « Bien-Aimé » choisit d'emblée de faire… l'amour et pas la guerre. Et de s'adonner aux plaisirs de la chair avec ses multiples maîtresses. Il délaisse son épouse, Marie Leszczynska, et les affaires du royaume, qu'il confie au régent Philippe d'Orléans puis au cardinal de Fleury. La diplomatie n'est pas non plus sa *cup of tea*. Le roi de France se soucie assez peu des querelles

survenues en 1740 entre États européens après que l'empereur romain germanique, Charles VI, a rendu l'âme. Mais, tandis que Louis XV goûte aux plaisirs terrestres, George II d'Angleterre continue d'accroître sa puissance... maritime. La *Royal Navy* a permis à la Grande-Bretagne de se constituer un empire colonial considérable, et la perfide Albion n'entend pas s'arrêter en si bon chemin. Voici que l'Angleterre, le Piémont et l'Autriche ont conclu un pacte militaire, le traité de Worms, aux termes duquel ils s'allient pour trouver une issue au micmac autrichien...

POUR L'ALSACE ET LA LORRAINE !

Lorsque le roi français découvre que, grâce à cette alliance, George II s'apprête à spolier la France de l'Alsace et de la Lorraine, il sort de sa torpeur. Il enfile son costume de super-héros et se transforme en foudre de guerre contre l'Angleterre. Aux armes! Sous ses encouragements, les marins français accomplissent l'exploit de repousser la *Royal Navy* qui mouillait tout prêt du port de Toulon au début de l'année 1744. Sur cette lancée, les troupes du roi de France franchissent simultanément les Alpes et envahissent les Pays-Bas autrichiens (la Belgique et les Pays-Bas actuels).

MESSIEURS LES ANGLAIS, TIREZ LES PREMIERS!

Le 11 mai 1745, à Fontenoy, l'armée française défie les troupes anglo-hollandaises. De cette bataille, l'Histoire retiendra les propos du comte d'Anterroches, le fameux « Messieurs les Anglais, tirez les premiers! », qui ferait passer les Français pour de parfaits *gentlemen*. En réalité, tandis que les *Britons* ôtent poliment leur chapeau pour saluer leurs adversaires, les *Frenchies* en profitent pour envoyer la première salve... Ces derniers

remportent la partie, puis la guerre. La victoire devrait garantir à la France un avantageux traité de paix à Aix-la-Chapelle le 18 octobre 1748. C'est sans compter sur le côté grand seigneur de Louis XV, qui rétrocède les terres conquises sur l'Autriche... sans contrepartie, laissant son allié le roi de Prusse, Frédéric II, repartir de la table des négociations avec la Silésie dans son sac. Au total, résumera Voltaire, les Français auront guerroyé « pour le roi de Prusse », autrement dit pour rien...

« J'IRAI À PARIS OU JE MANGERAI MES CHAUSSURES »

Même si les *Frenchies* n'ont pas tiré le maximum de cette paix d'Aix-la-Chapelle, le fils de George II d'Angleterre, le duc William de Cumberland, se jure de venger son papa : « J'irai à Paris ou je mangerai mes chaussures. » C'est dans les eaux glacées du Saint-Laurent, que William – dont on ignore s'il a mangé ses chaussures – savoure sa vengeance. Les colons anglais viennent de pénétrer dans Fort Louisbourg. Cette ville canadienne créée par les *Frenchies* est la tête de pont du vaste territoire qu'ils se sont constitué outre-Atlantique. C'est le point de départ de la deuxième manche entre la France et l'Angleterre...

LE GRAND MONOPOLY

Les Anglais s'associent aux Iroquois tandis que les Français s'allient aux Hurons. Entamé par quelques escarmouches, le différend territorial au sujet du Canada va dégénérer en guerre mondiale. Le 10 février 1763, le traité de Paris vient mettre fin à la partie de Monopoly. Des Indes, Paris ne gardera qu'une poignée

de comptoirs. Elle cède le Canada et toutes ses îles caribéennes, à l'exception de la Martinique, de la Guadeloupe, de Sainte-Lucie et de Marie-Galante. La Grande-Bretagne, elle, dispose désormais de points d'ancrage disséminés sur toute la surface du globe, qui lui permettent d'asseoir sur les mers la domination écrasante de ses bateaux de guerre et de son commerce.

En août 1744, Louis XV, malade, se croit à l'aube de sa mort. Il lui prend alors l'idée de confesser publiquement sa vie sexuelle. Malheur, sa cote de popularité en prend un coup ! Le « Bien-Aimé » ne l'est plus et perd la confiance de son épouse, de son peuple et le soutien d'une Église de plus en plus intransigeante.

WICKED GAME[1]

De cette partie de Monopoly fleuve – vingt ans – jouée à ciel ouvert sur quatre continents, la France ressort meurtrie et humiliée, mais enfin prête à tirer les leçons de son échec. Pendant quinze années, elle va s'employer à rendre sa flotte plus performante. Ce qui permettra aux *Frenchies*, en 1778, de prendre leur revanche sur les Anglais au moment de jouer la belle, à l'occasion de la guerre de l'Indépendance américaine. Mais entre les deux superpuissances, les jeux sont faits : l'Angleterre a parié sur l'exportation de produits manufacturés, entamant ainsi sa révolution industrielle. La France, explique François Crouzet[2], dont les réexportations sont axées sur les matières premières comme le café et le sucre, dépend trop exclusivement de l'esclavage et verra son élan économique brisé par la Révolution française.

1. Mauvais jeu.
2. *La guerre économique franco-anglaise au XVIIIe siècle*, Fayard, 2008.

La première crise des *subprimes* : le système Law

En 2007, les petits épargnants américains découvrent, stupéfaits, que leurs prêts hypothécaires sont en réalité à haut risque. De fil en aiguille, la crise de confiance aidant, les actifs pourris passés de banque en banque ont conduit la planète à un inévitable krach boursier. Et les journalistes, forcés de se pencher sur la question, d'exhumer des archives de l'Histoire un précédent que les *Frenchies* avaient relégué loin dans leur mémoire collective : le jour où un banquier écossais a ruiné les actionnaires français en créant une méchante petite bulle financière. C'était il y a presque trois siècles…

C'EST LA CRISE…

À la mort du Roi-Soleil en 1715, la France connaît une sérieuse éclipse. Le pays, au bord de la banqueroute, ne dispose plus des ressources nécessaires pour faire face aux dépenses ordinaires de l'État. Les guerres menées par Louis XIV ne sont pas seulement responsables d'une dette qui s'élève à un La première crise des subprimes : le système Law montant astronomique pour l'époque (trois milliards et demi de livres), elles ont aussi entamé la vitalité du pays. Le commerce est en berne, le carnet de commandes des manufactures monotone et les terres agricoles à l'abandon. Impossible d'augmenter les impôts pour juguler les déficits. Plutôt que de déposer le bilan du pays, le régent Philippe d'Orléans tente d'appliquer les vieilles recettes : il fait rogner les rentes et refondre la monnaie.

DROWNING BY NUMBERS

Désespéré par l'absence de résultats, il confie le destin de la France à un Écossais, un certain John Law (prononcez à l'écossaise : « Lass ») de Lauriston. L'homme au visage grêlé par la petite vérole fait preuve d'une science étonnante dans le domaine de l'économie comparée et d'une grande agilité pour ce qui concerne les mathématiques… et les probabilités. Il a aussi mis au point une théorie monétaire de sa composition : le système Law.

LES P'TITS PAPIERS

La thèse que Law développe a de quoi séduire le régent soucieux de renflouer les finances publiques. L'aventurier écossais suggère d'émettre une nouvelle monnaie de papier. Abracadabra, il suffit, selon lui, de regrouper tout l'or et l'argent dans une même banque pour leur substituer des billets. Moins aguerri aux méandres du capitalisme que le parlement écossais qui avait auparavant écarté l'offre, l'intérimaire du trône de France accepte le marché.

CASINO ROYALE

Law fonde une banque centrale en 1716, un établissement parisien autorisé à émettre des billets. Attirés par la nouveauté,

les clients se bousculent, au premier rang desquels le régent *himself*. Quelques semaines plus tard, victime de son succès, la banque, dans un élan de générosité, a déjà émis plus de papiers qu'elle n'a d'or. C'est la fuite en avant.

LAW PROFILE

Le CV de John Law est des plus romanesques. Fuyant son Écosse natale à l'âge de vingt-trois ans, après avoir été condamné pour s'être battu en duel en vue d'obtenir les faveurs d'une femme, il a depuis lors beaucoup voyagé. Élevé dans le monde de la finance par un père orfèvre, il fait le tour de l'Europe, quittant un pays pour un autre chaque fois qu'il en est expulsé. Ce qui ne l'empêche pas d'y revenir : mis à la porte du royaume de France en 1708 en raison de son addiction au jeu, le voilà revenu quelques années plus tard par la fenêtre, avec dans ses malles la théorie monétaire qui causera le grand krach de 1720.

MY MAJOR COMPANY

En 1717, pour gagner du temps, Law fonde sa holding qui lui permet de mettre en place un vaste système spéculatif reposant sur le commerce avec les colonies. Les clients sont à nouveau séduits : ils s'arrachent les actions de la désormais Compagnie perpétuelle des Indes. Leur cours s'envole, entraînant de nouvelles émissions de billets. Deux ans plus tard, l'établissement bancaire de la rue Quincampoix devient banque royale et reçoit le privilège de lever l'impôt pour apurer la dette publique. En 1720, l'homme d'affaires parvient même à briguer la prestigieuse charge de surintendant général des Finances.

BLACK THURSDAY

Tous les Français ne goûtent pourtant pas à la *success story* du « Grand-Briton », et non des moindres. Parmi les ennemis intimes de Law, deux princes du sang, Conti et Bourbon, bien décidés à causer sa perte. Les deux aristos s'empressent d'utiliser leur fortune pour faire gonfler la bulle financière… et lancent la rumeur d'une faillite imminente…

FIN DE PARTIE

Le 24 mars 1720, c'est la banqueroute : pris de panique, les porteurs demandent massivement l'échange de leurs actions contre leur or. C'est le scandale du siècle. Law est contraint de reprendre la route : c'est à Venise qu'exfiltré par le régent il se réfugie, vivant du jeu et d'expédients. Il y mourra d'une pneumonie neuf ans plus tard en plein carnaval, laissant un souvenir mitigé aux Français.

LE SYSTÈME LAW

John Law aura eu le mérite d'introduire en France la monnaie de papier, qui facilitera les échanges commerciaux avec les colonies. Et aussi de permettre à l'État français de sauver – très provisoirement – son économie en organisant la reprise partielle de sa dette par les épargnants.

Cependant la confiance à l'égard du système bancaire et des billets est durablement ébranlée. En dehors de quelques rares *happy few*, l'immense majorité des actionnaires est ruinée.

Les Français, traumatisés par cette expérience, décideront de ne plus se fier qu'à la monnaie sonnante et trébuchante, jusqu'à l'émission des assignats à la Révolution.

Voilà sans doute pourquoi, avec quelque raison, outre le rapport compliqué des catholiques à l'argent, les *Frenchies* assimileront encore longtemps le monde anglo-saxon à la jungle de la finance...

Madame est servie : *do's and don'ts* à table

Si vous demandez à un Anglais pourquoi l'étiquette française recommande de poser ses mains sur la table, il mettra cette étrange coutume sur le compte de l'incorrigible frivolité des *Frenchies*. Honni soit qui mal y pense…

JEUX DE MAINS…

Si les Françaises mariées sont autorisées à mettre les coudes sur la table en fin de repas, c'est pour mieux exhiber la fortune de leur mari. Et s'il convient de garder ses poignets visibles, ce n'est pas seulement parce que les Français ont la main baladeuse et les Françaises la cuisse légère. C'est Louis XIV qui a imposé ce qui aujourd'hui apparaît comme une règle de bienséance. Avec l'affaire des Poisons (1678-1682) et les tentatives d'intoxication à l'arsenic et à la bave de crapaud à la cour, le roi exigea que son verre fût couvert, que l'on goûtât ses mets et que l'on mît… les deux mains sur la table.

À COUTEAU TIRÉ

Plus tard, c'est la lame du couteau qui devra être tournée vers l'assiette et non pas vers le voisin, qui pourrait voir là une forme d'hostilité. Il en va de même pour la fourchette, introduite par Catherine de Médicis au XVIe siècle, arme potentielle des sans-culottes contre les aristocrates au moment de la Révolution française. Il est de bon ton de la présenter face contre la table. Les armoiries sont d'ailleurs fort à propos sur le dos de la fourchette en France, alors qu'elles sont sur l'autre face en Angleterre.

AVEC LE DOS DE LA CUILLÈRE

Impossible de justifier pourquoi, outre-Manche, on boit sa soupe en utilisant le côté de la cuillère fort impraticable quand les Français, pour une fois en toute logique, boivent leur bouillon au bec du couvert.
Pour faire honneur au potage, ces derniers ont d'ailleurs tendance à saucer leur assiette en mode appréciatif tandis que les *English* trouvent cela proprement grossier.

CHEESE AND BISCUITS

Au moment du fromage, le *Frenchy* se délectera d'un brie crémeux sur sa tartine. Quelle horreur ! À Londres, on dégustera son cheddar du bout des lèvres sur son cracker. Et, s'il vous plaît, jamais avant le dessert. Une hérésie pour les Français !

FROMAGE OU DESSERT

En Angleterre, *pud first*, le pudding vient en premier, mais on aurait tort de railler nos *sweet enemies*, qui ont su préserver la tradition.

BREAD AND ROSE

À Londres, le *bread* doit être servi délicatement sur une petite assiette. En aucun cas on ne saurait le poser à même la table comme à Paris ! Le Français, de son côté, obsessionnel de la baguette, ne saurait supporter de voir le pain sens dessus dessous, ce qui signifie qu'il est destiné au bourreau.

Songeons à cette expression : « entre la poire et le fromage ». Au Moyen Âge, on dégustait les fruits, poire ou pomme – dont il existait quantité de sortes différentes – avant le fromage et le vin. Il suffit de lire les écrivains britanniques du XXe siècle, Sir Evelyn Waugh et Pelham Grenville Wodehouse, qui se délectent de fromage avec le porto, pour comprendre la force de ce plaisir ininterrompu. Une bouchée de *Stilton* chassée par une gorgée de vin sucré qui, comme le souligne le critique gastronomique Tim Hayward, tient l'*English* en extase jusqu'au bout de la nuit et rend l'idée du dessert parfaitement superflue.

KEEP CALM AND DO NOT DISTURB[1]

À table, le *Froggy* est tonitruant : il tempête, parle politique et n'hésite pas à faire montre de ses connaissances en matière philosophique et littéraire. Il évite à tout prix de parler d'argent, sujet au combien trivial à ses yeux. Difficile dans ces conditions de s'accorder avec des convives anglais qui eux, à l'inverse, ne voient aucun mal à parler pécune, mais redoutent les prises de tête et les positions trop tranchées, propices aux éclats de voix…

TENUE DE SOIRÉE

Pour les dîners en ville, les Anglais n'hésitent pas à se mettre sur leur trente et un. Costumes pour ces messieurs, robes

1. Restez calme et ne dérangez pas.

flashy pour les dames, quand, de l'autre côté de la Manche, le *casual* est de rigueur, sauf si bien sûr le carton d'invitation mentionne : « tenue de soirée exigée ». Et même dans ce genre d'occasion, les *Britons* – qui ont érigé l'excentricité comme un must en matière de mode – nous surclassent haut la main.

LE TEMPS DES FLEURS

Le rapport à la ponctualité est un autre schisme important entre nos deux civilisations. Pour l'Anglais, l'heure c'est l'heure. Le Français, souvent en retard, prétend observer le quart d'heure de politesse, qui permet à la puissance accueillante d'apporter la touche finale à un mets, de se recoiffer... L'Anglais arrive souvent avec des fleurs tandis que le *Frenchy* n'aurait pas l'idée saugrenue d'encombrer son hôtesse alors qu'elle doit pouvoir se concentrer sur ses invités et son menu. Il convient en France de faire livrer des fleurs avant ou le lendemain du dîner. Le problème c'est, comme dirait Jacques Dutronc, « j'y pense et puis j'oublie »...

Révolution française : meurtre dans un jardin anglais...

« J'aime à la folie présentement les jardins à l'anglaise, écrit François-Marie Arouet à son amour platonique, Catherine II de Russie, en un mot, l'anglomanie domine dans ma plantomanie. » C'est la faute à Voltaire si la France des Lumières s'est mise à l'heure anglaise.

LA FAUTE À VOLTAIRE

La faute aussi à Montesquieu et à son *Esprit des lois* publié en 1748, qui fait l'apologie de la séparation des pouvoirs instaurée par les institutions britanniques. Depuis que l'Angleterre a fait sa Glorieuse Révolution (1688), le royaume est dirigé par un Premier ministre responsable devant un Parlement, dont la chambre basse est élue. Même si cette

élection ne concerne que 5 % de la population, face à la monarchie de droit divin versaillaise, cela fait rêver outre-Manche. Aux *Frenchies* qu'une simple lettre de cachet peut envoyer croupir à la Bastille, l'herbe semble, *indubitably*, plus verte à *London*. Ce n'est pas qu'une question de climat. En Angleterre, l'Habeas Corpus voté en 1679 interdit tout emprisonnement arbitraire. Après la sombre République de Cromwell, le vent de la liberté souffle sur l'ancienne île de Bretagne. En 1734, les *Lettres anglaises* de Voltaire devenues *philosophiques* en font l'éloge : qu'il s'agisse de politique, de justice ou de religion, le pamphlétaire français ne tarit pas d'éloges pour l'indépendance d'esprit, l'originalité des *Britons*.

MERRY ENGLAND

Dans tous les domaines, les Anglais sont à la pointe de l'innovation. Le scientifique Isaac Newton n'a-t-il pas établi la loi universelle de la gravitation ? Le philosophe John Locke a pour sa part jeté les bases du libéralisme et de l'état de droit. L'Angleterre, qui occupe une position économique dominante sur le monde à travers sa flotte et ses colonies, fascine. Cet amour-passion pour l'Angleterre envahit de manière diffuse tout l'espace culturel français.

GARDEN PARTY

On célèbre le caractère bucolique et la liberté des parcs à l'anglaise, snobant le jardin à la française dessiné au cordeau et ses haies qui semblent contraindre l'esprit. On se met, *of course*, à l'anglais, au « ponch », au rosbif, au « pouding », on pratique la cérémonie du thé, on joue au whist. Les Françaises se délestent de leurs encombrantes robes à panier, leur préférant les *dresses* « à l'anglaise » ajustées à la taille avec une traîne, et arborent de grands chapeaux de dame tels

LE SAVIEZ-VOUS ?

L'anglomane, à l'instar de son modèle Briton, s'est pris de passion pour le cheval et pour les courses hippiques que les Anglais affectionnent depuis le XVIIe siècle. Il possède un destrier anglais et participe aux premières compétitions organisées par le comte d'Artois plaine des Sablons (là où se trouve le métro parisien éponyme), entre les Ternes et le bois de Boulogne, puis à Vincennes et à Longchamp.

qu'on peut les voir dans les œuvres du peintre Gainsborough. Les hommes portent des redingotes qui imitent le *riding coat* (veste de cavalier) anglais. Pour le *total look*, la culotte de peau et les longues bottes souples à revers sont assorties d'un petit mouchoir noué autour du cou, qui remplace avantageusement le volumineux jabot.

Ce n'est pas simplement les apparences que l'aristo français cherche à imiter. Comme Churchill le dit si bien : « *Attitude is a little thing that makes a big difference.* »[1]

L'HABIT FAIT LE MOINE

Derrière la silhouette du *gentleman farmer*, le propriétaire terrien anglais, aussi mal fagoté que son employé, se met, tout du moins psychologiquement, au niveau des classes laborieuses. Une posture que l'on retrouve jusque dans les tableaux de l'époque[2]. Les Anglais posent à l'extérieur, dans leur domaine à la campagne, tandis que les Français

1. L'attitude est une petite chose qui fait une grande différence.
2. Alain Lauzanne, « Les Français à l'heure anglaise : anglomanie de Louis XV à Louis-Philippe », Rouen, Arob@se, *Journal des lettres et des sciences humaines*, vol. 3, n° 2.

étaient jusque-là campés dans leur intérieur, au milieu de leurs richesses. En imitant la mode anglaise, les Français s'inscrivent dans une société moins hiérarchisée et célèbrent la liberté qui va avec : « un Anglais, écrit Voltaire, comme un homme libre, va au ciel par le chemin qui lui plaît. »[3]

WELLINGTON BOOTS

Avec la Révolution française, le *dress code* évolue vers toujours plus de simplicité, *naturally*, à l'anglaise. Après un black-out des relations sous Napoléon Ier, l'Angleterre, qui a terrassé l'Empereur, séduit plus que jamais. Ne célèbre-t-on pas sous toutes les coutures, de part et d'autre de la Manche, l'artisan de la victoire, le duc de Wellington, dont il nous reste aujourd'hui les bottes, les fameuses *wellies* ?
Le prince de Galles (futur George IV), régent depuis la démence de son père George III, est un influenceur à qui l'on doit le tissu éponyme. Le dandysme anglais va devenir une référence de la mode masculine. Au même moment, le port du noir, qu'affectionnent le poète Lord Byron et l'écrivain Walter Scott pour faire ressortir leur teint pâle, deviendra aussi *fashionable* à Paris.

CLUB MADE

L'anglomane prend aussi l'esprit « club » dans les années 1830. À l'image des gentils membres d'un *Garrick Club*, ou d'un *Travellers Club*, lieu de sociabilité des *British* qui ont voyagé après les guerres napoléoniennes, les Français créent leurs propres « cercles ». Parmi les plus connus, le Cercle de l'Union ou le Jockey Club…

---

3. *Lettres philosophiques*, Édition Lancon, 1964.

LES BONNES ADRESSES

Le Grand Tour, le premier guide touristique de Thomas Nugent paru en 1749, est un best-seller. Cette sorte de « guide du Routard CSP + » donne toutes les bonnes adresses, traiteurs, spectacles, les cochers et leur prix car, avant les taxis parisiens, les Français ont déjà une sale réputation d'arnaqueurs.

LES FRANÇAIS PARLENT AUX FRANÇAIS

Cette anglomanie qui déferle sur la France est vue par certains comme une maladie. Son antidote, *le Préservatif contre l'anglomanie*, publié en 1757, est un violent pamphlet écrit par Louis-Charles Fougeret de Monbron qui s'en prend à Voltaire, l'accusant de détruire la culture française : « Les préjugés dont on revient le plus difficilement sont ceux que les gens d'esprit nous font adopter. »

VICE VERSA: LA GALLOMANIE

Une critique virulente, qui n'a d'égale que celle formulée par les Anglais à l'égard de leurs propres compatriotes, contaminés par un autre dangereux virus… la « gallomanie ». Dans son très acide *Six weeks in Paris*, au sous-titre évocateur *A cure for the Gallomania* (un remède à la gallomanie), William Jerdan, en 1817, tire à boulets rouges sur Paris et ses habitants en citant Tacite : « leur appétit du plaisir est en proportion de leur ancienne férocité. » On n'est pas très loin de *A Year in the Merde* de Stephen Clarke, ni du film *Two weeks in Paris* de la réalisatrice Julie Delpy.

LOVE IS HATE: M POUR HAINE

Une sorte de fascination/répulsion entretenue par l'exode des huguenots installés à Londres suite à la révocation de l'édit de

Nantes en 1685. Si les protestants français ont fui les persécutions religieuses de Louis XIV, ils n'en sont pas moins *homesick*, atteints du mal du pays : leurs récits émerveillés de la cour du Roi-Soleil, brillant de mille feux, ceux d'un Paris sublimé par leur imaginaire, suscitent toutes sortes de fantasmes. Avec la Révolution française, les Anglais, qui ont vécu la terreur de la République de Cromwell, craindront que le raz de marée républicain ne se propage jusque sur leurs côtes et n'hésiteront pas à financer des complots aristocratiques et républicains contre Bonaparte pour déjouer tout risque d'invasion française. Il n'empêche, « *everybody goes to Paris* »[4] écrit fort justement l'esthète Horace Walpole en mai 1750, et cela, même aux pires heures de la Terreur.

> « The more I see Paris, the more I like it. »[5]
>
> Edward Gibbon

PARIS SERA TOUJOURS PARIS

Tout *Briton* fortuné qui se respecte accomplit son voyage initiatique à Paris, un must. Comme l'écrivain Laurence Sterne, ils sont, à leur grande surprise, souvent accueillis à bras ouverts par des Parisiens qu'ils pensaient inhospitaliers et incultes. Après la guerre de la Succession d'Autriche, la guerre de la ligue d'Augsbourg, la guerre de la Succession d'Espagne, la guerre de Sept Ans et la guerre de l'Indépendance américaine close par le traité de Versailles de 1783, c'est, très temporairement, la fin des hostilités entre la France et l'Angleterre. Les ennemis de toujours, qui finalement ignoraient tout l'un de l'autre, se forgent pour la première fois de leur histoire une vision moins manichéenne de leur *sweet enemies*. L'occasion de se défaire de certains préjugés et, bientôt… d'en créer de nouveaux !

4. Tout le monde va à Paris.
5. Plus je vois Paris, plus je l'aime.

A YEAR IN THE MERDE[6]

THE MORE I SEE YOU, THE MORE I LOVE YOU[9]

Avec le temps et les améliorations apportées à la capitale, les Anglais apprécieront les changements architecturaux de Paris, la modernité de la construction du Panthéon, l'église Saint-Sulpice, les fontaines, la numérotation des rues, la création des trottoirs.

L'attente des *Britons* vis-à-vis de la *City of Light* est tellement immense, note la chercheuse Michèle Ammouche-Kremers[7], qu'elle est forcément déçue. Paris n'est-elle pas une collection de bâtiments et de rues sales ? Ses églises sont chargées et laides. Quand l'auteure Frances Milton Trollope[8] arrive dans la capitale et demande d'où vient cette étrange odeur, on lui répond que c'est celle « du Continent ». « Vous êtes choqué et dégoûté par chaque pas que vous faites », écrit-elle en 1835. Comment, s'interroge-t-elle, le raffinement des boutiques et des femmes peut-il bien cohabiter avec la crasse qui suinte de Paris ?

LES LUMIÈRES DE LA VILLE

La Ville Lumière est décrite par un autre visiteur, William Cole, comme « *the most abominably lighted up* », la plus abominablement illuminée. L'auteur s'indigne que les bougies placées dans des lanternes au milieu des rues s'éteignent brutalement. Il déplore l'étroitesse des ruelles, sombres même de jour, l'absence de symétrie des façades. Horace Walpole va plus loin, décrivant « *the ugliest beasty town of the universe* », la plus horrible et la plus bestiale ville de l'univers. Dans son *Sentimental journey*, en 1768, l'écrivain Laurence Sterne, pourtant francophile, accuse l'entassement des populations bourgeoises d'être responsable de la petite taille des Français, quand

6. Roman de Stephen Clatke paru en 2006.
7. Michèle Ammouche-Kremers, « Vogue des voyages », in *Paris, de l'image à la mémoire*, Rodopi B. V., 1997.
8. Frances Milton Trollope, *Paris and the Parisians*, 1835.
9. Plus je te vois, plus je t'aime.

d'autres les traitent de pygmées ! Plus sérieusement, les visiteurs anglais se plaignent des vérifications répétées et intempestives de leurs papiers et de leurs bagages par la police.

FEMMES DU MONDE

Pour les Anglais et leur régime de liberté, où les rapports sociaux sont rigides et dominés par les hommes, le gouvernement despotique de la France et ses « think tanks » dominés par les femmes, où l'on pense et échange librement, suscitent la fascination. George Selwyn fréquente celui de Madame du Deffand ; Horace Walpole, celui de Madame Geoffrin, et il ne tarit pas d'éloges : « *you will in general find the women of the beau monde more instructed than men* » (en général, les femmes du beau monde sont plus instruites que les hommes). Smollet, le sardonique médecin passé à la littérature, qui vomit Paris autant que Londres, se prendra d'amour pour la baie des Anges, où il va attirer les toutes premières familles anglaises fortunées et les artistes en mal d'inspiration. Le duc de Gloucester lui-même, frère du roi George III, séjournera en 1783 dans la région niçoise qui aura bientôt sa promenade... des Anglais.
« Un Anglais qui connaît la France et un Français qui connaît l'Angleterre, indique Voltaire à l'abbé Le Blanc en 1773, en ressortent enrichis tous les deux. » La gallomanie et l'anglomanie sont deux faces d'une même pièce qui, hélas, n'aura plus cours avec les guerres de l'Empire. Un rendez-vous manqué avec l'Histoire... Il faudra attendre un siècle, l'Entente cordiale de 1904, pour que Paris et Londres se réconcilient.

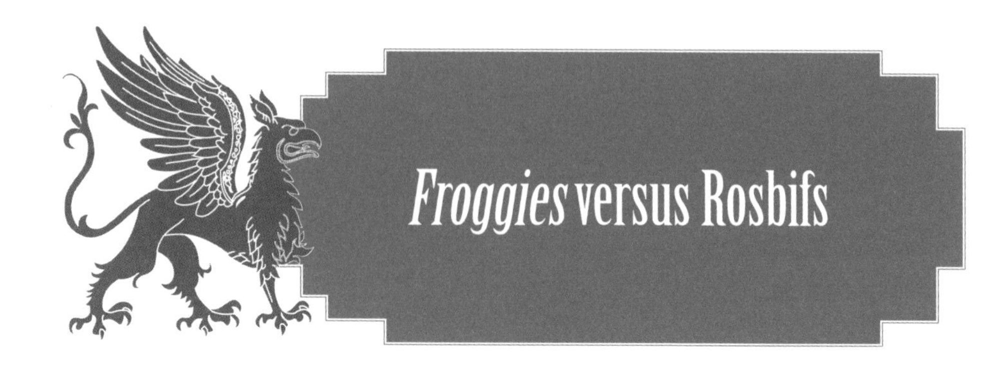

Froggies versus Rosbifs

« Dites-moi ce que vous mangez et je vous dirai qui vous êtes. »

Le célébrissime aphorisme de Jean Anthelme Brillat-Savarin, remasterisé à l'heure du bio pour donner le slogan « *You are what you eat* »[1], n'est pas sans fondement. Pourtant, si les Français sont devenus des *Froggies*, ce n'est pas, comme le prétend la légende, parce qu'au Moyen Âge nos ancêtres avaient la drôle d'habitude de se sustenter d'infâmes crapauds. Ces créatures évoquant le serpent, incarnation métaphorique du diable, sont, pense-t-on alors, toxiques et non comestibles.

« CUISSES DE NYMPHE À L'AURORE »

C'est par Dieu et l'Église catholique qu'elles arrivent dans l'assiette des Français au XIIe siècle. Les moines, à qui l'on reproche de manger trop gras, se doivent de respecter les jours maigres, c'est-à-dire sans viande. En classant la grenouille parmi les… poissons,

1. Vous êtes ce que vous mangez.

ils peuvent enfin manger à leur faim, bref pêcher sans pécher ! Les pauvres leur emboîteront le pas. Il faudra attendre le XVIe siècle et le dictionnaire de la gastronomie d'Alexandre Dumas, publié de manière posthume en 1873, pour voir les batraciens au menu des grandes tables. Préparées des blanches mains du grand cuisinier français Auguste Escoffier, les grenouilles apparaîtront même en Angleterre, sous le nom délicat de « Cuisses de Nymphe à l'Aurore » à la grande soirée de gala donnée en l'honneur du Prince de Galles au Savoy en 1908, avant de sombrer dans l'oubli, rangées, comme les escargots et le lapin, au rang des aliments tabous. Les Français, quant à eux, avec quatre mille tonnes importées par an, sont à la hauteur de leur réputation de *frog-eaters*[2].

LE ROI GRENOUILLE

Le sobriquet de *Froggies* tient aussi, semble-t-il, au risible blason des premiers rois de France : trois batraciens pustuleux dorés sur fond noir. Un choix qui aurait provoqué l'hilarité générale jusque chez Nostradamus. Le célèbre apothicaire-astrologue du XVIe siècle ne désigne-t-il pas le souverain français comme « l'héritier des crapauds », alors même que le trio de crapauds a été remplacé depuis belle lurette – sous Clovis – par la fleur de lys ? Les clichés ont la vie dure...

SILEX IN THE CITY

Les Britanniques, quant à eux, connus pour leur goût pour le *roasted beef*, sont assez naturellement devenus les « Rosbifs » pour le Français qui ne concevait, ô enfer et damnation, la cuisson de la viande autrement qu'en ragoût. Par mimétisme, la couleur rosée de la viande saignante, telle que les Anglais l'affectionnent, et celle de la peau britannique sous des latitudes ensoleillées, a achevé le cliché. Et il est assez aisé pour les Français de voir en l'Anglais, adepte du cru, un primitif qui n'aurait pas encore découvert le silex. Bref, tout ça, c'est encore l'histoire de la grenouille qui voulait se faire aussi grosse que le bœuf, n'est-il pas ?

2. Mangeurs de grenouilles.

La guerre en chansons : *made in France* et merde au roi d'Angleterre !

« Pas une femme n'est assez minable pour astiquer un revolver et se sentir invulnérable, à part bien sûr Madame Thatcher »… Quand les Britanniques entendent *Miss Maggie*, la chanson de notre Renaud national, l'envie leur prend – comme à Woody Allen avec Wagner – d'envahir non pas la Pologne mais les côtes normandes.

L'ART DE LA PROVOCATION

L'album provocateur *Mistral gagnant*, qui sort en 1985, vient de raviver neuf cents ans de haines ancestrales chez nos *sweet enemies*. Chez les *Britons*, le scandale est à son comble. *Shocking ! Outrageous !* Jamais ô grand jamais les *shanties*, ces chansons à la gloire de la supériorité de la marine anglaise sur l'ennemi français, n'ont donné dans l'insulte. La réponse du berger à la bergère ne

se fait pas attendre. Geoff Barker, qui officie pour le francophobe tabloïd britannique le *Sun*, concocte sans tarder pour quatre de ses amis chansonniers, The Bizarre Boys, une réplique en musique. Sur la mélodie de *Sous les ponts de Paris*, c'est au tour de François Mitterrand d'être moqué. Si *Hop Off You Frogs*, « Oust, les grenouilles », rencontre un franc succès dans l'archipel britannique, la gentillette chansonnette ne suscite qu'indifférence en France.

« ET MERDE POUR LE ROI D'ANGLETERRE ! »

Les mangeurs de grenouilles et d'escargots sont aussi amateurs de tripes, qu'ils ont par ailleurs fort solides. Pour les Français, la chanson anglophobe tient presque lieu de sport national. Le nec plus ultra consiste à puiser fort loin dans l'inconscient collectif de tenaces références et à s'y tenir contre vents et marées. Ainsi dans les écoles de voile du Finistère, pour soi-disant lutter contre le mal de mer, ne fredonne-t-on pas encore « Et merde pour le roi d'Angleterre, qui nous a déclaré la guerre » ? La chanson écrite en mémoire de l'exploit accompli le 31 du mois d'août 1800 par le corsaire malouin Surcouf, victorieux aux commandes de la *Confiance* de la frégate anglaise *Kent*, a encore de beaux jours devant elle. Elle s'inscrit dans une tradition historique.

« TREMBLEZ, TYRANS ET VOUS PERFIDES ! »

Qu'on songe également à *la Marseillaise* de Rouget de Lisle et à ses octosyllabes bien sentis : « Tremblez, tyrans et vous perfides ! » propres à attiser le souvenir de l'humiliation nationale que fut l'écrasante victoire anglaise pendant la guerre de Sept Ans

« Tout finit par des chansons. »

Beaumarchais, le Mariage de Figaro, V, 19

pour... *of course*, mieux cultiver le sentiment patriotique. Nos *natural enemies* continuent à trouver la référence à la perfidie anglaise pour le moins... *irritating*. Sans doute les Anglais n'ont-ils pas le monopole de la perfidie. Quelque deux cents ans plus tard, le chanteur Renaud, non content de s'être fait entendre de l'autre côté de la Manche, poussera le bouchon et la chansonnette un peu plus loin, en traduisant les paroles de *Miss Maggie* en anglais, histoire d'être certain d'être bien compris des sujets de Sa Majesté. Avec succès : il fera des émules au Royaume-Uni, parmi lesquels Morrissey. Le chanteur un peu *strange* du groupe de rock mancunien The Smiths, dans le premier album solo qu'il enregistre en 1988, règle à son tour ses comptes avec la Dame de fer, à qui il ne pardonne pas la guerre des Malouines. Les *Froggies*, en bons connaisseurs, apprécieront son titre aiguisé : *Margaret on the Guillotine*.

Trafalgar : mille millions de mille sabords !

Mille millions de mille sabords ! Que fait le porte-avions *Charles de Gaulle* en rade de Portsmouth en ce 28 juin 2005 alors que l'Angleterre et sa reine, Élisabeth II, célèbrent le bicentenaire de la victoire anglaise de Trafalgar ? Quel bougre d'amiral de bateau-lavoir faut-il être pour participer à la reconstitution de cette terrible bataille navale où pas moins de quatre mille quatre cents marins français trouvèrent la mort ?

AMIRAL DE BATEAU-LAVOIR

Le 21 octobre 1805, la flotte française de Napoléon associée aux vaisseaux espagnols est laminée par les navires britanniques de l'amiral Horatio Nelson. Divisée, l'escadre du vice-amiral Charles de Villeneuve est décimée.

Quelque vingt-deux bateaux français coulent au cap de Trafalgar, au large de Cadix, obligeant Napoléon Ier à renoncer à son plan d'invasion de la Grande-Bretagne.

GARDES-CÔTES À LA MIE DE PAIN

Si les *Froggies* sont venus assister en nombre à la plus grande défaite navale de leur histoire, ce n'est pas tout à fait par masochisme. Ce n'est pas non plus dans un simple souci d'apaisement entre les deux nations qui s'affrontent symboliquement par des bateaux rouges et bleus, trop politiquement corrects aux yeux d'Anna Tribe, soixante-quinze ans, descendante directe de l'amiral Nelson. Si les *Frenchies* sont venus en grande pompe, c'est bien sûr pour célébrer la mort de l'amiral Nelson, mort trois heures après avoir livré bataille ! Un diable d'homme qui a eu la peau de la flotte de Napoléon…

MARIN D'EAU DOUCE

Ce fils de bonne famille, apparenté au Premier ministre du parlement du Royaume-Uni, Lord Walpole, commence sa carrière dans la marine comme simple matelot à bord du vaisseau de guerre *HMS (Her Majesty Service) Raisonnable*. Fin tacticien, meneur d'hommes réputé pour sa cruauté, il va gravir assez vite les échelons de la marine. Devenu capitaine, Horatio Nelson va cependant se révéler incapable de se soumettre à une quelconque autorité. Cela n'est pas sans poser problème. Comment gérer cette tête brûlée qui n'hésite pas à entrer en conflit avec son amiral, dont il conteste l'interprétation des actes de navigation ? Lorsqu'il se met à encourager le prince William – surnommé *« Silly Billy »* en raison de ses frasques – à semer la panique aux Amériques, où il sert sous ses ordres, le roi George III décide, ni une ni deux, de mettre fin à sa carrière.

SIMILI MARTIEN À LA GRAISSE DE CABESTAN

À partir de 1788, Nelson, âgé de trente ans, coule une retraite forcée et ennuyeuse dans le Norfolk, aux côtés de sa femme, Fanny, et de son vieux père. Sa tentative d'élection au Parlement ayant échoué, le marin d'eau douce national anglais aurait dû continuer à mener l'existence anonyme d'un homme ordinaire de son époque. La Révolution française de 1789 va l'exhumer et le faire entrer dans l'Histoire avec un grand H.

GOUJAT !
Quand Nelson prend pour maîtresse Emma Hamilton, les lettres d'amour désespérées de son épouse lui sont renvoyées par retour du courrier avec la cruelle mention : « courrier ouvert par erreur par Lord Nelson, mais sans avoir été lu ». En matière de goujaterie, Nelson n'a rien à envier à Napoléon, dont il partage aussi la mégalomanie !

TONNERRE DE BREST

En 1792, la panique gagne la Grande-Bretagne. La jeune République française vient d'annexer les Pays-Bas autrichiens – l'actuelle Belgique –, prouvant ainsi sa soif de conquête territoriale. Les réservistes de l'armée anglaise sont rappelés : Nelson se voit confier le commandement du vaisseau *HMS Agamemnon*. Quelques jours plus tard, la guerre est déclarée par la France : Horatio fait route vers la Méditerranée.

MILLE SABORDS

La désorganisation légendaire des Français, déroutante pour la stratégie de bataille rangée développée par les Anglais, est une aubaine pour Nelson. Le désormais commodore a le goût de l'improvisation : grâce à lui, les Anglais sortent victorieux du siège de Calvi puis, trois ans plus tard, en 1797, de la bataille de Ténérife. Blessé à plusieurs reprises, Horatio doit être rapatrié en Grande-Bretagne. C'est un époux borgne et amputé du bras droit, mais enfin

reconnu par ses pairs, que son épouse Fanny retrouve, amoureuse comme au premier jour.

LE SAVIEZ-VOUS ?

Nelson a un talent indéniable pour faire le buzz. Dans la presse, il n'hésite pas à rédiger lui-même des articles à sa propre gloire, qu'il fait signer à des journalistes de sa famille. Ne s'est-il pas dans un « *egotrip* » attribué tout le mérite de la victoire de la bataille sur le Nil, au détriment du commandant du vaisseau *HMS Goliath*, Thomas Foley, véritable artisan de la victoire britannique ?

MÉGALOMANE I

De l'autre côté de la Manche, l'année suivante, un général des armées de la Révolution, Napoléon Bonaparte, connaît ses premières heures de gloire. À son retour victorieux de la campagne d'Italie, le bouillant militaire arpente désormais les côtes situées en face de Douvres. Entre Calais et Dunkerque, il étudie les moyens d'envahir la perfide Albion. La popularité de Napoléon est grandissante, et son projet d'invasion risqué : plutôt que d'attaquer frontalement *Britannia*, les membres du Directoire décident de faire d'une pierre deux coups : frapper l'Angleterre en Égypte, au cœur de sa sphère d'influence méditerranéenne, tout en éloignant l'incontrôlable Bonaparte, encouragé à participer aux combats terrestres.

NAUFRAGEUR !

Nelson, sorti de sa convalescence, est lui aussi envoyé sur place : il défait la flotte française sur le Nil, à quelques miles du général Bonaparte, annihilant par ricochet les ambitions hexagonales de se constituer un empire au Levant. L'exploit est salué unanimement chez les *Britons ;* dans l'enthousiasme général,

Nelson est fait « baron du Nil ». Sa douce épouse s'en réjouit, tout autant qu'elle s'en inquiète : dans leurs échanges épistolaires, Horatio s'exprime soudain comme Alain Delon, à la troisième personne du singulier en s'attribuant l'épithète « d'invincible Nelson »! Son naufrageur de mari a pris la grosse tête.

MARCHAND DE GUANO

Tout auréolé du supplément de charme que lui confère sa récente nomination à l'ordre du Bain – un comble pour un habitué du mal de mer – Nelson entreprend de faire la cour à l'épouse de l'ambassadeur britannique à Naples rencontrée quelques années auparavant. Lorsque Lady Emma Hamilton reconnaît l'homme édenté, borgne et amputé d'un bras qui se présente à elle, telle la belle marquise des anges devant la balafre de Jeoffrey, elle s'évanouit. Ce qui ne les empêchera pas – *Thank God* – de reformer très vite leur couple mythique.

MÉGALOMANE II

L'heure en Grande-Bretagne est désormais à la « Nelsonmania ». On s'y arrache un tas de produits dérivés : plateaux, images ou encore boîtes à priser commémorant ses exploits. Sir Horatio Nelson y apparaît dans une pose toute napoléonienne, le moignon croisé sur le cœur et caché sous sa veste.
Nelson est devenu incontournable : il peut s'offrir désormais le luxe de s'affranchir de sa hiérarchie. Appelé au Danemark pour appuyer de sa présence et de ses vaisseaux de guerre les négociations de paix franco-germano-britanniques, il déclenche de lui-même une bataille dans le port de Copenhague, feignant de ne pas avoir vu le pavillon destiné à lui donner l'ordre de repli.

LOUP DE MER À LA GRAISSE DE RENONCULE

En 1803, après une courte paix, l'amiral revient en Méditerranée pour prévenir ce que tous les Britanniques redoutent : l'invasion de leur île par les troupes napoléoniennes. Durant deux années, les batailles navales se succèdent. Jusqu'à celle de Trafalgar en 1805. Alors que Nelson vient par une manœuvre habile de défaire la flotte française pourtant en surnombre, le loup de mer est abattu traîtreusement par un *sniper*. Il s'écroule en déclarant, goguenard : « Ils en auront mis, du temps ! »

BOIT-SANS-SOIF !

Tandis que son corps est ramené dans la mère patrie avec le plus grand soin – dans du brandy pour une conservation optimale –, la Grande-Bretagne prépare des funérailles nationales magistrales. Comme les plus grands, Nelson sera enterré à la cathédrale Saint-Paul de Londres et jouira du privilège d'avoir son effigie de cire à Westminster Abbey.

ECTOPLASME

La légende d'Horatio Nelson, ultime rempart de ses concitoyens contre l'invasion de leur île, est en marche. Mais Napoléon avait-il vraiment l'intention d'investir *Britannia* ? Info ou intox ? Et si tout cela, s'interrogèrent les Français, n'avait jamais été qu'un coup de bluff de l'amiral en mal de notoriété ? À Sainte-Hélène, où l'Empereur meurt en captivité, le doute sera enfin levé. Dans ses carnets, les Anglais retrouveront consigné un plan d'attaque maritime détaillé. L'hagiographie nelsonienne est sauve !

Bataille de rues : vous avez dit *Europe friendly* ?

Ce n'était pas un 1er avril, mais le 16 octobre 2003. Dans les colonnes du quotidien *le Figaro*, le responsable du Fonds social européen, le Britannique John Carpenter, proposait très sérieusement de rebaptiser les rues des capitales européennes rappelant un passé trop belliqueux avec des noms *Europe friendly* (bienveillant et amical envers l'Europe). Un souci, a priori fort louable, d'apaisement symbolique entre les peuples du vieux continent.

NON EUROPE FRIENDLY

En ligne de mire, sur le front français, les avenues de Friedland et de Wagram, des défaites militaires susceptibles de donner des boutons aux héritiers de l'empire austro-hongrois et du royaume de Prusse alors qu'ils arpentent le quartier des Champs-Élysées. Pouvait également être visée l'emblématique gare d'Austerlitz, pas vraiment *freundlich* (« amicale » en allemand) non plus. Une liste noire qui aurait pu s'allonger avec la suite du tableau de chasse urbain parisien : entre les rues d'Aboukir, de Bouvines, de Gergovie, de Lubeck, de Marengo, de Marignan, de Montenotte, du Pont de Lodi, de Presbourg, des Pyramides, de Rivoli, de Rocroy, d'Ulm, de Tilsit, les avenues d'Eylau, d'Iéna, de Wagram, les ponts de l'Alma, d'Iéna, la place du Trocadéro, les quais de Jemmapes, de Montebello, de Valmy, pour ne citer qu'eux, tant la liste est longue !

MODE EMPIRE

La décision de nommer nos rues d'après des victoires françaises date de l'Empire. Il s'agissait alors non seulement de graver les grands moments des nombreuses campagnes impériales, façon chemin de croix, mais par ailleurs de les inscrire dans la continuité de l'Histoire de France. Autant dire qu'expurger des rues parisiennes les traces des guerres menées contre nos voisins au Nord, à l'Est et au Sud relèverait d'une opération d'envergure colossale. L'eau de la Seine aurait coulé sous les pieds du zouave du pont de l'Alma avant que John Carpenter, ce doux rêveur européen, ne parvienne à faire table rase de ce passé sanglant. Les *Frenchies*, pourtant peu enclins à accepter qu'un *Briton* interfère dans leurs affaires, ne s'en émurent donc pas outre mesure.

De l'autre côté de la Manche, on aurait pu rire à gorge déployée de cette proposition saugrenue, voire s'en réjouir, si Londres n'était elle aussi dans le collimateur de cette ardoise magique qu'est l'Histoire. John Carpenter ne suggérait-il pas – *oh shocking !* – de trouver un autre nom « porteur de l'idéal européen » à la gare londonienne de Waterloo et à Trafalgar Square et ses lions, dont le souvenir de défaites napoléoniennes cuisantes pourrait heurter les Français ?

NAPOLEON BASHING

Les propos de cet Européen convaincu, qui plus est traître à la patrie, eurent raison du *self-control* et du flegme britanniques. En un instant, une partie de la presse britannique se déchaînait. Le *Daily Express* avec une mauvaise foi crasse tournait autour du pot, ironisant sur les « rares victoires de Napoléon sur les Autrichiens et les Allemands ».
Le *Sun*, tabloïd tristement célèbre pour sa francophobie compulsive, lui emboîtait le pas. Son éditorialiste suggérait aux Français, si le cœur leur en disait, de rebaptiser les places parisiennes du nom des victoires qu'ils avaient bien pu remporter, à condition que quelqu'un s'en souvienne encore... Et dans un accès de fiel, il plaidait pour que les *Froggies* puissent au contraire continuer de se remémorer dès leur arrivée en gare de Londres la raclée administrée à l'Empereur sur la morne plaine de Waterloo par les armées du duc de Wellington.

EUROPE FRIENDLY

Plus de la moitié des rues de notre capitale, une spécificité bien de chez nous, porte aujourd'hui le nom d'une victoire diplomatique ou militaire de nos ancêtres les Gaulois jusqu'à celles de Napoléon, en passant par le règne de Philippe Auguste ou encore de Louis XIV. N'en déplaise au responsable du Fonds social européen, cette étrange politique de la ville répondait à la volonté politique de construire une Europe politique forte,
celle de...
Napoléon Ier.

LE MÉPRIS

Tandis que l'on glosait à Londres et que l'on répondait par le mépris à Paris, les touristes venus de l'Europe entière continuaient à faire placidement la queue devant l'entrée du Louvre. Sans se douter que la belle esplanade sur laquelle s'élève la pyramide translucide, construite par Ieoh Ming Pei sous l'impulsion de François Mitterrand, porte discrètement le doux nom de « cour Napoléon » ? *Hush hush*...
Le projet de débaptiser les rues des capitales aura fait long feu. Ouf, un bain de sang évité !

Paradise Lost, Paradise Regained : destinations de rêve

Paradise Lost, Paradise Regained, le Paradis perdu, le Paradis retrouvé… Les poèmes prophétiques du grand John Milton résonnent tout particulièrement aux oreilles des Anglais qui pendant près de cent cinquante ans vont disputer aux Français rien moins que le… paradis terrestre *and beyond*.

PARADISE REGAINED…

Ah, Sainte-Lucie, destination idéale pour une lune de miel, ses eaux turquoise, ses plages de sable fin bordées de palmiers, ses criques charmantes ! Bien avant de devenir un paradis pour millionnaires et évadés fiscaux, l'île caribéenne, découverte dans la seconde moitié du XVIe siècle, a déjà tout du pays de cocagne. Le corsaire français François Le Clerc, alias « Jambe de bois », accoste sur ses plages de sable fin et commence à cultiver ses terres fertiles.

LE FRIC, C'EST CHIC

Idéale pour la culture de la canne à sucre, le café et le cacao, l'île luxuriante va rapidement susciter la convoitise des puissances coloniales. Les Britanniques s'y établissent pour faire du business. Ils sont rejoints en 1651 par les représentants de la Compagnie française des Petites Antilles.

RULE BRITANNIA!

Après avoir acheté Sainte-Lucie, les *Frenchies*, fidèles à leur réputation, s'y comportent en terrain conquis. Une attitude suffisante qui, ajoutée au soutien qu'ils apportent aux Américains durant leur guerre d'indépendance, irrite les Britanniques au plus haut point. Ces derniers lancent une première attaque maritime sur Sainte-Lucie en 1778. À l'aide de quelques vaisseaux de Sa Majesté, ils infligent une cuisante défaite aux Français… qui n'entendent pas en rester là et réciproquement. En cent cinquante ans, Sainte-Lucie, tantôt française, tantôt anglaise, va changer de mains pas moins de quatorze fois…
Il faudra attendre la défaite de Napoléon et le traité de Paris en 1814 pour que Sainte-Lucie passe définitivement sous domination anglaise… Au grand dam des *Frenchies*.

VAHINÉ, C'EST GONFLÉ!

Mauvais joueurs, ceux-ci jurent de se venger. C'est sur un autre petit coin de paradis, Tahiti, qu'ils jettent leur dévolu en 1839. Là même où un missionnaire britannique zélé, George Pritchard, « distributeur de bibles, seul pharmacien dans le pays et, par-dessus tout, reconnu consul anglais », officie depuis deux ans.

LE SAVIEZ-VOUS ?

En 1848, deux ans après qu'Urbain Le Verrier a reçu la médaille Copley, la *Royal Astronomical Society* décerne la même récompense à son ancien rival, John Couch Adams, pour ses recherches sur les perturbations du mouvement d'Uranus, perturbations à partir desquelles le Français avait prouvé l'existence et calculé la position de Neptune.

C'est auprès de cet érudit que la reine tahitienne Pomaré IV prend tout naturellement conseil : comment faire face aux ravages des maladies vénériennes et de l'alcoolisme sur ses sujets depuis que les Européens ont transformé son île en « nouvelle Cythère » ? Le pasteur méthodiste, qui rêve d'instaurer un protectorat britannique sur l'île, lui souffle l'idée d'expulser les missionnaires catholiques français. Ce qu'elle fait sans autre forme de procès.

... *PARADISE LOST*

Ni une ni deux, Paris réplique en risquant le tout pour le tout. Misant sur l'effet de surprise, la France annonce unilatéralement la mise en place de son protectorat sur l'île. Mais l'incident diplomatique qui s'ensuit tourne à l'avantage des *Britons*, qui obtiennent non seulement les excuses de Louis-Philippe, mais aussi l'indemnisation de leurs pertes financières occasionnées par cette confrontation. Une victoire à la Pyrrhus , ou juste retour de l'Histoire, puisque l'île passera finalement sous la coupe française en 1880.

SKY IS THE LIMIT[1]

Quatre ans plus tard, au terme de cette conquête spatiale effrénée, ce n'est plus sur terre qu'Anglais et Français vont s'affronter, mais dans les hautes sphères.
Depuis 1843, un étudiant prometteur de Cambridge s'intéresse en effet de près au cas d'une mystérieuse huitième planète dont on devine la présence sans pour autant pouvoir encore l'affirmer. Après deux années de calculs acharnés, John Couch Adams est sur le point de déterminer sa position par rapport au soleil. Encore faudrait-il que le directeur de l'observatoire de Greenwich ne remette sans cesse leurs conversations...

OH LA BELLE BLEUE !

Au même moment, de l'autre côté de la Manche, le directeur de l'observatoire de Paris, François Arago, soutient un jeune répétiteur de Polytechnique spécialiste en mécanique céleste, Urbain Le Verrier, lui aussi fasciné par cette mystérieuse planète depuis 1845. Sans plus attendre, le chercheur transmet ses conclusions à l'observatoire de Berlin, où Johann Gottfried Galle accepte, pour l'amour de la science, de faire le test avec son matériel de qualité allemande, donc infaillible. Il pointe son télescope à l'endroit indiqué par le Français... et – *goddamnit !* – repère la merveilleuse planète d'un bleu soutenu le 23 septembre 1846 !

SPACE ODDITY[2]

La nouvelle de cette découverte s'étale dans la presse britannique : le 1er octobre 1846, le *Times* fait sa une sur la découverte de

1. Il n'ya pas de limite.
2. Chanson de David Bowie.

la planète dénommée « Le Verrier ». Cependant, la *Royal Astronomical Society* s'inscrit en faux, tentant de faire valoir l'antériorité des conclusions du chercheur anglais, et n'hésite pas – l'honneur national étant en jeu – à omettre que ses calculs… n'étaient pas tout à fait aboutis. En France, Arago défend son protégé bec et ongles, soutenu par les journaux parisiens qui se remettent illico à publier les caricatures anglophobes les plus désobligeantes.

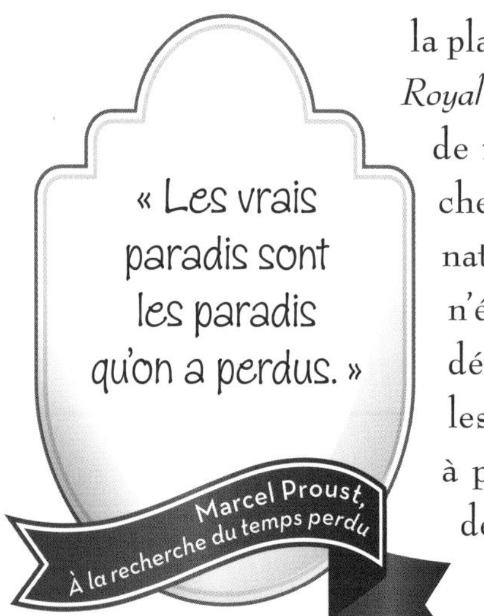

STORM IN A TEACUP

Néanmoins fair-play, la *Royal Astronomical Society* saura faire amende honorable et attribuera la prestigieuse médaille Copley, reconnaissance scientifique suprême, à Urbain Le Verrier. Le scientifique français, qui voulait donner son nom à la planète, n'aura cependant pas gain de cause : elle s'appellera Neptune, d'après le dieu de la mythologie romaine connu pour sa propension à déchaîner la houle et les tempêtes. *Storm in a teacup*… Comment dites-vous en français ? Tempête dans un verre d'eau…

Louis Napoléon III, détesté par les Français... et donc aimé des Anglais !

Never say never, il ne faut jamais dire jamais. Ce n'est pas à Justin Bieber que l'on doit la formule choc, mais à... Napoléon III. Jamais sans doute le souverain le plus caricaturé des Français, « Napoléon le Petit » comme l'appelait Victor Hugo, n'avait-il imaginé devenir le souverain français préféré des Anglais ! Et encore moins, grâce à eux, revenir en odeur de sainteté dans son pays.

THE POINT OF NO RETURN[1]

Pour Charles Louis Napoléon Bonaparte, tout commence là où tout finit, à Sedan, le 1er septembre 1870. Obligé de capituler face à la Prusse de Bismarck qui encercle ses soixante mille soldats et s'apprête à les massacrer, l'empereur jette le gant. Démis par

1. Le point de non-retour.

l'Assemblée, obligé d'abdiquer, il est destitué de sa nationalité et contraint à l'exil.

WELCOME

Le 20 mars 1871, l'empereur, sa femme et le petit prince viennent chez les Anglais pour leur demander asile… *Welcome !* Brocardé et vilipendé en son pays, Napoléon III se voit, à sa grande surprise, dérouler le tapis rouge à Hastings, puis à Douvres. La foule en délire l'acclame avec des « vive *l'emperor !* ». Des larmes ruissellent sur son visage, habituellement si peu démonstratif. Sans doute cette popularité est-elle inversement proportionnelle à la haine que lui vouent les Français à ce moment clef de leur histoire ? Les Britanniques reconnaissent au moins à l'empereur déchu le mérite d'avoir, avec son coup d'État du 10 décembre 1852, écarté temporairement « la menace républicaine » sur son pays. Si Napoléon III, humilié par les Français, a choisi d'élire domicile chez leurs pires ennemis, ce n'est pas par provocation.

BELOVED ENGLAND

En effet, entre Charles Louis Napoléon et l'Angleterre, c'est une vraie *love affair*. Voilà trente ans que l'empereur a fait de l'île de Grande-Bretagne sa deuxième patrie. Quand il s'exile à Camden Place (Chiselhurst) au sud-est de Londres en 1870 avec son épouse Eugénie et son fils Louis, il s'agit de son sixième séjour londonien. Il est en effet venu s'y réfugier une première fois avec sa mère Hortense de Beauharnais en 1831 après l'insurrection de Romagne contre le pape. Il y

a alors appris l'anglais et reçu une éducation anglo-saxonne. Il y est revenu avec son ami italien le comte Arèse en 1833, il y a fait un saut en 1837 en rentrant des États-Unis et après son coup d'État manqué à Strasbourg en 1840, puis celui de Boulogne. Et enfin après s'être échappé de la prison d'Ham déguisé en maçon, il a passé deux années à Londres, de 1846 à 1848. Cette *beloved England*, qu'il connaît intimement, va lui servir de modèle pour faire de la France une nation moderne.

PARIS, THE CITY OF LIGHT

Sous Napoléon III, l'enceinte de Paris, qui avait si peu bougé depuis Charles V, vole en éclats. La cité s'agrandit, se dote d'un système d'égouts, boutant les cimetières, les décharges publiques, accessoirement les pauvres et leurs soucis, hors les murs. Les grandes avenues redonnent son lustre à la Ville Lumière. Napoléon fait construire l'Opéra Garnier, le théâtre du Châtelet, agrandit le Louvre. Paris ne souffrira bientôt plus de la comparaison avec Londres.

BENCHMARKING

Après avoir séjourné à Londres au 17 Carlton House Terrace dans un édifice dessiné par le grand architecte John Nash, logé 1 Carlton Gardens, puis à Jermyn Street à Piccadilly, Saint James's Park est devenu son QG. *Amazing, beautiful*, ces jardins bucoliques en plein cœur de la ville ! L'empereur s'en inspirera pour créer ses propres jardins à l'anglaise : le bois de Boulogne, le bois de Vincennes, le parc Monceau, les Buttes-Chaumont, Montsouris. En comparant Londres et Paris, Charles Louis fait l'inventaire des bonnes pratiques – du *benchmarking*[2] avant l'heure européenne. Il s'émerveille devant le système d'assainissement des eaux, la structure plus aérée de la ville. Il reprend les recommandations de l'ingénieur Rambuteau restées jusqu'ici lettre morte et confie au baron Georges Eugène

2. Le *benchmarking* est une technique de marketing qui consiste à observer ce que font les concurrents afin de s'en inspirer pour sa propre entreprise.

Haussmann, préfet de Paris, la tâche de faire de Paris une capitale moderne.

« C'est un peu un brigand et beaucoup un coquin. On sent toujours en lui le pauvre prince d'industrie qui vivait d'expédients en Angleterre ; sa prospérité actuelle, son triomphe et son empire et son gonflement n'y font rien ; ce manteau de pourpre traîne sur des bottes éculées. Napoléon le Petit : rien de plus, rien de moins. »

Victor Hugo, *Napoléon le Petit*

BIG TRAIN

L'empereur décide aussi de mettre les bouchées doubles pour rattraper sa rivale en matière d'industrie. Avec le retard pris par la Révolution française, les infrastructures sont sommaires. Sous l'Empire, le réseau ferroviaire va passer de 3 000 km à 18 000 km. Les secteurs du textile, de la chimie, de la sidérurgie et de la métallurgie sont boostés par la création des grandes banques (le Crédit lyonnais, la Société générale…) qui vont les financer. Napoléon III, qui rêve déjà d'une monnaie unique, décide de percer le canal de Suez et conquiert la Cochinchine (sud du Vietnam actuel). Exit le protectionnisme instauré par Colbert, vive le libre-échange consacré par le traité de commerce du 23 janvier 1860 avec la Grande-Bretagne.

LOVE ACTUALLY

Les Anglais voient en ce souverain, cosmopolite et libéral, plus qu'un Français fréquentable. Au fil du temps, la haine britannique envers l'ennemi juré que fut Napoléon Ier s'est muée en admiration. Et cette ascendance profite à Charles Louis,

pas aussi terne que les Français se l'imaginent. À la manière de George W. Bush, parti en Irak venger son papa, Napoléon III s'est joint aux Anglais auprès des Turcs lors de la guerre de Crimée (1854-56) contre les Russes qui avaient humilié son tonton. Il a aidé à la signature du traité au congrès de Paris (1856). Il a soutenu la cause italienne (1859), remporté la bataille de Solferino et raflé au passage la Savoie et Nice (1860). Même s'il a échoué à installer un régime catholique à Mexico (1862) et est parti un peu trop vite en guerre contre la Prusse qui voulait placer un Allemand sur le trône d'Espagne, son engagement inspire le respect outre-Manche.

OLD SCHOOL BOY

Les Anglais apprécient aussi son éducation anglo-saxonne et son tempérament modéré : « son calme (sic) si particulier, si rare chez les étrangers » dira de lui le Premier ministre anglais, Disraeli. Napoléon III, premier souverain français à entretenir d'aussi bonnes relations avec nos *sweet enemies*, va réussir l'exploit de faire venir *Queen Victoria* sur la tombe de Napoléon Ier ! Lorsque la reine d'Angleterre se rend à l'Exposition universelle de Paris en 1855, c'est le premier voyage officiel d'un souverain anglais depuis... 1520. Cette visite réussie va, outre les échanges économiques, donner le « la » des échanges culturels entre la France et l'Angleterre et amorcer les discussions sur la possibilité d'un tunnel reliant l'Hexagone et *Britannia*.
Quand Napoléon III s'éteint le 9 janvier 1873 à Camden Place, suite à des calculs rénaux mal opérés, il a droit à des funérailles nationales en Angleterre où il a souhaité être inhumé. En la présence de quelque dix mille Français nostalgiques de l'Empire, il est enterré à Chiselhurst.

IN THE ARMY NOW[3]

Pour le plus grand malheur de son épouse Eugénie, leur fils unique, Louis, meurt six ans plus tard à l'âge de vingt-trois ans. L'héritier de l'Empire, qui a senti bouillir en lui le sang des Bonapartes sur le champ de bataille de Sedan, s'engage dans le corps expéditionnaire britannique au Natal (Afrique du Sud) contre la tribu des Zoulous. Pris dans une embuscade en juin 1879, il succombe, transpercé de dix-sept coups de lance, arborant – le comble pour un bonapartiste – l'uniforme britannique. C'en est fini de l'empire des Bonapartes.

ONLY GOD FORGIVES[4]

Eugénie, dévastée par le chagrin, fait ériger à l'abbaye Saint-Michel de Farnborough un mausolée pour son époux, son fils et elle-même. La vieille dame aura elle aussi, trente ans plus tard, droit à des *state funerals* en Angleterre, le 20 juillet 1920, en la présence de tous les souverains européens et d'une foule très nombreuse d'Anglais, fidèles de l'impératrice adulée. Nul représentant français toutefois, mais un télégramme laconique de l'Élysée pour... protester contre les honneurs officiels qui lui sont rendus!

GUILTY AS SIN[5]

Longtemps les Français ont tenu cette princesse espagnole pour responsable de la débâcle de Sedan. Coupable à leurs yeux, avec le duc de Gramont, d'avoir poussé son époux à cette guerre originelle contre l'Allemagne. Si les historiens reconnaissent aujourd'hui les

3. [Tu es] dans l'armée maintenant.
4. Seul Dieu pardonne.
5. Noir comme le péché.

intentions belliqueuses d'un Bismarck prêt à tout pour envoyer l'armée prussienne en stage commando, il faudra sans doute encore beaucoup de temps pour réhabiliter la mémoire de Napoléon III.

NAPOLÉON III *REVISITED*

Accusé d'être le fossoyeur de la République de 1848, Napoléon III va servir d'épouvantail à la IIIe République de 1870. « Dans un contexte épouvantable entre la Commune, la défaite, le remboursement de la dette, il lui faut se construire contre l'Empire, explique l'historien Pierre Milza[6]. C'est ainsi que se développera – jusque dans les manuels scolaires – la légende noire de Napoléon III : l'amour de l'argent, la corruption, les guerres inutiles. Plus obscur sera l'Empire, plus lumineuse apparaîtra la République. » Plus de deux cents ans après la naissance de Charles Louis Napoléon, les premières biographies tentent de réhabiliter l'empereur, *Louis Napoléon, le Grand* de feu Philippe Séguin ou *Louis Napoléon revisité* d'Alain Minc.

NIGHT OF THE LEAVING DEAD[7]

Ce sont les Anglais, notamment le professeur William Smith, qui ont tiré Napoléon III de l'oubli dans lequel les historiens politiquement corrects l'avaient enterré. Et si le second Empire n'était pas une parenthèse mais une étape de la démocratie et méritait plus d'estime ? Qui sait si un jour les cendres du premier président de la République élu au suffrage universel et du dernier empereur français ne seront pas rapatriées en France ? Laissons le mot de la fin à l'intéressé lui-même : « Il ne faut jamais dire jamais »...

---

6. Auteur de *Napoléon III*, Éditions Perrin, 2004.
7. Jeu de mots sur le titre du film *Night of the Living Dead, la Nuit des morts-vivants.* Ici, littéralement : la nuit des morts qui s'en vont.

L'affaire de Fachoda : « au bord de la guerre pour quelques arpents de sable »

Incroyable ! *Unbelievable !* En novembre 1898, cela fait plus de… soixante-dix ans que l'Angleterre et la France ne se sont pas étripées ! Pas de sang versé sur le champ de bataille, pas de vaisseaux amiraux coulés, rien. Londres et Paris se seraient-elles assagies ? Auraient-elles ravalé leurs vieilles rancœurs, oublié Hastings et Azincourt ?

AFRIKA TOUR

Not at all… Concentrées sur cette course effrénée qu'est la colonisation du continent africain, l'Angleterre et la France, comme les autres nations européennes, ont simplement appuyé sur la touche « pause ». Le temps d'asseoir leurs

positions respectives, de faire main basse sur les ressources locales, de contrôler les hommes, le tout en organisant en parallèle une armée à même de décimer les rivaux potentiels. À ce tournant du XXe siècle, les deux principales puissances coloniales s'observent à nouveau en chiens de faïence.

WALKING LIKE AN EGYPTIAN[1]

Les Français voient d'un mauvais œil la suprématie des Anglais qui occupent depuis 1882 l'Égypte, le pays des pyramides cher à Napoléon. Les Rosbifs ne se sont pas contentés de faire main basse sur ses terres, ils ont en plus mis sous tutelle son administration, son armée et son dirigeant, le khédive Abbas II Hilmi. Les *Froggies* sont bien décidés à reprendre ce qu'ils estiment être leur bien…

LA DIAGONALE DU FOU

Crayon gris et règle à la main, l'état-major français examine ses cartes : les sujets de Sa Majesté Victoria ont consolidé leur présence sur deux axes stratégiques, le long d'une ligne horizontale qui rejoint le Niger à la mer Rouge et d'une diagonale reliant Le Caire au Cap. À leur croisement, à six cent cinquante kilomètres au sud de Khartoum, Fachoda, une petite bourgade soudanaise située le long de la rive droite du Nil Blanc : pourquoi ne pas s'y installer et mettre ainsi les *Britons* dans un *corner* (les coincer) ? Il y aurait là de quoi proposer à la partie anglaise un habile marchandage : la région stratégique en échange de l'abandon du statut de l'Égypte très favorable à la Couronne d'Angleterre. L'idée est audacieuse.

1. Marcher comme un Égyptien.

LE BÉBÉ AVEC L'EAU DU NIL...

En novembre 1894, l'enthousiaste ministre français des Colonies, Théophile Delcassé, confie à Victor Liotard, alors commissaire du gouvernement dans le Haut-Oubangui (sud-est de l'actuelle République centrafricaine), le soin de préparer une expédition dans le Haut-Nil. *Alas*, la nouvelle des préparatifs fuite. Les Français auront beau nier l'affaire, les Britanniques prennent vapeur : l'expédition Liotard est abandonnée. Officiellement.
En parallèle, un autre projet pharaonique se dessine. C'est à Jean-Baptiste Marchand, un jeune capitaine de la marine qui a déjà « fait l'Afrique » auprès de tirailleurs sénégalais, que l'on refile le bébé avec l'eau du Nil Blanc... Il s'agit ni plus ni moins d'édifier un barrage sur ce fleuve. L'enjeu est de taille. Celui qui contrôle le Nil contrôle le tuyau qui arrose l'Égypte, donc ses ressources et la région.

MARCHAND DE TAPIS

Après un remaniement ministériel, pas mal d'atermoiements, et grâce au soutien du lobby colonial qui a l'oreille de Delcassé, désormais ministre des Affaires étrangères, l'obstiné capitaine Marchand obtient l'aval du président Félix Faure.
Prudence cette fois-ci, *walls have ears*, les murs ont des oreilles ! Ce sera donc ceinture et bretelles : l'expédition tenue secrète est également estampillée « exclusivement pacifique ».

MANGER LES NÉNUPHARS PAR LA RACINE

La mission ultra-secrète « Congo-Nil » consiste, comme son nom l'indique, à relier la côte du Congo jusqu'au Nil Blanc, en parcourant un itinéraire d'environ six mille kilomètres dans

des contrées parfois totalement inconnues, à pied, en vapeur et en pirogue. Une douzaine d'officiers français sont appelés. Cent cinquante tirailleurs soudanais leur prêtent le pas, ainsi que plusieurs milliers de porteurs chargés d'acheminer les quelques tonnes de vivres et surtout de verroteries destinées à les payer, ainsi que mille trois cents litres de vin de Bordeaux.

ENGLISH BASHING

Une fois l'affaire de Fachoda révélée, les revues illustrées françaises se déchaînent. Aux accusations habituelles, telles que la perfidie des Anglais, leur égoïsme, leur hypocrisie, s'ajoutent désormais leur cupidité et leur atavique penchant pour l'alcool. L'opinion publique française, plus chauvine et cocardière que jamais, ne rêve que de voir les soldats de Marchand tirer sur ceux de Kitchener : une bonne guerre contre l'ennemi héréditaire ! Et qu'on en finisse !

CROCODILE DUNDEE

Ils zigzaguent lentement au travers des marais, évitent tant bien que mal les hippopotames et les crocodiles, se tiennent sagement loin des tribus anthropophages, se perdent et se reperdent encore, pour finir par manger les nénuphars par la racine une fois leurs provisions épuisées…
Le 10 juillet 1898, au bout de deux années, Marchand – eurêka ! – hisse le drapeau tricolore sur le fortin en ruine de Fachoda, qu'il rebaptise pompeusement « fort Saint-Louis ».

CE « MEK » EST *TOO MUCH*

Les ennuis commencent quand mille deux cents Mahdistes, ces indépendantistes soudanais qui viennent de chasser les occupants anglais, embarquent à Omdurman, la cité historique de Khartoum. Forts de leur précédente victoire, ils décident de bouter Marchand et sa poignée d'hommes hors de Fachoda. C'est sans compter sur le chef de la tribu locale des Shillouks,

le Mek, qui, admiratif des armes Lebel, ces carabines *made in France* d'une précision redoutable, propose aux *Frenchies* d'assurer un protectorat sur Fachoda.

QUI PART À LA CHASSE PERD SA PLACE

Pendant ce temps, les Anglais, qui ignorent tout de l'incursion française, reprennent pied au Soudan, bien décidés à prendre leur revanche sur les Mahdistes. Avec trois mille hommes et une trentaine de canonnières dépêchées du Caire, le commandant anglais, Lord Horatio Herbert Kitchener, bat les indépendantistes à plate couture à Omdurman, le 2 septembre 1898. Jusqu'ici tout va bien…

Mais il choisit de poursuivre son expédition punitive le long du Nil Blanc et, deux semaines plus tard, il découvre – *Oh my God!* – le drapeau tricolore flottant sur Fachoda et Marchand et ses hommes installés dans le fortin… leur fortin ! *Damn them to hell!*[2]

LA FACE CACHÉE DE LA LUNE

À Londres et à Paris, les gouvernements respectifs sont plongés dans le brouillard le plus complet. Le Premier ministre britannique, Lord Salisbury, admet que ce qui se trame est « aussi difficile à apprécier dans la haute vallée du Nil que sur la face cachée de la lune »[3]. Quant à son homologue français, il est tout bonnement sans nouvelles de l'expédition Marchand. C'est par les Britanniques que le ministre des Affaires étrangères apprend qu'il s'est produit à Fachoda un « événement inamical ». Voilà un

2. Maudits soient-ils !
3. It was « as difficult to judge what is going on in the Upper Nile Valley as to judge what is going on on the other side of the moon. »

bien doux euphémisme alors que l'état d'énervement de l'opinion publique française est à son paroxysme. Elle connaît même, selon l'historien Jean Guiffan, une « dernière vague » d'anglophobie particulièrement puissante depuis 1882. Précisément en raison de la compétition coloniale à laquelle les deux puissances se livrent.

LE SAVIEZ-VOUS ?

Les Anglais ont un synonyme pour le mot « chauvinisme » : le « jingoïsme ». Ce terme tire son appellation de la chanson de café-concert connue sous le titre de *By Jingo* (par G.H. MacDermott et George William Hunt). Une chansonnette en apparence bon enfant, mais dont les paroles constituent une mise en garde sévère aux ennemis de la patrie.
Qu'on se le dise, les Anglais ont des armes, des bateaux et de l'argent, et ils savent s'en servir !

« J'ACCUSE…! »

En France, l'affaire prend une tournure d'autant plus inquiétante qu'elle se conjugue aux effets pernicieux de la publication toute récente de l'article « J'accuse… ! » d'Émile Zola dans le journal *l'Aurore*. En y dénonçant l'implication de hauts gradés dans la condamnation injuste du capitaine Dreyfus, l'écrivain journaliste a achevé de convaincre les milieux d'extrême droite français de l'inutilité du régime républicain, inapte à protéger l'honneur de l'armée française. Le capitaine Marchand, coincé à Fachoda sans savoir s'il doit se battre ou reculer, devient pour eux tout un symbole.

JEANNE D'ARC, LE COME-BACK

La France et l'Angleterre sont, comme on le lit dans la presse, « au bord de la guerre pour quelques arpents de sable ».
Kitchener, le commandant anglais, prie obligeamment les Français de quitter les lieux; le 3 novembre 1898, le capitaine Marchand reçoit au dernier moment l'ordre humiliant de se retirer. Celui que les extrémistes considèrent comme la nouvelle Jeanne d'Arc sera rapatrié dans le plus grand secret à Toulon afin d'éviter toute récupération politique. C'est peine perdue. Une foule en délire est là pour acclamer l'irréductible Gaulois et vilipender le gouvernement, qui cependant a pris la bonne décision.
Si le ministre Delcassé, pourtant à l'origine de cette mission guerrière, s'est assis sur son orgueil, c'est qu'il nourrit un dessein autrement plus important: reprendre aux Allemands l'Alsace-Lorraine perdue en 1871 en faisant alliance avec les *Britons*.
Les Anglais, inquiets de l'expansionnisme africain de *Kaizer* Guillaume II, se trouvent avec les *Froggies* un ennemi commun: les Allemands.
L'affaire de Fachoda est *a blessing in disguise*, un mal pour un bien: elle est le prélude à l'Entente cordiale de 1904, qui permettra à Paris et Londres d'être ensemble dans la Première Guerre mondiale.

Independence Day : la guerre par procuration…

À l'heure de la décolonisation, les grandes puissances se retirent du continent africain : l'Angleterre dès les années 50 et la France à partir des années 60. Le Ghana anglophone et le Sénégal francophone, bien que débarrassés du joug colonial, vont étonnamment perpétuer la tradition de la rivalité franco-anglaise… comme par procuration.

NÉGRITUDE VERSUS *REAL POLITIK*

C'est entre Léopold Sédar Senghor, le conseiller ministre du général de Gaulle et Kwame Nkrumah, le premier président du Ghana, que la querelle éclate. Le francophone défend une conception d'une « voie africaine du socialisme », mêlant réformisme et « négritude », le fameux concept visant à « nier la négation de l'homme noir » développé par le poète et homme politique martiniquais Aimé Césaire. L'anglophone, passé du statut d'indépendantiste à celui de chef

d'État, avec entre les deux un passage par la case prison, s'attache à se comporter comme un « Africain de la réalité », surnom gratifiant que lui a attribué la reine Élisabeth II, son ex-souveraine. C'est donc avec le plus grand naturel qu'il assume son nationalisme de combat et son statut de conseiller de Sa Majesté.

INDIRECT RULE VERSUS ASSIMILATION

Depuis que le président ghanéen a dansé publiquement avec Élisabeth II d'Angleterre au cours d'une cérémonie officielle, Senghor l'observe avec suspicion. Serait-il revenu dans le giron de la perfide Albion ? Les doutes du Sénégalais rapidement se font certitude. Comme nombre d'intellectuels africains anglophones, Nkrumah dénonce le passéisme de ses homologues francophones. L'*indirect rule*, ce mode de colonisation *typically British* qui concède aux chefs indigènes un pouvoir de gestion au profit de *Britannia*, a donné aux Ghanéens un avantage considérable. Contrairement aux Africains francophones, soumis à une politique d'assimilation forcée, ils n'éprouvent nul besoin de se réapproprier un passé de carte postale.
Nkrumah entend donc dépasser le concept de « négritude » en lui opposant sa théorie dite du « conscientisme ». C'est à marche forcée (en bon pragmatique, il a choisi de hâter les choses), en devenant dictateur, qu'il replace son pays sur le chemin pas toujours souriant de l'avenir.

SWEET ENEMIES

La vision de Senghor est toute autre. Pour lui, le dirigeant ghanéen et plus largement les États africains anglophones ont reçu en héritage la méfiance paranoïaque des *Britons* à l'endroit des

Français : « certains de nos confrères nigérians et ghanéens [...] nous reprochent de nous servir du concept de négritude pour leur imposer un impérialisme culturel français. Plus précisément, ils reprochent, à la civilisation française, à travers nos personnes, "sa manie de l'abstraction : de la thématisation". » Philosophe, il choisira de s'amuser de ce qu'il considère comme la continuation d'une mauvaise querelle franco-britannique... par Africains interposés.

> « Assimiler sans être assimilé. »
>
> Léopold Sédar Senghor

À travers ces chamailleries apparemment anodines, ce sont deux conceptions radicalement opposées du vivre ensemble qui se perpétuent : d'un côté le multiculturalisme à l'anglaise – *to live and let live* (vivre et laisser vivre) –, de l'autre l'intégration à la française – unir dans la diversité – qui continuent à diviser profondément Paris et Londres.

Dirty Bertie aime la France… et les Françaises

« Le meilleur moyen de faire cesser la tentation, c'est d'y succomber », avait coutume de dire Tristan Bernard, dont les mots d'esprit raisonnent encore dans les salons de chez Maxim's, le célèbre restaurant parisien. C'était la Belle Époque où, avec Georges Feydeau ou Marcel Proust, il y côtoyait les cocottes et les *people*. Parmi les clients de marque, le plus francophile et le plus déluré des têtes couronnées européennes, le roi Édouard VII d'Angleterre.

ETERNAL MOTHER

Toujours sur les bons coups, Bertie, comme on l'avait surnommé dans sa famille, va se révéler un fervent et

inépuisable artisan du « réchauffement » des relations franco-anglaises, sous toutes ses formes... C'est à lui que l'on doit la signature de l'Entente cordiale en 1904. Un rendez-vous avec l'Histoire qu'Albert-Édouard, fils aîné de la reine Victoria et du prince Albert de Saxe-Cobourg et Gotha, a bien failli manquer eu égard à la longévité exceptionnelle de la reine mère. Soixante années durant – un record récemment battu par le prince Charles – Victoria aura obstinément maintenu son fils en dehors de toute activité officielle. « Que m'importe de prier le Père éternel, je dois être le seul homme dans ce pays persécuté par une mère éternelle »[1], commentait Albert-Édouard sans se départir de son flegme.

NAUGHTY MUMMY[2]

Heureusement qu'il est gentil, Bertie. Il en faut de l'endurance, pour supporter pendant plus d'un demi-siècle sa *naughty mummy,* qui ne voit en lui qu'« un futur obèse doté d'un appétit hors norme, et notamment pour toutes les créatures de Dieu, et d'un rejet tout aussi hors norme pour toute forme d'exercice. »[3]

HARRY, UN AMI QUI VOUS VEUT DU BIEN

Non contente de lui imposer d'ennuyeuses études destinées à le préparer à ses futures obligations de monarque, Victoria ne comprend pas son rejeton. Comment cette femme de devoir le pourrait-elle ? Son fils néglige les livres et semble ne rien entendre

1. « I don't mind praying to the eternal Father, but I must be the only man in the country afflicted with an eternal mother. »
2. Vilaine maman.
3. « Obese he shall almost certainly be, with such an appetite for all and any of God's creatures, and such reluctance to take any form of exercise. »

> **« BOLLY CHÉRI »**
> Pour ses ébats, Bertie privilégie le Mumm Cordon Rouge. Commettant là - mais il n'est plus à un écart près - une infidélité au Bollinger brut, dont il a fait le premier champagne de la cour d'Angleterre en 1884 et qu'il surnomme tendrement, comme pour se faire pardonner, son « Bolly chéri »...

à la politique : son rêve à lui, c'est de devenir un *top gun*, comme le prince Harry. Si on ne retrouve pas Bertie nu en train de jouer au billard dans la presse à scandales, il fréquente assidûment les théâtres, lieu de perdition de l'époque. C'est sur leurs planches que l'on trouve les « grandes horizontales », ces actrices aux mœurs légères qui complètent leurs fins de mois en vendant leurs charmes aux spectateurs fortunés.

« LE ROUGE AU FRONT... »

Pour l'éloigner du stupre et parfaire sa formation, son *overprotective mother*, sa maman surprotectrice, l'envoie en 1861 en Irlande pour assister à des manœuvres militaires. Et là, crac, boum, hue ! ses collègues officiers s'arrangent pour le faire déniaiser par les bons soins d'une actrice locale, Nellie Clifden, qui tombe – moyennant finances – à ses genoux. *What a shock* à Buckingham Palace, où l'on s'employait à organiser les fiançailles du prince de Galles avec Alexandra de Danemark ! Albert de Saxe-Cobourg-Gotha, pourtant bien malade, rejoint son malpropre de fils pour lui passer un savon. Deux semaines plus tard, le père ulcéré meurt de la fièvre typhoïde. Jamais plus, écrit alors Victoria à sa fille aînée, elle ne pourra « regarder [Bertie] sans un frisson ».

STUPEUR ET TREMBLEMENT

La reine envoie son fils se faire oublier au Moyen-Orient. Au cours de cette tournée, Bertie révèle des talents qu'on ne lui

connaissait pas. Il est de compagnie agréable et affable, il attire la sympathie des foules.
À son retour, il épouse comme prévu Alexandra, le 10 mars 1863, sans toutefois réussir à s'affranchir de son envahissante mère. Victoria continue à régenter sa vie et s'immisce dorénavant dans celle du couple, allant même jusqu'à imposer aux parents le prénom de leurs enfants. Bertie restera soumis à une *Queen Mum* qui exerce une véritable terreur sur lui. On raconte qu'à cinquante ans encore, s'il se présentait en retard à un dîner officiel, Édouard préférait rester debout caché derrière une colonne plutôt que d'affronter les remarques acerbes de la reine très attachée au respect de l'étiquette.

WHATTA MAN![4]

Qui l'eût cru ! Ce grand garçon maladroit et penaud est un tombeur. À son palmarès, qu'il tente de conserver secret mais dont on fait cependant des gorges chaudes en Grande-Bretagne, au moins cinquante-cinq conquêtes féminines, et non des moindres ! Daisy Greville, la comtesse de Warwick, mondaine bien connue en Angleterre où elle a laissé son prénom à la chanson populaire *Daisy, Daisy*. Ou encore Lady Churchill, la maman de Winston, et Alice Keppel, la future arrière-grand-mère de Camilla Parker Bowles, la maîtresse du prince Charles devenue son épouse !

L'OFFICIEL DES SPECTACLES

Édouard, loin de perpétuer la tradition anglaise, est un francophile convaincu : il devient l'amant de Sarah Bernhardt, le « monstre sacré » de la scène théâtrale française et fait

4. Quel type !

succomber Émilienne d'Alençon, la sublime courtisane qui lança Coco Chanel en portant ses premiers chapeaux. Sans parler de « La Belle » Otéro, vedette des Folies Bergère et première star de cinéma grâce à la caméra de Félix Mesguich...
Bertie a eu un coup de foudre pour le Paris des années 1880. Enfin un lieu où il se sent compris ! Il y va aussi souvent que possible pour « rendre visite au président du Sénat ». Rien à voir avec le palais du Luxembourg : c'est par ce nom de code que le chef du protocole de l'Élysée désigne les escapades galantes organisées au Chabanais et inclues dans les visites des officiels étrangers.

LE SAVIEZ-VOUS ?

C'est à Bertie que l'on doit la petite Suzette, cette crêpe succulente que l'on fait sauter après l'avoir préalablement parfumée au Grand Marnier. Il la déguste pour la première fois au Café de Paris à Monte-Carlo et la baptise du prénom de cette jeune et ravissante Française qui avait accepté d'y passer la soirée avec lui, *charming isn't it ?*

TONTON BERTIE

Dans la maison close de luxe sise dans la rue parisienne éponyme, se presse une clientèle polyglotte triée sur le volet : Bertie, fidèle client depuis l'ouverture des lieux, Léopold II, roi des Belges, ou encore le *Kaiser* Guillaume II. Les têtes couronnées s'échangent leurs « protégées » dans une ambiance d'autant plus familiale que Bertie est parent de presque tous les monarques du Vieux Continent, ce qui lui vaudra d'ailleurs le surnom d'« oncle de l'Europe ». Alors qu'il n'est encore qu'éternel prince de Galles, le voilà qui creuse son trou dans un cercle *king size* très privilégié...

LE CHABANAIS

Tonton Bertie est au Chabanais comme chez lui : dans sa chambre préférée, décorée à l'indienne – qui lui rappelle le Commonwealth –, des meubles spécialement dédiés à ses ébats et fabriqués sur mesure, *if you please.* Un siège très spécial capitonné, appelé « l'indiscret », est destiné à lui permettre de s'adonner à la luxure sans se faire un tour de reins, qu'il a fort fragiles en raison de son surpoids. Mais on y trouve aussi une baignoire de cuivre rouge ouvragée – qui bien plus tard sera offerte à Salvador Dali – où il prend des bains de champagne entouré de ses amis et en excellente compagnie.

2 B 3

Si Bertie a fait de la légèreté le dogme de sa vie privée, une fois devenu roi, en 1901 à la mort de Victoria, Édouard VII va montrer une nouvelle facette de sa personnalité. Il se prend de passion pour la politique étrangère et peut enfin se saisir des questions militaires. Parlant couramment l'allemand et le français, peaufinés dans les lupanars parisiens, il multiplie les visites diplomatiques. Celle qu'il réserve au président français Émile Loubet au printemps 1903 fera date.

PEACEMAKER

Accueilli par la foule aux cris de « Vive Jeanne d'Arc ! », il sait user de son charme et de sa bonhomie pour se faire aimer. Un tour de force qui lui vaut à son retour en Angleterre le surnom de « *the peacemaker* », le pacificateur.

En convenant, à l'occasion de sa visite, du règlement des différends coloniaux, il permettra la signature en 1904 de

l'Entente cordiale, un traité fondamental garantissant la paix entre les deux pays ennemis, au détriment de l'empire allemand allié alors à l'empire austro-hongrois.

PARIS VAUT BIEN UN THÉÂTRE

Sous-estimé, méprisé par sa mère, c'est en éternel incompris qu'il meurt, en mars 1910. Pour le plus grand soulagement de son épouse Alexandra, qui écrit : « Enfin je saurai à l'avenir où il passe ses nuits. » La scène française, quant à elle inconsolable, œuvre pour que son nom soit donné à un monument parisien, un théâtre *of course*. Ce sera le théâtre Édouard VII à Paris dans le IXe arrondissement. Bertie reste à ce jour le seul monarque anglais à avoir eu cet honneur…

Rugby et gentry : on naît aristo, on devient viril...

L'Anglais William Webb Ellis est au football ce que les sœurs Tatin sont à la tarte aux pommes. Un heureux accident, *a blessing in disguise*. C'est dans un moment d'égarement, se saisissant inopinément du ballon à la main pendant un match de football, que l'étudiant à l'université de la ville de Rugby – petite ville du centre de l'Angleterre dans le Warwickshire – allait, en 1823, être à l'origine d'un sport nouveau : le *foot-ball* de Rugby.

MÊLÉE-MÉLO

Le *foot-ball*, jeu de balle au pied, était pratiqué selon des règles orales propres à chaque université. Celles de Rugby, formulées par écrit par l'éducateur sportif Thomas Arnold,

allaient jeter les bases de cette nouvelle variante : le football-rugby se jouait à la main. Le jeu consistait à stopper l'attaquant par des crocs-en-jambe, des coups de pied en tout genre, et à se battre dans une mêlée foisonnante pour reprendre le ballon, avant de le faire passer derrière les lignes de l'adversaire. Au terme de discussions épiques entre les diverses facultés, le football de Rugby allait définitivement faire sécession en 1871 avec le football de la *Football Association*, désormais rebaptisé *soccer* en 1903 ; la *Rugby Association* et le sport éponyme étaient nés.

LE NEZ DANS LA BOUE

Alors que le ballon rond devient le sport populaire par excellence, l'ovalie va devenir le sport officiel de la gentry. En ce milieu de XIXe siècle, la reine Victoria, qui a fort à faire avec son fiston Édouard VII, traque le relâchement des valeurs et... des muscles. Il est impérieux de rééduquer cette aristocratie qui manque singulièrement de virilité, n'est-il pas ? Le rugby enseigné à Oxford et à Cambridge entend former les *gentlemen* « à la vie dure », selon Jean Lacouture, leur « mettre le nez dans la boue » et les amener à « conquérir le monde » en pleine expansion du Commonwealth. « C'est un jeu dur et c'est une de ses vertus principales. L'homme qui joue au rugby doit s'attendre à recevoir des coups. Il faudra du courage et de la détermination, il apprendra ce qu'est l'altruisme », écrit Lord Wavell Wakefield « Rugger ». Il s'agit de « fortifier son corps pour mieux le soumettre à la morale victorienne », nuance le chercheur Joris Vincent[1]. À travers ce sport, précise ce dernier, l'objectif est de « réapprendre à diriger les entreprises et le peuple ».

1. *Les règles du jeu. Rugby 1845-1871*, Édition des quatre chemins, 2007.

JOUER COLLECTIF

LE SAVIEZ-VOUS ?

Le schisme football-rugby a laissé des marques : les footballeurs traitent parfois les rugbymen de « bourriques », et ces derniers leurs confrères de la balle au pied de... « manchots » !

En France, quelque soixante-dix ans plus tard, c'est Pierre de Coubertin, l'inventeur français des jeux Olympiques modernes, qui, fasciné par ce modèle éducatif anglais, introduit ce sport dans la société française. Après la défaite de Sedan en 1870 et la débâcle d'un État qui n'a « pas su faire corps contre la Prusse », l'heure est grave : il convient de revitaliser les valeurs collectives contre l'individualisme rampant afin de protéger la nation.

Contrairement aux idées reçues, le rugby français ne voit pas le jour entre foie gras et cassoulet dans le Sud-Ouest, mais dans le nord de la France. Le Racing Club de France et le Stade français, créés par le grand pédagogue français, seront les deux premiers clubs en France à le pratiquer avec celui du Havre, géographiquement prédestiné par sa proximité avec l'Angleterre. Le rugby se diffuse à l'échelle nationale avec un premier championnat de France en 1892. Le sport anglais prend plus naturellement dans les régions qui sont traditionnellement *English friendly*.

Il s'implante à Bordeaux, en Aquitaine, territoire historique de l'ancienne Guyenne possédée par les Anglais, où certains descendants, devenus négociants en vin, ont conservé leurs attaches. Il reçoit un bon accueil dans la région de Biarritz, où les sujets tuberculeux de Sa Majesté ont pris l'habitude de venir se faire soigner. Il va également être l'objet d'un engouement particulier dans la région de Bayonne où, considéré comme

un très bon entraînement à l'aviron pendant les mois d'hiver, il devient un must.

CRÈME DE LA CRÈME

L'ovalie fut et reste en France, comme outre-Manche, le sport de la crème de la crème, « l'élite physique parmi l'élite morale », comme la définit Joris Vincent. Le rugby restera l'apanage de l'aristocratie jusqu'au XIXe siècle. Si, en Angleterre, le rugby est devenu très populaire parmi les mineurs du pays de Galles « montés au soleil », comme le dit si joliment Jean Lacouture, il ne faut pas s'y tromper : on ne mélange pas les torchons et les serviettes.

LES TORCHONS ET LES SERVIETTES

Les joueurs des classes populaires s'adonnent au rugby à XIII et pratiquent le plaquage au pied, tandis que la gentry, outrée par tant de violence, ne jure que par le plaquage au torse et le jeu à XV, lequel va devenir la norme des grands tournois. Pour que la gentry anglaise ouvre les portes de ses clubs très fermés aux classes laborieuses, il faudra attendre l'hécatombe de la Première Guerre mondiale. La gent masculine étant décimée, les aristocrates feront appel au sang neuf des joueurs des milieux populaires, mais toujours à reculons.

HAPPY FEW

Cette volonté anglaise d'être entre soi et d'appartenir à un groupe d'*happy few* qui respecte l'éthique et les règles va rapidement se heurter à ce talent français pour contourner tout ce qui s'apparente à une obligation : « En Angleterre, dit fort justement Churchill,

tout est permis, sauf ce qui est interdit. En Allemagne, tout est interdit, sauf ce qui est permis. En France, tout est permis, même ce qui est interdit… »

Les *Frenchies*, qui participent au tournoi des Cinq-Nations depuis 1910, s'en voient barrer l'accès entre 1931 et 1940, accusés d'avoir payé des joueurs sous le manteau et dévoyé ce beau sport amateur. Auparavant, la mort d'un joueur anglais, tué lors d'un plaquage français en 1930, avait valu à la Fédération française de rugby d'être exclue de l'*International Rugby Board*. En 1959, les *Frenchies* remportent pour la première fois le tournoi des Cinq-Nations. La méfiance des Rosbifs vis-à-vis des *Froggies* et leur absence de fair-play ne s'estompera qu'en 1978, lorsque la France deviendra le premier pays non anglo-saxon à accéder à l'IRFB, l'ancêtre de l'*International Rugby Board* (IRB).

TOUT UN SYMBOLE !

Au dernier du tournoi des Six-Nations, on remet symboliquement une cuillère en bois. L'origine de cette coutume est plutôt confuse. Pour certains, cette habitude viendrait de l'université de Cambridge où l'on offre traditionnellement une *wooden spoon* à l'étudiant qui, tout en étant diplômé, a obtenu la plus mauvaise note en mathématiques. D'où la remise symbolique au dernier du tournoi…

BARBARES CONTRE *GENTLEMEN*?

Si depuis l'Entente cordiale Anglais et Français ne sont plus en conflit, la guerre se poursuit par médias interposés. Les journaux britanniques entretiennent savamment la réputation des *Frenchies*, les « barbares » de « la Horde sauvage » ; les mots ne sont jamais assez forts. Les joueurs britanniques y vont parfois de leur couplet. Le talonneur Brian Moore ira jusqu'à déclarer en 1995 : « Jouer les Français, c'est comme jouer contre quinze Éric Cantona. Ils sont brillants, mais violents. » Il faudra attendre justement la Coupe du monde la même année en Afrique du Sud, comme l'écrit le journaliste Éric

Mugneret de *Rue 89*, et la professionnalisation du rugby, pour que les deux équipes fassent la paix des braves : « Depuis, écrit-il, les *Froggies* ont traversé le *Channel* pour jouer ou s'entraîner en Angleterre, et Jonny Wilkinson est devenu la coqueluche du stade Mayol, à Toulon. » Le rugby pourrait bien devenir un sport de *gentlemen*…

COMMENT LA SOULE DEVIENT RUGBY

Une vieille rivalité ronge les deux pays, entre les Anglais qui ont donné ses lettres de noblesse au rugby et vilipendent le manque de fair-play des Français, et ces derniers qui revendiquent d'avoir inventé son ancêtre, la soule, et fustigent les hooligans. Balle au centre !
À l'origine du rugby et du football était la soule, une balle – en bois, en tissu, en cuir, en vessie de porc remplie de foin, de son ou même gonflée d'air – que se disputent deux équipes rivales. D'un côté les hommes célibataires, qui feront montre de leur virilité pour séduire les jeunes filles à marier, et de l'autre les hommes mariés à qui cette empoignade virile sert de défouloir collectif.

À LA MAIN OU AU PIED

La partie a pour terrain de jeu le village tout entier et dure plusieurs journées. Tous les coups ou presque sont permis pour amener la soule – prononcez « choule » – dans un pré ou une mare. Le jeu,

qui se pratique en France depuis le Moyen Âge, est introduit en Angleterre par Guillaume le Conquérant, quand il envahit le pays en 1066. Sans règles précises, la soule, qui fait des morts et des blessés et perturbe la vie de village, sera assez rapidement interdite. Ce sont les Anglais des classes aisées qui vont peu à peu la codifier. En restreignant son périmètre à celui d'un stade afin de circonscrire le jeu à un terrain délimité, les Britanniques civilisent la soule *made in France*. Ils inventent le football et ses nouvelles règles, les *Cambridge rules*, en 1863. Il est désormais interdit de prendre le ballon à la main et de donner des coups de pied aux joueurs ! Le premier club de football, le Sheffield Football Club, apparaît dans le Nord ; son règlement va devenir celui du football moderne.

HOOLIGANS, QUI DE LA SOULE OU DE L'ŒUF ?

Alors que le football devient plus policé et moins brutal, la violence refait pourtant surface dans les gradins dans les années 50 et 60 pour culminer sous Margaret Thatcher. Les médias français, revanchards, ne seront pas les derniers à stigmatiser et à surexposer un hooliganisme spécifiquement britannique. « Le portrait type, explique le chercheur Dominique Bodin, est celui d'un Anglais, jeune délinquant, imbibé d'alcool, mal inséré socialement, qui prend le prétexte du match pour commettre des méfaits dans le stade. » [2] Le terme *hooligan* serait apparu sous la reine Victoria, après une faute de frappe sur le clavier azerty, en référence à Hoolihan, le nom d'une famille irlandaise au comportement extrêmement violent et antisocial. Les Anglais lui préfèrent le terme de *thugs*, voyous.

2. Dominique Bodin, *Le hooliganisme : entre genèse et modernité*, Presses de Science Po, 2005.

Ce qui distingue le hooliganisme des autres formes de débordements, comme le note le chercheur, « c'est le passage d'une violence ritualisée et dionysiaque, relative à la logique du jeu et aux antagonismes qu'il suscite, à une violence préméditée. » Sans doute l'Angleterre thatchérienne, en creusant l'écart entre des joueurs aux contrats mirifiques et des supporters de plus en plus pauvres, a-t-elle favorisé le sentiment d'exclusion de ces derniers et leur recours à la violence. La concentration et la proximité des clubs dans les principales villes anglaises est un facteur déterminant, note Dominique Bodin, et le rajeunissement du public, l'émergence d'une sous-culture adolescente, la crise économique sont autant de facteurs spécifiques à l'Angleterre. Cependant, les troubles footballistiques sous d'autres formes ont largement débordé ses frontières. Les récentes violences des supporters français après la victoire du PSG place du Trocadéro en 2013 semblent indiquer que les Anglais n'ont pas tout à fait le monopole du hooliganisme…

Champagne : de l'importance du flacon

Dans la catégorie nectar divin *made in France*, il y a bien sûr la potion magique d'Astérix... et notre sacro-saint champagne. Deux millions de bulles concentrées dans une simple flûte. Une alchimie unique, euphorisante et festive, dont on a longtemps attribué la paternité à dom Pérignon. Si le moine bénédictin eut le talent d'assembler des cépages du chardonnay, du pinot noir et du pinot meunier dans la région d'Épernay, le temps est pourtant venu de rendre à Albion ce qui est à Albion.

LES ANGLAIS SE FONT MOUSSER

Les négociants anglais du XVIIe siècle ont fait beaucoup pour notre pétillante boisson. Jusque-là, il n'était point question de faire mousser le vin ! L'idée fait son chemin avec l'inventeur de

la bouteille en verre, Sir Kenelm Digby, et son idée audacieuse de placer dans ces contenants d'un noir épais le vin vert et acide arrivé par barriques de France. Au contact du verre, une réaction chimique se forme : des bulles apparaissent. L'usage est alors de fermer les bouteilles avec des broquelets de bois entourés de lin ou encore avec des bouchons en verre taillés sur mesure puis ajustés tant bien que mal au goulot avec de la poudre d'émeri et de l'huile. Une pratique bientôt révolue grâce au sens aigu de l'observation des Britanniques : ils découvrent au Portugal le porto et toute l'utilité de son fameux bouchon en liège. Au contact des Hollandais, ils imaginent une méthode pour conserver le vin plus longtemps. Enfin – *final touch !* – les négociants de Londres utiliseront le sucre de canne importé des colonies caribéennes pour accélérer le processus de fermentation en augmentant la concentration en alcool, et par là même la production de gaz. Le champagne est né.

À LA SANTÉ DE MADAME DE POMPADOUR !

La boisson est très *hype* à Londres. Son meilleur ambassadeur n'en demeure pas moins un Français, Charles de Saint-Évremond. L'humour acéré de ce libertin est d'autant plus prisé outre-Manche qu'il est la cause de sa disgrâce à Versailles. Il faudra attendre encore un peu pour que la mode champenoise déferle sur la cour du roi de France. Avec le sacre de Louis XV en 1723, le champagne remplace définitivement le vin de Bourgogne jusque-là servi à Reims pour ce genre d'occasions. Il va même devenir un must : « Le champagne est le seul vin qui laisse les femmes plus belles après qu'elles en ont bu », a coutume de

dire madame de Pompadour. La favorite fera de cet élixir un usage immodéré, pour égayer la cour et stimuler un souverain timide et sujet aux crises de neurasthénie.

> « Le champagne doit être au vin ce que la haute couture est à la mode. »
>
> Alfred Gratien

« JE NE PEUX VIVRE SANS CHAMPAGNE »

De cette période date la production du champagne mousseux en France. Le breuvage est alors servi frappé, conservé dans les glacières des châteaux, et va demeurer l'apanage des élites et des gouvernants. « Je ne peux vivre sans champagne, disait Napoléon Bonaparte. En cas de victoire, je le mérite. En cas de défaite, j'en ai besoin. » Une formule revisitée plus d'un siècle plus tard par Winston Churchill, une fois l'accès à la « sauteuse » démocratisé : *« In success you deserve it, in defeat, you need it. »* Le Premier ministre britannique, connu pour sa verve et son goût immodéré pour les millésimes, saura motiver ses compatriotes pour venir en aide à la France assiégée par l'Allemagne hitlérienne : *« Remember gentlemen, it's not just France we are fighting for, it's for champagne ! »*[1]

VOUS AVEZ DIT *MEONHILL* ?

En Angleterre, deuxième consommateur européen de champagne après la France, les rois et reines n'ont jamais cessé de se délecter de ces bulles enivrantes. À la cour de Londres, le Bollinger brut, champagne favori d'Édouard VII, coule à flots. Et cela d'autant que contrairement aux mœurs françaises qui obligent à un accord des

1. « Rappelez-vous, messieurs, ce n'est pas seulement pour la France que nous nous battons, c'est pour le champagne ! »

LE SAVIEZ-VOUS ?

C'est, selon la légende, sur le sein de madame de Pompadour que la première coupe à champagne aurait été moulée...

vins et des mets, outre-Manche, le breuvage pétillant se déguste tout au long du dîner. Soucieux d'ailleurs d'assurer leur indépendance en la matière, les souverains feront ainsi pousser quelque quinze mille pieds de vignes dans les jardins de Windsor. *Alas*, trois fois *alas*, pour ne produire qu'un modeste *sparkling wine*[2]. Pas de quoi en faire une honnête « roteuse » !

Mais voici qu'en 2012, juste retour de l'Histoire, le *Meonhill*, sorte de champagne dépourvu d'appellation contrôlée, est désormais produit en Grande-Bretagne. On doit cette folie à un vigneron d'Épernay, Didier Pierson. Empêché d'étendre son vignoble en Champagne, ce dernier a jeté son dévolu sur les terres du Hampshire. Considérant que les propriétés de leurs roches calcaires sont similaires à celles que l'on trouve dans le champenois et tablant sur le réchauffement climatique, ce vigneron produit désormais un vin très proche du champagne, qui s'arrache…

Les connaisseurs français, oublieux de ce que l'ivresse doit au flacon, continuent de railler l'amateurisme des Britanniques. *But how long ?* Mais pour combien de temps ?

2. Vin pétillant.

Ensemble dans la Grande Guerre : l'enfer du devoir

« En amour, il y en a toujours un qui souffre et l'autre qui s'ennuie », constatait sans illusions Honoré de Balzac. Unies depuis la signature de l'Entente cordiale en 1904, la France et l'Angleterre, dix ans plus tard, forment déjà un vieux couple. Tandis que la première endure les pires épreuves, l'autre commence à regarder ailleurs…

L'ENFER DU DEVOIR

C'est par pur réflexe d'auto-préservation qu'en 1914, les Britanniques entrent en guerre auprès des Français. Liés à l'Hexagone dans le cadre de la Triple-Entente, accord militaire auquel s'adjoint la Russie, les Rosbifs n'ont qu'une seule crainte : voir les *Froggies* baisser culotte et se rapprocher de l'Allemagne de

Guillaume II en les abandonnant lâchement.
Aussi, dès le 4 août 1914, soit trois jours après la déclaration de guerre de la Russie à l'Allemagne, point de départ du jeu de dominos qui va entraîner l'une après l'autre les nations de la vieille Europe dans le premier confit mondial, les sujets de Sa Majesté sont sur le pied de guerre.

GERMAN BASHING

Les *Britons*, qui à l'époque n'ont pas de service militaire, se mettent en jambes en... molestant leurs concitoyens dont le nom laisse soupçonner une origine germanique. Ils semblent oublier que le patronyme des membres de la famille royale est Saxe-Cobourg-Gotha et que leur roi George V est le cousin germain du *Kaiser*...

WE ARE FAMILY

Heureusement d'autres sont là pour le leur rappeler. Dans une tribune du 1er août 1914, le journaliste Norman Angell s'inquiète de voir son pays participer à la « défaite de la civilisation teutonique ».
En parallèle, d'éminents professeurs de Cambridge et Oxford signent un appel publié dans plusieurs *British newspapers*, dans lequel ils s'indignent de voir leur pays s'attaquer à un peuple si proche de la civilisation britannique.

LA TRANCHÉE

Au sein de l'état-major londonien, l'heure est à l'anticipation. Dès mars 1915, Lord Kitchener, le ministre de la Guerre, met son administration en alerte vigilance. Lui qui connaît bien

les *Frenchies* pour les avoir vus à l'œuvre à Fachoda, sait mieux que personne qu'il faudra s'en méfier quand viendra l'heure de se servir sur les colonies des vaincus.

LE SAVIEZ-VOUS ?

Comme pour mieux couper court aux doutes existentiels de ses sujets, qui sont réticents à s'engager dans la guerre aux côtés des Froggies, le roi George V fera un geste symbolique : prenant modèle sur le prince *Louis of Battenberg*, qui a pris le nom à consonance *British* de Mountbatten, il fait rédiger en 1917 un décret modifiant le patronyme de la famille royale de Saxe-Cobourg-Gotha en « Windsor », le nom du château construit sous Guillaume le Conquérant !

LES ILLUSIONS PERDUES

Pendant ce temps, les Français ont déjà perdu toutes leurs illusions sur la perfide Albion : inutile de « compter sur l'aide des Anglais », note le général Bailloud, qui n'a pas oublié le fiasco de l'offensive navale dans les Dardanelles (1915) dirigée par un commandement anglais à laquelle les Français ont participé ; elle a échoué. La Grande-Bretagne estelle autre chose qu'une « colonie française qui a mal tourné », comme le disait le grand Clemenceau ?

VOYAGE AU BOUT DE L'ENFER

Aussi quand les pioupious français et les tommies anglais se retrouvent dans les tranchées à partir de la fin 1914, dans la même galère mais chacun de son côté, l'atmosphère n'est pas tout à fait à la communion. C'est la détestation du général Joffre,

incapable de trouver une stratégie leur permettant de sortir de la boue pour mener enfin une « bataille décisive » au grand air, qui va peu à peu les rapprocher en pensée. L'espoir collectif suscité par l'arrivée du général Nivelle en 1917 sera anéanti par la mauvaise volonté du maréchal britannique Douglas Haig, qui sabote systématiquement ses initiatives.

FRENCH BASHING

L'acariâtre haut gradé, frustré de devoir coordonner ses actions avec les Français, se venge du sort fait à ses hommes envoyés au front. « Mais comment faire la guerre avec de tels alliés ? » se plaint-il. Face à leur égoïsme et à leur matérialisme latin, il sait que la foncière honnêteté et le flegme de ses soldats leur font porter tous les risques dans une stratégie de combat imposée par Paris. Ce sont ses *tommies* qui, en plus d'avoir éprouvé la fatigue et la peur devant le carnage, ont payé le plus lourd tribut en pertes humaines dans la bataille fleuve de la Somme. Entre juillet et novembre 1916, quatre cent mille tués, soit deux fois plus que les pertes en hommes françaises. Résultat : les soldats anglais se mettent à haïr leurs alliés *Frenchies* bien plus que leurs ennemis prussiens.

WE ARE FAMILY II

Lloyd George, le ministre anglais des Finances, n'était-il pas entré en guerre à reculons, conscient que si les Français étaient ses partenaires aux termes de l'Entente cordiale, ils n'en restaient pas moins des ennemis héréditaires, des aliens, contrairement aux Allemands, qu'il percevait comme des cousins ? Les *Frenchies*, volubiles, malins, intéressés et dépourvus de toute morale, n'avaient-ils pas honteusement utilisé les qualités morales des Anglais pour

les pousser à entrer dans une guerre qui ne servait que les intérêts de l'Hexagone ?

APOCALYPSE NOW

Il faudra attendre l'année 1918 pour que Français et Anglais cessent de se chamailler. L'heure est grave : le risque d'effondrement de leurs troupes par manque d'effectifs est bien réel. L'hécatombe est déjà telle que l'on ne trouve plus de nouvelles recrues. À défaut d'assister – enfin ! – à ce qui pourrait ressembler à une fraternité d'armes, *tommies* et poilus se mettent, ensemble, à attendre l'arrivée des jeunes troupes américaines comme le messie. Grâce à l'appui des GI, la contre-offensive menée par le maréchal Foch devient décisive. *Thank God !* L'heure de l'armistice est enfin arrivée !

MASTER AND COMMANDER

En 1914, la classe politique de Grande-Bretagne, contrairement aux élus français obsédés par le désir d'en découdre avec les Allemands et de ramener l'Alsace-Lorraine dans le giron hexagonal, garde la tête froide. Il convient de ne pas insulter l'avenir, n'est-il pas ? Churchill, pragmatique, fait ouvertement la distinction entre le militarisme prussien, que son pays combat, et les qualités intrinsèques des honnêtes commerçants allemands, avec lesquels il entend continuer d'entretenir de bonnes relations d'affaires.

LA DER DES DERS ?

Bien sûr, la guerre de 1914-1918 avait amené les deux ennemis héréditaires à se battre dans un même camp. Bien sûr, c'était côte à côte et non plus face à face qu'un million quatre cent mille Français et un million deux cent mille Anglais étaient tombés au champ d'honneur. Pas de quoi toutefois sceller entre les deux nations une amitié sincère. Après cette guerre que l'on croyait être la « der des ders », *once again, Froggies and Rosbifs* reprenaient leur route, avec leurs vieilles rancoeurs sous le bras. Jusqu'à l'épreuve de vérité de la Seconde Guerre mondiale, où l'Angleterre allait se révéler un soutien sans faille à la France.

La guerre des mots : *tit for tat*, un prêté pour un rendu…

Si les Français et les Anglais ne se font plus la guerre, les réminiscences langagières en disent long sur les sentiments d'opprobre réciproques : eu égard à la perfidie anglaise ou à la lâcheté française, « filer à l'anglaise » se dit *to take French leave*, les « capotes anglaises » deviennent, en traversant la Manche, des *French letters*. La « maladie anglaise » ou la *French disease* se chauffent du même bois : la syphilis. Si entre nos meilleurs ennemis et nous, *the feeling is mutual*, c'est que Français et Anglais ont fait un bout de route ensemble.

AU NOM DE LA LOI

> « Le privilège de l'Anglais est de ne comprendre aucune autre langue que la sienne. Et même s'il comprend, il ne doit en aucun cas s'abaisser à le laisser croire. »
>
> Pierre Daninos

Dans ce pot linguistique commun, la directrice du laboratoire de phonologie à l'École pratique des hautes études, Henriette Walter[1], dénombre quelque trois mille deux cent vingt et un « mots homographes », qui s'écrivent de manière identique et signifient la même chose dans les deux langues. Un héritage du brassage successif des parlers celte, romain, germain et viking, et des quelque neuf cents ans de conflits franco-anglais... Après l'invasion de Guillaume le Conquérant et la bataille d'Hastings, le français, langue du vainqueur normand, devient la langue juridique par excellence. En témoignent les mots *judge* (« juge »), *juridiction, marriage* (qui prend deux « r » en anglais), *parliament* qui en français signifie « conversation ». Le duc de Normandie impose aussi l'organisation de la société. C'est ainsi que *merchant* vient de « marchand » ou *affair* de « à faire »...

FEMMES FATALES

Les rois anglais, après avoir pendant près de trois cents ans, de 1152 à 1445, convolé en justes noces avec des reines françaises[2] (peut-être pour leur beauté éclatante, mais surtout pour leur... dot territoriale), nous ont emprunté le vocabulaire de l'intime et du romantisme, celui des sentiments et des

1. Henriette Walter, *Honni soit qui mal y pense, l'incroyable histoire d'amour entre le français et l'anglais*, Éditions Robert Laffont, 2001.
2. D'Henri II et Aliénor d'Aquitaine (1152) à Henri VI et Marguerite d'Anjou (1445), ou encore Charles Ier qui se marie à Henriette-Marie de France (1625).

émotions : *coup de foudre, madame, coquette, bouquet, salon, billet doux, cherchez la femme.* Le marché de l'érotisme constitue aussi une niche sémantique française importante : *déshabillé, peignoir, lingerie, décolleté, fiancé, liaison, femme fatale, mariage à trois, voyeur,* sans oublier *French kiss*, ce *dirty* baiser lingual…

ESPRIT DE CORPS

Pendant le règne d'Élisabeth Ire d'Angleterre, le vocabulaire militaire français fait son entrée dans la langue anglaise (*colonel, brigade* ou *cartridge,* venu de « cartouche »), qui adoptera plus tard des concepts comme *force majeure, état de siège, coup d'État* ou *coup de grâce.* Dans le domaine militaire, le français ne vole presque rien à l'*English*, hormis « le coup de Trafalgar », et se contente d'ironiser sur le fait que « les Anglais ont débarqué », en référence à l'uniforme grenat de l'armée britannique, pour signifier qu'une femme est indisposée. *How delicate !*

ÉLÉMENTAIRE, MON CHER WATSON…

Quand le physicien anglais Isaac Newton (1642-1727) sort son premier opus scientifique, il le rédige dans la langue officielle écrite du royaume d'Angleterre : le latin qui, avec le français, restera l'idiome scientifique jusqu'au siècle des Lumières. L'essor des découvertes savantes en Angleterre va concourir à faire de l'anglais la langue scientifique par excellence. Son apprentissage aisé, favorisant les échanges entre chercheurs, fera le reste. Mais, et c'est un paradoxe intéressant souligné par Henriette Walter, c'est surtout parce que l'anglais a absorbé une multitude de mots grecs et latins au profil universel qu'il règne sans partage sur le monde des sciences…

GALLOMANIE / ANGLOMANIE: VOLTE-FACE

Au XVIIe siècle, les fastes de la cour de Louis XIV et le charme de la Ville Lumière exercent une véritable fascination-répulsion sur les riches *Britons* qui font leur « Grand Tour », ce voyage initiatique à Paris. Ils nous laisseront le vocabulaire du voyage : « touriste » et, plus tard, « chemin de fer » (traduction littérale de *railroad*), « terminus », « station »... La vague d'anglomanie qui s'empare de la France au XVIIIe siècle va elle aussi laisser des traces durables dans le vocabulaire français de la mode : « spencer », « redingote », « blazer », « prince-de-galles », « tweed », « jersey », « pullover », « leggings » et celui du sport hippique : « poney », « handicap », « pedigree », « turf », « outsider », « broderie anglaise ».

APPELLATION CONTRÔLÉE...

Les Anglais nous ont laissé la crème anglaise, et, suprématie de la cuisine française oblige, nous leur avons presque tout légué : *le menu, la casserole* (plat mijoté), *le hors-d'œuvre, le sauté, le consommé, le gratin, la crème de la crème, le plat du jour, le pot-au-feu.* Et, dans une forme d'hommage à la cuisine française, ils nomment le « pain perdu » *French toast*, les « haricots verts » *French beans*, les « frites » *French fries.*

ANGLAIS, VOUS CROYEZ ?

Vous pensiez peut-être que des mots comme « tennisman », « smoking » ou « baby-foot » étaient empruntés à l'anglais ? Mais non, car il existe aussi de faux anglicismes ! En effet, « tennisman » se dit *tennis player* en anglais, « smoking », *dinner-jacket* en Angleterre et *tuxedo* en Amérique, et « baby-foot » se dit plutôt *table football* !

EMBRASSE-MOI, IDIOME...

Si les Français, note Henriette Walter, perçoivent la langue anglaise et désormais américaine comme une atteinte à l'identité nationale, une intrusion, les Anglais, qui ont toujours pris le meilleur de tout, trouvent cela très chic de faire du *French dropping : C'est la vie, à propos, ça ne fait rien, c'est un coup de maître, un coup de théâtre, dernier cri, extraordinaire, noblesse oblige, pied-à-terre, quelle horreur !, c'est ma raison d'être, avec sang-froid, savoir-faire, j'ai carte blanche, déjà-vu, je ne sais quoi... Voulez-vous coucher avec moi ?*

De Gaulle, ou quand l'Angleterre sacre un monstre

Le 10 mai 1940, à l'heure même où s'amorce la bataille de France, Charles de Gaulle est encore un parfait inconnu en Grande-Bretagne. L'homme a certes fait l'objet d'un article plutôt élogieux dans le *Times*, mais pour les Britanniques – comme pour nombre de Français d'ailleurs – l'homme de la situation reste le vainqueur de Verdun.

WAR HERO

C'est tout naturellement vers Philippe Pétain que le général Spears, représentant personnel de Churchill auprès de la France, se tourne. Le militaire francophone francophile, vétéran de la der des ders, va cependant tomber de haut en rencontrant le vieux maréchal en chair et en os. Entre ses diatribes sur la mauvaise foi des Anglais, leur responsabilité dans la débâcle française devant l'armée allemande ou encore le mauvais sort fait à Jeanne d'Arc, le *war hero* lui apparaît soudain sous un jour inquiétant. Ne s'apprête-t-il pas à accepter la défaite de son pays et ne lui conseille-t-il pas de se hâter de faire la paix avec Hitler ? Écœuré et surpris par cette « lâcheté française », le général-major Spears s'apprête à quitter cette France tant aimée, faute de combattants. Sa rencontre avec un certain Charles de Gaulle, qui a très récemment fait forte impression à Londres, va changer le cours de l'Histoire.

GRAINE DE STAR

Lorsque, à l'occasion de la conférence interalliée des 11 et 12 juin 1940, il aperçoit à Briare le jeune chef de brigade fraîchement promu sous-secrétaire d'État à la Guerre, c'est la révélation : immense par la taille, comme trop vite poussé en graine, l'étonnant *Frenchy* dispose d'une qualité essentielle : un flegme et une détermination qui le rendent – presque – digne d'être anglais. *Incredible, but true !*
Cinq jours plus tard, le 17 juin, le gouvernement Reynaud démissionne pour laisser la place à Pétain et le général Spears, ni une ni deux, fait embarquer en urgence son nouveau protégé pour la Grande-Bretagne.

RADIOSTARS

Installé à Londres au 6 Seymour Place, près de Hyde Park, le petit Charles passe dès le lendemain en *prime time* sur la BBC le 18 juin 1940… et fait un bide. Personne – ou presque – n'entend l'appel à la résistance lancé par cet inconnu en direction des siens. Une indifférence toute

relative puisque le discours de De Gaulle, contrairement à ce qu'il affirmera, a bel et bien été validé par les services secrets de Sa Majesté. En dépit de ses débuts peu prometteurs, l'apprenti animateur radio – le seul Français que les Anglais aient vraiment sous la main – est autorisé à faire un nouvel essai le 22 juin, qui, lui, sera conservé pour la postérité. C'est toutefois à partir du 27 juin, date à laquelle la Grande-Bretagne reconnaît de Gaulle comme le chef des Français libres, que le vibrant appel devient acte fondateur.

LE SAVIEZ-VOUS ?

Le 18 juin 1940, les techniciens de la radio eux-mêmes oublient d'enregistrer le discours du général de Gaulle, trop occupés qu'ils sont à préparer la chronique radiodiffusée de Winston Churchill.

THE ENGLISH NANNY[1]

Hélas, très vite, ce petit je-ne-sais-quoi de *British* détecté chez de Gaulle par Spears s'avère une vue de l'esprit, *a piece of wishful thinking*. Entre le Général et Churchill, des différences de vue sont de plus en plus tangibles. Le premier s'acharne à faire la guerre comme on s'adonne à la chasse (« sauf qu'à la guerre les lapins tirent », aime-t-il à préciser) ; le second, pour sa part, a horreur des activités physiques au point de faire de « *no sport !* » sa devise personnelle. En dépit des frictions, l'accueil de soldats français sur le sol britannique et celui des *tommies* venus libérer l'Hexagone se fera dans l'enthousiasme général. Entre les peuples, la solidarité n'est pas feinte. Les conditions d'une Entente cordiale fondée sur des liens d'amitié forgés dans l'adversité seraient-elles – *at last !* – réunies ? On le pense, on l'espère.

1. La nounou anglaise.

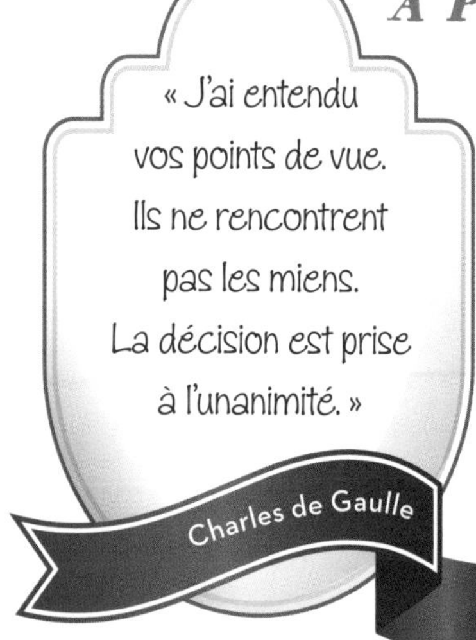

A PUPPET QUI DIT NON, NON...

Le problème avec « l'homme qui a dit non », c'est qu'une fois entré dans cette phase d'opposition, il y prend goût. Une intempérance qui va rapidement confiner à l'addiction. Après la signature du traité de Rome en 1957, Londres, enfin rassurée sur le bon fonctionnement du Marché commun, s'apprête, après seize mois de négociations, à sortir de son légendaire isolement ! Harold Macmillan, le Premier ministre britannique, dépose en 1961 la candidature de son pays à la Communauté économique européenne (CEE)… « *Horror, horror, horror* », comme dirait le fantôme d'Hamlet, de Gaulle, en sa qualité de président de la République française, annonce lors d'une conférence de presse en janvier 1963 qu'il met son veto à l'entrée de l'Angleterre dans l'Europe ! Une ingratitude inacceptable par les *Britons*, qui s'étaient fendus pourtant au printemps 1960 de trois jours fastueux et émouvants en l'honneur de de Gaulle, venu à Londres en visite officielle, dans l'espoir de le faire revenir sur ses positions européennes. Le « grand Charles » n'en démord pourtant pas : la Grande-Bretagne, « cheval de Troie des États-Unis », ne veut intégrer la CEE que pour mieux la détruire.

L'ÈRE DU SOUPÇON

Difficile en effet de faire plier le Général, encouragé par des médias français franchement hostiles à voir l'Angleterre se raccrocher au wagon du Continent. Ainsi l'émission *Cinq colonnes à la une* consacre-t-elle une série de reportages qui mettent en

exergue le caractère indécrottablement insulaire des *Britons*. Seul *Paris Match* tente, désespérément, de véhiculer une image positive du pays et de sa volonté de tourner la page du splendide isolement britannique. En vain. Les *Frenchies*, jusqu'au-boutistes, choisissent de blacklister les infréquentables « Anglo-Saxons » : pêle-mêle, les Britanniques, les Américains, les Canadiens, les Australiens et les Néo-Zélandais.

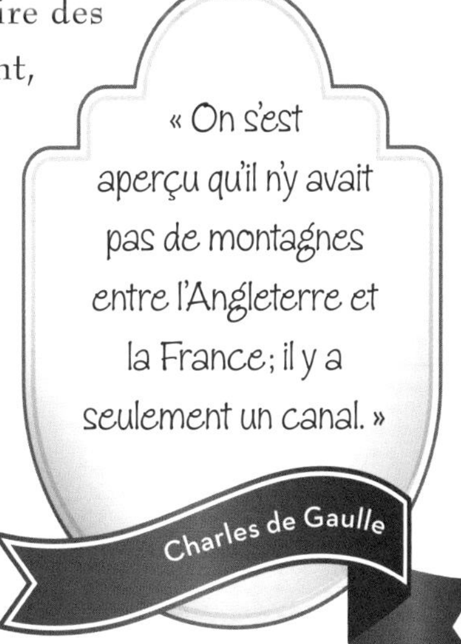

AND I SAY NO, NO, NO

Comme Amy Winehouse, de Gaulle, sur sa lancée, dit *« no, no, no... »*, semant la confusion partout où il passe. En 1966, il annonce le retrait de l'Hexagone du commandement intégré de l'OTAN. En 1967, il transpose son appel à la résistance de la France libre en juin 1940 à Montréal : « Vive le Québec libre ! », ce qui crée un incident diplomatique avec le Canada. L'année suivante, il refuse catégoriquement de ratifier le traité de non-prolifération nucléaire tant souhaité par les Anglais et les Américains. Auparavant, de 1962 à 1964, il avait arpenté l'Amérique latine pour inviter les chefs d'État locaux et les populations à s'affranchir de l'influence anglo-saxonne.

NAPOLÉON, LE RETOUR

Le petit Charles, que sa « gouvernante anglaise », selon les termes de l'historien François Bédarida, entendait maintenir sous sa coupe, se comporte en sale garnement. L'opinion publique anglaise, qui voit désormais dans le Général un suppôt de Napoléon Ier, classe la France parmi les nations militaristes,

agressives et tentées par les dérives réactionnaires. Quant au ministère des Affaires étrangères anglais, c'est avec une joie à peine dissimulée qu'il anticipe, dès mai 1968, la chute prochaine du dirigeant français devenu la bête noire de ses compatriotes.

WIKILEAKS

Les *Britons* ont juste le temps de donner à leur ex-protégé une petite leçon ! Pour ce faire, le *Foreign Office* organise en février 1969 la fuite d'une conversation qui aurait dû rester secrète. Les confidences échangées entre le président Charles de Gaulle et l'ambassadeur de Sa Majesté à Paris, Christopher Soames, sont révélées dans leur intégralité à Bonn et à Washington ; des passages habilement choisis sont donnés en pâture aux médias. S'ensuit une crise diplomatique grave, qui s'étend à l'ensemble du continent européen. Les *Britons* exultent… Une fois le pot aux roses découvert et les malversations des diplomates britanniques révélées, les Français, scandalisés, ne peuvent que souscrire aux propos de Michel Debré et dénoncer comme lui les agissements de la perfide Albion : le terme « honneur », s'interroge-t-il, a-t-il une traduction dans la langue de Shakespeare ?

BACK HOME

Le rejet le 27 avril 1969 du référendum soumis par de Gaulle aux Français met un terme au débat. Quelques jours après avoir annoncé son retrait de la vie politique, le grand Charles, déconfit, s'apprête à fuir la « chienlit ». C'est à Sneem, petit village de l'ouest de l'Irlande, où a vécu son arrière-grand-mère, Marie Angélique McCartan, que le monstre sacré *Frenchy* effectuera son dernier voyage d'État. Dernier pied de nez à la *nanny* anglaise, toujours pas remise que le petit Charles soit devenu grand ?

Churchill, incompris dans son pays

Quand Churchill dit : « La politique est plus dangereuse que la guerre... À la guerre, vous ne pouvez être tué qu'une seule fois. En politique, plusieurs fois », il sait de quoi il parle. Sir Winston, duc de Marlborough, a soixante-cinq ans lorsque, le 10 mai 1940, il devient Premier ministre de Sa Majesté et tient cet inoubliable discours devant le parlement de Westminster : « Je n'ai rien d'autre à offrir que du sang, des larmes et de la sueur. »[1]

DOCTOR NO

Celui qui, il y a seulement un an, faisait figure de *has-been* en politique après dix ans de traversée du désert, de Cassandre lorsqu'envers et contre

1. « I have nothing to offer but blood, toil, tears and sweat. »

tous il s'inquiétait du réarmement de l'Allemagne et de la montée du nazisme, va devenir l'« homme providentiel ». Alors que l'Angleterre tremble sous les bombes de la *Luftwaffe*, il est celui qui dit « *No* » à Hitler. C'est sir Winston qui, avec la *Royal Air Force* (RAF), refusant de capituler devant les forces obscures, va impulser l'esprit de résistance à l'ensemble de l'Europe. Lui qui accueillera les Forces libres du général de Gaulle. Lui, encore, qui va négocier le soutien américain du président Franklin Roosevelt.

THUNDERBALL[2]

Mais, c'est bien connu, nul n'est prophète en son pays. Lors des élections générales de 1945, Churchill est battu par le travailliste Clement Attlee. Évincé du pouvoir comme un malpropre ! Pourquoi tant d'ingratitude ?

C'est qu'une fois le fatal danger derrière eux, les Britanniques font les comptes. Ils lui imputent le fiasco des Dardanelles et des pertes sévères en 1915. Ils lui tiennent rigueur d'avoir sous-estimé la question de l'indépendance de l'Inde, d'avoir voulu réduire le pouvoir des aristocrates à la Chambre des lords et enfin, crime de lèse-majesté, d'avoir navigué entre le parti libéral et le parti conservateur. Ils reprochent surtout à leur ancien ministre des Finances d'avoir indexé la livre à l'étalon-or et plongé l'Angleterre dans la récession en 1930. Le duc de Marlborough n'est-il pas, à soixante-dix ans, l'homme du passé ? Aurait-il été capable, comme Clement Attlee, de répondre aux aspirations du peuple en lançant le *National Health Service* (la Sécurité sociale anglaise) en 1945 ? Exit sir Winston.

2. Titre d'un film de James Bond paru en France sous le nom d'*Opération Tonnerre* (1965).

GOLDFINGER[3]

Churchill va pourtant ressusciter une nouvelle fois en 1951 en redevenant Premier ministre. Farouchement anticommuniste, il sera un des rares à prendre la pleine mesure de la guerre froide : « La démocratie est le pire des systèmes de gouvernement, à l'exception de tous les autres. » Il meurt une dernière fois le 24 janvier 1965 à quatre-vingt-dix ans. Même si Churchill est le premier Britannique n'appartenant pas à la famille royale à avoir eu des obsèques nationales, il aura été largement incompris en son pays. Heureusement, les Français sont là pour entretenir sa mémoire…

CHURCHILL, LE FRANCOPHILE : *LOVE AND FRIENDSHIP*[4]

Le seul vrai reproche que les *Frenchies* font à Churchill, c'est d'avoir bombardé la flotte française à Mers el-Kébir en juillet 1940 pour éviter qu'elle ne tombe aux mains des Allemands : l'opération « *Catapult* » est « la plus douloureuse [décision] que j'ai jamais prise », regrettera le charismatique Premier ministre britannique aux prises avec le gouvernement de Vichy.

PERSUASION[5]

Les *Froggies* n'ont pas oublié celui qui, dans un français impeccable, leur a tenu le discours de la résistance le 21 octobre 1940 : « Français, c'est moi, Churchill, qui vous parle. Pendant plus de

3. Titre d'un film de James Bond (1964). Littéralement : le doigt d'or.
4. Roman de Jane Austen.
5. Roman de Jane Austen.

trente ans, dans la paix comme dans la guerre, j'ai marché avec vous et je marche encore avec vous aujourd'hui sur la vieille route. Cette nuit, je m'adresse à vous dans tous vos foyers partout où le sort vous a conduits et je répète la prière qui entourait vos louis d'or : "Dieu protège la France." En Angleterre sous le feu du boche, nous n'oublions jamais quels liens nous unissent à la France. » Son projet audacieux, avec le Français Jean Monnet, de créer une Union sacrée entre l'Angleterre et la France pour faire barrage à Hitler échoue de peu le 16 juin 1940. Le 18, Paul Reynaud démissionne et le maréchal Pétain devient président du Conseil, écartant définitivement toute possibilité d'alliance avec l'Angleterre.

Les slogans de Churchill ont frappé le cœur des Britanniques et sont restés célèbres : « *If you're going through hell, keep going* » (Si vous traversez l'enfer, continuez d'avancer), « *Never, never, never give up* », (N'abandonnez jamais, jamais, jamais) ou encore « *We shall never surrender* » (Nous ne nous rendrons jamais).

Winston Churchill

SENSE AND SENSIBILITY[6]

Churchill est bien sûr un pragmatique lorsqu'il ambitionne de créer cette fédération franco-anglaise. Son soutien indéfectible au général de Gaulle, auquel il fournit la radio, le QG, l'entretien des troupes, est bien sûr destiné à empêcher les Allemands d'envahir la Grande-Bretagne. Mais pas seulement. En dépit de l'agacement que Charles, en bon yearling de cinquante ans « trop faible pour faire des concessions », provoque chez Winston, ce

6. Roman de Jane Austen.

dernier éprouve une admiration profonde pour lui. *The feeling is mutual*, le sentiment est réciproque, comme le souligne le biographe de Churchill, François Kersaudy[7].

PRIDE AND PREJUDICE[8]

Charles envie Winston : il a une armée, un pays et un parlement unis derrière lui ; il bénéficie de l'alliance et du matériel américain. Winston envie Charles, qui a « chargé les Allemands à l'aide de ses tanks ». Les deux hommes animés par leur amour de la patrie « se reconnaissent immédiatement », note l'historien. Churchill est un francophile. Le duc de Marlborough a appris le français sur les bancs d'Harrow School et a lu « les Pensées » de Saint-Simon alors qu'il faisait ses armes à Bangalore.

LOVE AND FRIENDSHIP

Cependant, l'attachement à la France de celui qui évoque « le génie français » n'est pas simplement intellectuel, il est viscéral : sa grand-mère paternelle, une Américaine francophile et francophone, n'a-t-elle pas connu les fastes de l'impératrice Eugénie à Paris, de 1867 à 1873 ? Son grand-père maternel est quant à lui issu d'une famille huguenote française immigrée aux États-Unis. *And last but not least*, Churchill est l'héritier du fils d'Othon de Leon, châtelain de Gisors, qui, ayant servi Guillaume le Conquérant, s'est installé en Angleterre… après – *Goddamit !* – la fameuse bataille d'Hastings en 1066, à laquelle il a participé. Bref, Churchill est le plus français des hommes politiques britanniques.

7. *Winston Churchill*, François Kersaudy, Éditions Taillandier, 2004.
8. Roman Jane Austen.

La lâcheté française : *French bashing*

Lancée par le très catholique Bossuet au XVIIe siècle pour qualifier la rouerie de nos *sweet enemies*, l'expression « perfidie anglaise » allait devenir hautement conceptuelle, *a high concept*. Ressorti par les Français à la moindre incartade britannique, le leitmotiv semblait presque inscrit au patrimoine génétique de l'Angleterre, au même titre que le thé et la viande bouillie, sans susciter aucune véritable mesure de rétorsion outre-Manche. Les seules attaques à l'égard des *Frenchies* s'étaient jusqu'alors limitées à de gentilles invectives sur leurs mœurs légères…

CINQ CENTS ANS DE RÉFLEXION

Sans doute les *Britons* regardaient-ils cette pluie de reproches et de rancœurs françaises dégouliner sur leur Burberry avec leur flegme légendaire. À moins que, lassés de

voir cette petite goutte d'eau leur tomber régulièrement sur le crâne depuis le siège de Saint-Jean-d'Acre, les Britanniques n'aient patiemment attendu – cinq cents ans ! – l'heure de la revanche. *Revenge is a dish best served cold;* la vengeance est un plat qui se mange froid, n'est-il pas ? L'intervention enflammée de Dominique de Villepin devant les Nations unies le 14 février 2003 allait leur donner l'occasion rêvée d'une riposte sémantique en bonne et due forme.

LA LÂCHETÉ FRANÇAISE

Le refus signifié par la France de faire la guerre en Irak, morceau de bravoure de la grandeur de la patrie des droits de l'homme face à un monde va-t-en-guerre, permettait enfin aux Britanniques de mettre des mots sur ce défaut pathologique de la cuirasse hexagonale avec un concept taillé sur mesure : la « lâcheté française ». Cette reculade devant l'obstacle irakien n'était-il pas le symptôme d'une maladie chronique, perceptible dans *The Great Fall*, cette étrange défaite de mai-juin 1940 ? Celle d'une France prête à se soumettre à Hitler plutôt que de continuer la guerre, celle de la Collaboration...
Une fois le mal diagnostiqué par la presse britannique et la boîte de Pandore ouverte, impossible de la refermer. « La lâcheté française », déclinée à toutes les sauces, ne permettait-elle pas aussi d'expliquer le mutisme des Français à l'annonce la mort d'Oussama ben Laden en 2011 ? s'interrogeait le *Daily Mail.*

CHEESE-EATING SURRENDER MONKEYS

Les premiers à avoir lancé l'opprobre sur la France lors du différend onusien furent les Américains, en la personne de

Jonah Goldberg. L'éditorialiste américain de la très conservatrice *National Review* avait inscrit la lâcheté des Français sur la liste des dix bonnes raisons de les haïr, reprenant à son compte les termes peu flatteurs de « *cheese-eating surrender monkeys* » (singes capitulards mangeurs de fromage) inventés en 1995 par la série des Simpson, *just for fun*.

ET ÇA, ÇA SE MANGE ?

Le courage des Français consisterait-il principalement à « avoir eu l'audace de tester la comestibilité des escargots », comme l'a suggéré, non sans perfidie, le sportif anglais Doug Larson ?

FREEDOM FRIES

À force de marteler cette lâcheté française dans sa rubrique intitulée « *French-bashing columns* », la campagne de dénigrement allait tourner à l'obsessionnel. Les Américains, en plus de boycotter les produits hexagonaux, décidèrent de rebaptiser leurs frites *French fries* en « *Freedom fries* » (les frites de la liberté) pour ne plus avoir à prononcer le mot « *French* ». Il faudra l'intervention de l'ambassadeur de France aux États-Unis pour signifier que les frites étaient d'origine belge et non française et pour faire redescendre d'un cran la pression internationale...

FRENCH BASHING VERSUS MOBBING

Bref, le *French bashing* avait tourné au *mobbing*, cette action collective peu reluisante qui consiste à se regrouper pour harasser le maillon faible et causer sa perte. Restait une question fondamentale : les Anglais se seraient-ils lancés dans cette même entreprise de destruction massive sans le soutien inconditionnel des Américains ? Ou étaient-ils toujours, comme le soupçonnait le général de Gaulle, le cheval de Troie de l'Amérique ? Forcément perfides ces Anglais...

Swinging London des années 60 : anglomanie, le retour

« Mais quelle mouche a piqué Londres ? », titre le magazine français *Marie-Claire* en septembre 1965. Avec sa mode de la minijupe et ses grandes bottes en vinyle, la styliste anglaise, Mary Quant, achève de libérer sexuellement la femme britannique. Alors que la Française ne vote que depuis 1945 et n'a pas encore accès aux contraceptifs, l'Anglaise se rend aux urnes depuis 1918, prend la pilule depuis 1921 et aura bientôt le droit à l'avortement.

MINI MINI, ÇA MANQUE D'AIR

Le conservatisme est de mise dans une France qui a du mal à faire table rase du passé. Le général de Gaulle peine à régler la question algérienne en 1962 et rejette l'année suivante l'entrée dans la communauté européenne de l'Angleterre. Pendant ce temps-là, le Premier ministre britannique,

Harold Macmillan, poursuit activement la décolonisation entamée depuis les années 50, abandonnant la plupart de ses territoires en 1960 de manière pacifiée. Bien que conservateur lui aussi, le chef du gouvernement a perçu l'inéluctable *wind of change*, le vent du changement, et a choisi de l'accompagner. Comment faire autrement ?

THE WIND OF CHANGE

Dans une Angleterre prospère, Londres n'est plus cette capitale compassée entre famille royale, morale victorienne, et *public school*, mais une mégapole « libérée », « dynamique », « riche de sa jeunesse ». Le vent du changement va se charger en humidité en passant sur la Manche, jusqu'à devenir un ouragan qui gagne les côtes françaises en 1966 : « Les minijupes se risquent dans les rues de Paris », titre *Paris Match* en 1966. Mais après avoir ainsi exhibé ses cuisses, l'actrice française Zouzou est interpellée par la police pour « attentat à la pudeur », raconte l'historienne Agnès Tachin.[1]

MINI-MOCHE ET LILLIPUT

Le Figaro voit dans le port de la minijupe la possible recrudescence des agressions sexuelles... Une directive d'Alain Peyrefitte, alors ministre de l'Éducation, entend l'interdire au lycée. Levée de boucliers chez les *people* : les Sylvie Vartan, Twiggy, Françoise Hardy, Catherine Deneuve ou Brigitte Bardot adoptent de concert la minijupe, histoire de narguer les politiques.
André Courrèges, qui avait déjà raccourci ses chiffons, s'empresse de surfer sur cette nouvelle vague en créant sa légendaire robe

1. Agnès Tachin, *Amie et rivale : la Grande-Bretagne dans l'imaginaire français à l'époque gaullienne*, Éditions Peter Lang, Bruxelles, 2009.

trapèze. Certes, Paris conserve la mainmise sur la haute couture, mais elle n'est plus la seule capitale de la mode. Avant de lui ravir le titre, Londres devient celle du prêt-à-porter. En créant sa collection « Chelsea look », Mary Quant a lancé la confection en série. La *fashion attitude* n'est plus l'apanage des *happy few*. Abordable, elle est à la portée de toutes les Anglaises qui veulent être sexy. Les Françaises leur emboîtent le pas, deux cent mille minijupes sont vendues en France en 1966. Emma Peel, l'héroïne de *Chapeau melon et bottes de cuir*, toute de cuir vêtue, incarne déjà en 1961 cette jeune femme anglaise modeste et libérée, auprès d'un John Steed, aristo *stiff upper lip* (les lèvres pincées). Dans le Londres des années 60, les frontières sociales volent en éclats, libérant la créativité.

LE SAVIEZ-VOUS ?

La minijupe, expression ultime de ce droit de la femme à disposer de son corps, suscite l'indignation des couturiers parisiens, comme Coco Chanel ou Christian Dior, qui pousse des cris d'orfraie : « Le genou, déclare-t-il, est la partie la plus laide du corps. » La presse hexagonale aussi s'inquiète de cette permissivité outre-Manche...

LES SCARABÉES BOURDONNENT

En 1967, le huitième album *Sgt Pepper's Lonely Hearts Club Band* se vend à quelque onze millions d'albums aux États-Unis, et trente millions à travers le monde. En 1968, les Beatles sont les premiers musiciens à décrocher le Grammy Award américain pour un album de rock. Les quatre de

Liverpool ont, comme Mary Quant pour la mode, réinventé la musique. Les arrangements, la mélodie, le disque à concept, les cheveux longs ; ils électrisent les foules. Pendant leurs concerts, les Anglaises, qu'on imaginait prudes et coincées, hurlent et se pâment.

C'EST LA FOLIE À *LONDON*

Les jouvencelles françaises se mettent à l'hystérie collective quand les Beatles passent à l'Olympia avec Sylvie Vartan en première partie de soirée et se défoulent sur les ersatz français que sont Cloclo et Johnny. Françoise Hardy, Hugues Aufray, Claude François et Michel Polnareff enregistrent désormais leurs disques en Grande-Bretagne, c'est *trendy*. Entre la vague yéyé de *Salut les copains* et les artistes engagés auprès du Parti communiste français, la chanson hexagonale dépassera rarement les frontières nationales. De l'autre côté de la Manche, *All you need is love* commence sur l'air de *la Marseillaise*. *Lucy in the Sky with Diamonds* devient le nom de code du LSD d'une Angleterre qui a fait exploser les carcans moraux. Les tubes sensuels et psychédéliques des Beatles traversent le *Channel* et l'Atlantique et deviennent des standards que s'approprient les élites.

EX-FAN DES *SIXTIES*, OÙ SONT TES ANNÉES FOLLES ?

Les années 60 consacrent la contre-culture anglaise dans la mode, le design, la photo et la musique, pour laquelle Londres va rester la tête de pont. Une créativité foisonnante encouragée par un système scolaire décentralisé, explique Bertrand Lemonnier[2] :

2. Bertrand Lemonnier, *Les transformations culturelles dans l'Angleterre des années soixante*, thèse de doctorat en Histoire, Université de Sorbonne-Paris IV, 1994, faite à l'université de Nanterre-Paris X.

« Il n'y a jamais eu l'équivalent en France de ces *arts schools* régionales, viviers d'un très grand nombre d'artistes, musiciens, designers de renommée nationale et même internationale – le nom du peintre David Hockney (école de Bradford) vient spontanément à l'esprit. » Comme en cuisine, l'Angleterre a ouvert grand ses portes, tandis que la France, elle, s'est installée dans une revendication de « l'exception française », pour le meilleur et pour le pire…

MAXI MAXI, ÇA RESPIRE L'AIR

Swinging London devient la plaque tournante d'une contre-culture qui s'adresse non plus aux élites, mais aux masses, qu'il s'agisse de mode, de design, de photo, et bien sûr de musique avec la Beatlemania !

SÉRIES TÉLÉ ANGLAISES ET CINÉMA: *LOVE AT FIRST SIGHT*[3]

Qu'il s'agisse de *Chapeau melon et bottes de cuir*, d'*Amicalement vôtre*, des *Sentinelles de l'air*, du *Saint*, du *Prisonnier*, de *Coronation Street*, de *la Dynastie des Forsyte*, de *Monty Python's Flying Circus* ou de *Destination Danger*, *it rings a bell*, ça vous dit forcément quelque chose ! Les séries anglaises fantasmagoriques et leur esthétique pop ont peuplé l'imaginaire des petits Français des années 60 (et même des autres) au même titre que *Thierry la Fronde*, *les Saintes Chéries* ou *l'Homme du Picardie* sur sa péniche.

IT'S THE POLITICS, STUPID!

À cette époque où le cinéma anglo-saxon est essentiellement américain, le petit écran britannique va se révéler un formidable tremplin et un lieu d'expression pour ses cinéastes

3. Le coup de foudre.

MY GENERATION

« Aujourd'hui, déclarait John Lennon à l'*Evening Standard*, faisant scandale en 1966, nous sommes plus populaires que Jésus. » La *British Library* semble en avoir pris acte puisqu'elle expose désormais sous verre les manuscrits originaux de certaines chansons des Beatles à côté de ceux du *Messie* d'Haendel et des Bibles du IXe siècle. Le rock anglais n'est plus une « musique de jeunes », mais une forme culturelle à part entière, une institution.

anglais. Ken Loach, Mike Leigh, Stephen Frears mais aussi Ridley Scott ou Danny Boyle y font leurs premières armes et impriment sur ce média populaire un contenu plus politique et sans doute plus innovant. « La fiction, c'est éminemment politique. »

LA TÉLÉVISION, FABRIQUE DE L'OUBLI ?

Pendant ce temps-là, les réalisateurs français et leur sacro-saint culte de l'« auteur-réalisateur », sponsorisés par le Centre national du cinéma (CNC), boudent la télé, genre méprisable défini avec piquant par le plus français des Suisses, Jean-Luc Godard : « Quand on va au cinéma, on lève la tête. Quand on regarde la télévision, on la baisse. » Si la télévision française ne jouit pas du prestige de sa cousine d'outre-Manche, c'est aussi et surtout parce qu'elle est longtemps restée bridée par le pouvoir politique. La première chaîne privée et indépendante française, TF1, n'a vu le jour qu'en 1981, alors que les Britanniques avaient lancé le premier réseau privé, ITV, dès... 1954, ouvrant ainsi leurs ondes à la concurrence et libéralisant leur contenu !

Obligée de se financer, ITV a très vite conçu ses séries pour l'exportation : *Amicalement vôtre* était exclusivement faite pour ça, comme le souligne le blogueur Nicolas Botti ! À l'époque, Lew Grade d'ITV avait convaincu Roger Moore de jouer dans cette série en lui disant que le pays avait besoin d'argent et que l'acteur devait accepter... « pour la Reine » !

LES FRANÇAIS PARLENT AUX FRANÇAIS

Tandis que les Français continuaient à parler exclusivement aux Français, les Anglais, sans doute avantagés par la langue de Shakespeare, dialoguaient avec la terre entière et leurs séries continuaient à être diffusées sur les antennes françaises. Outre *l'Inspecteur Barnaby, Sherlock* et *Jackson Brodie, détective privé,* plus d'une dizaine de séries anglaises comme *The Office, Life on Mars* et *Cracker* ont donné lieu à des remakes américains et l'acteur britannique Hugh Laurie a dû ravaler son *British accent* pour devenir Docteur House.

Avec la création de la chaîne anglaise Channel 4 en 1982, les relations entre le cinéma et la télévision se sont encore renforcées outre-Manche et ont permis de développer des longs métrages que la chaîne a parfois financés totalement et qui ont été distribués au cinéma : *My Beautiful Laundrette* de Stephen Frears ou encore *High Hopes* de Mike Leigh. Ce modèle a été fondateur pour le projet « Canal 4 » en France, qui est devenu Canal + et a vu émerger des séries françaises de qualité qui s'exportent, comme *Engrenages* et, dernièrement, *les Revenants,* dont – signe des temps ! – les Anglais sont *addicts*...

Où sont les femmes ?

« Où sont les femmes, avec leurs gestes pleins de charme ?
Où sont les femmes, qui ont des rires pleins de larmes ? »
La question posée par Patrick Juvet dans les années 80 semble toujours d'actualité… sur la scène politique française.

Entre une Margaret Thatcher qui a « régné » sans partage sur l'Angleterre de 1979 à 1990, une Harriet Harman leader de la Chambre des communes depuis 2007, les petites Anglaises ne connaissent pas le plafond de verre.

LE MÂLE À LA RACINE

Les Françaises, elles, s'y fracassent régulièrement le crâne, entre le passage éclair d'une Édith Cresson, les Jupettes, une Royale candidature ou encore les

Hollandaises volantes animatrices de meetings… Comme si elles avaient du mal à rattraper leur retard en matière d'égalité des sexes… C'est sans doute difficile à croire, mais c'est encore la faute aux perfides Anglais ! Au moins indirectement…
Reprenons le mâle à la racine. Nous sommes en 1328. Le roi de France, Charles IV le Bel, dernier de la dynastie des Capétiens, meurt sans aucun héritier. Pour éviter que son neveu, Édouard III d'Angleterre, fils d'Isabelle de France – un étranger ! –, puisse prétendre à la couronne de France, les barons sont prêts à tout. Ils exhument de leurs poussiéreuses archives la loi des Francs saliens édictée entre le IVe et le Ve siècle, qui prévoit que les femmes ne sauraient hériter du trône de France… Grâce à ce tour de passe-passe, l'Anglais est écarté et c'est un Valois 100 % de chez nous, Philippe VI, qui hérite de la couronne de France ! En attendant, pour les femmes, le mal est fait. La loi salique devient officielle sous Charles V et ne sera jamais démentie. Les filles peuvent certes être régentes, mais ne peuvent régner.

JEU DE L'OIE BLANCHE

À ce jeu de l'oie blanche, la Française, qui était au coude à coude avec l'Anglaise au Moyen Âge, toutes deux drapées dans leur robe de bure, recule de dix cases. L'*English Lady* conforte son avance aux XVIe et XVIIe siècles, faisant un bond de cinq cases avec Élisabeth Ire d'Angleterre (1533-1604), poigne de fer dans un gant de velours, figure exceptionnelle du pouvoir et de la féminité : « ce qui est visible, dit fort justement Geneviève Fraisse, devient pensable. » *The Fairy Queen* féminise, électrise, modernise. Plus rien ne sera comme avant. La citoyenne anglaise fait encore un saut de cinq cases car la religion anglicane d'État, contrairement au culte

catholique qui contingente les femmes dans un rôle subalterne, l'autorise à officier en tant que pasteure. Et donc, Dieu étant mon roi, à potentiellement diriger les affaires de la nation…

LE SAVIEZ-VOUS ?

Il est un poison plus insidieux, savamment distillé avec la Révolution française, dont les femmes n'ont pas tout de suite perçu le danger : la confusion des genres. Alors que les Anglaises revendiquent l'égalité des droits pour les hommes et les femmes dans leurs différences, les Françaises se sont laissé envoûter par le *high concept* qu'est l'« universalisme » et son flou artistique. Elles vont découvrir avec stupéfaction que le terme d'« Homme » avec un grand H concerne exclusivement la gent masculine.

PIG CHAUVINIST, COCHON DE MACHO

En France, quelques voix comme celle de Christine de Pisan, auteure de *la Cité des dames*, se font entendre dès le XVe siècle pour timidement s'insurger contre les discriminations qui frappent les femmes. En 1622, Marie de Gournay, fille d'alliance de Montaigne, publie *l'Égalité des hommes et des femmes*, revendiquant l'accès de ces dernières à l'instruction. La Française éduquée avance d'une case.

En Angleterre, au XVIIIe siècle, les féministes s'insurgent contre le machisme rampant introduit par le Normand Guillaume le Conquérant : « *Go to hell, you male chauvinist pig* ! »[1] Tandis que la préface du livre *The Laws respecting women*, publié anonymement

1. « Va au diable, salaud de phallocrate ! »

en 1777, affirme que « la conquête normande a porté un coup fatal aux droits des femmes », l'historienne Catharine Macaulay semble regretter la disparition de la société anglo-saxonne traditionnelle structurée – pense-t-elle – autour des valeurs de liberté individuelle et d'égalité femmes-hommes...

DINDE DE NOËL

En France, branle-bas de combat ! La Révolution française permet aux femmes de relancer les dés, deux fois de suite. Leur participation active pendant la rédaction des cahiers de doléances leur donne voix au chapitre. Le 6 mars 1791, Pauline Léon demande l'accès des femmes au service militaire par la création d'une garde nationale féminine. De l'autre côté de la Manche, Mary Wollstonecraft défend aussi l'idée que les femmes et les hommes n'ont ni vertus ni attributions spécifiques. *A Vindication of the Rights of Woman* [2] paraît en 1792. Olympe de Gouges, appuyée par Antoine Condorcet, revendique pour les femmes le droit de monter à l'échafaud et d'accéder à la tribune avec sa *Déclaration des droits de la femme et de la citoyenne*. En remerciement, elle est guillotinée en 1793...

MÉMOIRE DE POISSON ROUGE

Les Françaises reculent de vingt cases. Les révolutionnaires et leur mémoire de poisson rouge ont oublié ce que les femmes ont fait pour la démocratie. Le décret du 21 avril 1795 exclut les femmes de la vie politique. Le code Napoléon de 1804 consacre leur incapacité... Que pouvaient-elles attendre d'un empereur qui répudie sa douce parce qu'elle ne peut lui donner d'héritier ?

2. *Des revendications sur le droit des femmes.*

> **TROP SENSIBLES ?**
> Pendant longtemps, de part et d'autre de la Manche, les femmes en politique ont suscité toutes sortes de peur : leur constitution fragile, leur émotivité exacerbée, le péril qu'elles feraient courir à l'ordre social... Et aujourd'hui ?

Le féminisme tel que le décrit Alexandre Dumas n'est-il pas une maladie qui affecte les hommes dont les traits et les attitudes se féminisent, une atteinte au corps masculin, *isn't it ?*

APPELEZ UN CHAT UN CHAT[3]

Ô rage, ô désespoir, le suffrage universel adopté par la IIIe République en 1848 est uniquement… mâle. Une escroquerie sémantique et un quasi retour à la case départ pour les Françaises.

Avec la révolution industrielle en avance de quarante ans en Angleterre, les petites *ladies* ne s'en sont pas laissé conter et ont appris à appeler une pelle une pelle. Leur combat est double. Elles revendiquent l'accès à l'éducation et au suffrage universel. Dès 1865, les Anglaises accèdent à l'université de Cambridge et les premières diplômées en sortent en 1875. En France, les femmes devront patienter jusqu'en 1900.

LES RATS QUITTENT LE NAVIRE

Les Anglaises avancent de huit cases sous Édouard VII. Après le puritanisme de sa maman Victoria, *Dirty Bertie* est contre les femmes, tout contre. La gent féminine bénéficie de ce relâchement des mœurs, mais également de l'expérience de ses expatriées *overseas*. Dans ces pays neufs que sont les comptoirs et les colonies du Commonwealth, les habitantes de l'Île de Man et les

3. *To call a spade a spade.*

Néo-Zélandaises accèdent au suffrage universel en 1893, certains états d'Australie l'autorisant depuis 1881. Aux États-Unis, dans l'état du Wyoming, les femmes accèdent même au barreau dès 1869 !

PUR-SANG

Les Londoniennes vont se rattraper. Celles que le quotidien *The Daily Mail* a baptisées les *Suffragists*, les Suffragettes, réclament le droit de vote en 1906. Elles s'appellent Millicent Fawcett, Emmeline Pankhurst… et ne se contentent plus de philosopher. Les vindicatives féministes manifestent, cassent – à défaut de les lécher – les vitrines et pratiquent le happening. L'une d'entre elles, Emily Davison, se jette même sous les jambes du destrier du roi George V pendant le Derby en 1913. Elle mourra des suites de ses blessures quelques jours plus tard.

LA FEMME EST L'AVENIR DE L'HOMME

La Première Guerre mondiale va être un accélérateur de particules pour la condition féminine de part et d'autre de la Manche. La mobilisation des hommes sur le front contraint les femmes à les remplacer, ce qui leur permet aussi de démontrer qu'elles en sont capables. Le plus grave, c'est qu'elles y prennent goût.

Puis les Françaises reviennent derrière leurs fourneaux, appelées à leur devoir. Suite à l'hécatombe nationale (un million trois cent quinze mille soldats français morts au combat, soit un petit tiers des dix-huit/vingt-sept ans, et

trois cent mille civils tués), elles sont invitées à repeupler la France. En 1920, la contraception devient pénalement répréhensible en France.
De leur côté, les Anglaises, qui ne sont pas d'astreinte et globalement plus libérées, fondent leur premier planning familial en 1921, accédant à la contraception gratuite. Quand on leur demande de revenir dans leur *home sweet home*, elles répondent *« no way »* et vont habilement surfer sur la vague politique.

WIN WIN SITUATION[4]

C'est le soutien de la gauche anglaise, le *Labour Party*, qui va réellement permettre aux femmes d'accéder au suffrage universel. Parce que le parti travailliste a besoin de se constituer une base électorale, il va promouvoir la cause des femmes.
The United Kingdom's Representation of the People Act de 1918 octroie le droit de vote aux hommes et aux femmes… de plus de trente ans. C'est déjà ça ! La comtesse Constance Markievicz est la première femme élue au parlement irlandais mais la nationaliste du Sinn Féin refuse de siéger.

MOUSE TRAP, PIÈGE À SOURIS

À Londres, Margaret Wintringham et Lady Astor décrochent chacune le siège… de leur mari. Mais ce n'est pas pour autant leur genre de jouer les potiches. « Winston, déclara Lady Astor, si vous étiez mon mari, j'empoisonnerais votre café. » Et Churchill de lui répondre : « Nancy, si vous étiez ma femme, je le boirais »[5]…

4. Situation gagnant-gagnant.
5. *« Winston, if you were my husband, I'd put poison in your coffee. » – « Nancy, if you were my wife, I'd drink it. »*

Dix ans plus tard, les féministes ont fait avancer leur cause. Elles décrochent le suffrage universel sans restrictions en 1928. Un deal gagnant-gagnant pour le *Labour Party*, qui, cette année-là, remporte les législatives avec un score historique.

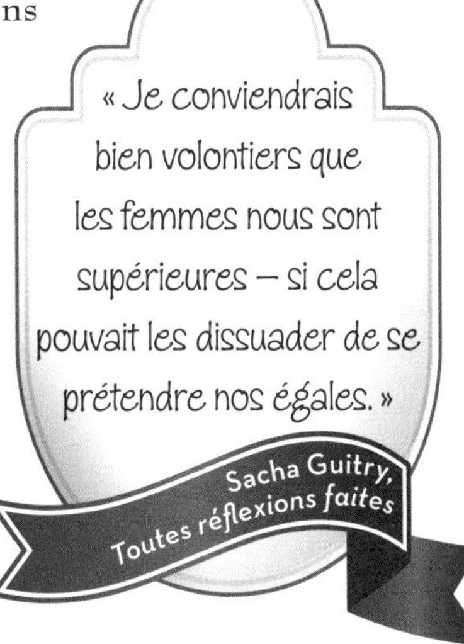

BABY DOLLS

En France, a contrario, l'histoire des femmes et de la gauche est celle d'un rendez-vous manqué. En 1936, le président socialiste du Conseil, Léon Blum, vient de nommer dans son gouvernement trois femmes à des postes de sous-secrétaires. Toutes les conditions sont théoriquement réunies pour que les femmes accèdent enfin au droit de vote. Mais, comme le dit l'adage, « trois hirondelles ne font pas le printemps. » Et cela en raison de vils calculs politiciens.
Le Conseil vote à l'unanimité en faveur du vote des femmes, mais dix-neuf membres du gouvernement s'abstiennent. Léon Blum, en lequel les féministes avaient placé tous leurs espoirs, n'intervient pas : le vote féminin étant majoritairement clérical – autrement dit catholique – il pourrait profiter aux conservateurs. Histoire de ne pas prendre de risque électoral, Léon recule.

PUSSY MAGNET, PIÈGE À MINETTE

Cette dérobade, qui va marquer au fer rouge les relations entre les femmes et la gauche, vaudra aux Françaises de

reculer de huit cases. Là-dessus, le délétère gouvernement de Vichy – travail, famille, patrie – fait son œuvre, valorisant le travail gratuit de la maternité : passez votre tour et attendez de faire un double.
Au pays du machisme, les Françaises devront attendre la fin de la Seconde Guerre mondiale et l'ordonnance du 21 avril 1944 pour que les femmes obtiennent le droit de vote en 1945. Ce sera donc le général de Gaulle, assuré que les épouses voteront comme leurs maris, qui le leur accordera.

SECRET DE POLICHINELLE

En matière de mœurs, les Anglaises sont également en avance sur leur temps. Elles disposent du droit à l'avortement dès 1967, date à laquelle les Françaises accèdent seulement au planning familial et donc à la contraception. Pendant huit ans, l'Angleterre va servir de base arrière aux Françaises souhaitant recourir à l'IVG. Halte à l'hypocrisie, dit un manifeste publié en 1971 dans *le Nouvel Observateur* sous la houlette de Simone de Beauvoir. Trois cent quarante-trois Françaises, les « 343 salopes » célèbres, y avouent avoir avorté dans la clandestinité. Un pavé dans la mare qui oblige le gouvernement de Valéry Giscard d'Estaing à en prendre acte. Les lois Veil sont votées en 1975, mais l'avortement ne sera remboursé qu'en 1982.
Depuis, les Françaises ont fait un bond en avant grâce à la mise en commun des bonnes pratiques européennes. Le *benchmarking* leur a permis de constater que la nature du scrutin uninominal – contrairement au scrutin de liste – privilégiait les sortants – et donc les hommes – et d'adapter leur stratégie.

CHIENNES DE GARDE

Tout n'est toutefois pas rose du côté anglais. Tandis que la France est, en 2013, selon l'Union interparlementaire, en progrès au 37e rang mondial avec 27 % d'élues au Parlement, la Grande-Bretagne occupe la 56e place avec 20,2 % de femmes. La crise est repassée par là et, comme le note la journaliste américaine Susan Faludi dans son livre *Backlash*[6] (le retour de bâton), chaque difficulté économique s'accompagne d'un retour en arrière. En juin 2013, le quotidien *The Guardian* constate qu'à Londres seules trois des grandes entreprises cotées en bourse sont dirigées par des femmes. La ministre de la Culture, Maria Miller, propose en juin 2013 d'éditer un livret à destination des parents pour les encourager à stimuler les aspirations professionnelles des filles... Après le jeu de l'oie, le Monopoly ? Une démarche qui va dans le sens de la non-mixité prônée par certaines féministes britanniques. Pas forcément à tort quand on sait que vingt et un des vingt-sept meilleurs établissements scolaires anglais la pratiquent. « Élever son enfant dans le génie de son sexe », préconisait Françoise Dolto...

6. *Backlash : the Undeclared War Against American Women*, 1991.

Quand les Shadoks et les Gibis se partagent le monde

« C'était il y a très, très longtemps… » en 1968, au bon temps de l'ORTF. Sous la plume de Jacques Rouxel et grâce à la voix éraillée du comédien Claude Piéplu, apparaît un univers surréaliste et décalé peuplé de drôles de bestioles. D'un côté, les Shadoks, de stupides et méchants volatiles dotés de longues pattes graciles, de l'autre, les Gibis, sympathiques créatures inventives et bien élevées, même si trop pour être honnêtes d'ailleurs…

ONCE UPON A TIME[1]

Malgré leurs différences, les deux espèces de volatiles nourrissent le même dessein : quitter leur planète respective pour se rendre sur la Terre, repère de l'affreux insecte Gégène ainsi que de dinosaures fêtards à la retraite…

1. Il était une fois.

VIP

Malgré le caractère uniforme du peuple shadok occupé collectivement à pomper, quelques personnalités méritent le détour. À commencer par le grand chef shadok, qui, armé d'un sceptre, impose sa loi aux Shadoks soumis et envoie les autres – par exemple ceux qui n'auraient pas conduit sans le permis de ne pas conduire – au « Goulp », sorte de trou-cachot.
Le chefaillon dirigiste toutefois ne vaque pas seul. Il est souvent accompagné de son maître à penser, le Devin Plombier, directeur des consciences et des robinetteries, qui tous les matins fait apparaître le soleil et suscite l'admiration chez ses congénères. Le professeur Shadoko est quant à lui l'inventeur, entre autres bizarreries, de « la fusée qui tombe vers le haut », le concepteur brillant des « passoires sans trous », à savoir les casseroles, et des « casseroles sans manche », à savoir les autobus... Rien de bien surprenant à cela : il applique à la lettre la maxime chère au Shadock Einstein : « il vaut mieux mobiliser son intelligence sur des conneries que sa connerie sur des choses intelligentes. »

POMPE ET CIRCONSTANCE

Les méchantes petites bêtes n'auraient-elles pas un air de famille avec les Français contemporains ? Difficile d'écouter les prophéties du Devin Plombier sans penser aux envolées d'André Malraux, voire à ce jeune étudiant vibrionnant qui fait beaucoup parler de lui, un certain Daniel Cohn-Bendit... Impossible aussi de ne pas faire le rapprochement entre les bricolages shadoks improbables et le fameux système D, *trendy* dans les médias de l'Hexagone.
Si les Shadoks pompent, les Français eux aussi sont exhortés à faire des pompes. Faites du sport ! Tel est à l'époque – déjà – le mot d'ordre des autorités politiques et sanitaires, décliné

depuis l'inauguration en 1967 de la piscine olympique de l'université de Nanterre jusqu'à la célébration en 1968 des jeux Olympiques d'hiver de Grenoble.

L'ŒIL DE MOSCOU

D'éminents « shadokogues » hexagonaux ont voulu voir dans cette espèce d'échassier discipliné et très attaché aux grands principes philosophiques que chacun d'entre eux énonce sentencieusement et à tout bout de champ les Soviétiques, aux prises avec les contradictions du système communiste et la conquête spatiale. La proximité de la notion de « Goulp » avec la réalité du goulag serait un indice supplémentaire.

FAIS PAS CI, FAIS PAS ÇA

Les Shadoks ne témoignent-ils pas des contradictions de la France de l'époque ? D'un côté, un pays autoritaire et despotique, dénoncé par Jacques Dutronc dans sa chanson *Fais pas ci, fais pas ça* en 1968, à l'image du grand chef shadok, engoncé dans un carcan de règles, parfois absurdes, à respecter. Un univers où les plus savants et les plus âgés, tels le professeur Shadoko – faut-il y voir un Raymond Barre qui aurait mal tourné ou un Achille Talon « aggravant son cas » ? –, pérorent en enfilant les lieux communs, les expressions pompeuses et les maximes convenues.

Dans l'autre camp, une France fantaisiste et souvent libertaire. Une contrée givrée où l'on peut voir dans les initiatives audacieuses des Shadoks un avant-goût de l'époque des campagnes non-violentes du Larzac, où certains Français tentèrent de faire « pousser des chèvres » sur un plateau pourtant promis aux militaires…

GIBIS = GB

Quant aux Gibis, dont le nom se prononce comme GB en anglais, leur modèle paraît assez clair. Avec leur sourire de façade, leur condescendance amusée qui les pousse pour un oui ou pour un non à venir porter secours à leurs prochains, avec leur chapeau

melon servant de réceptacle à leur cervelle, ne sont-ils pas l'image stéréotypée de nos voisins « grands-bretons » ? Ne sont-ils point des pâles répliques de John Steed, le héros de la série *Chapeau melon et bottes de cuir* diffusée sur la deuxième chaîne ?

THE IDIOT'S LANTERN

Autre indice : l'*idiot's lantern*, – la lanterne idiote, l'étrange lucarne – devant laquelle les Gibis passent le plus clair de leur temps, comme le font les Anglais dans leur *home sweet home* à la même époque avec une télévision en plein essor. En plus de leurs habituelles émissions botaniques et naturalistes proposées en *prime time*, ils sont distraits depuis peu par les séries françaises, comme *les Enquêtes du commissaire Maigret* avec Jean Richard ou *The Magic Roundabout (le Manège enchanté)* avec Pollux le chien.

L'INVASION BRITANNIQUE

Enfin, comment ne pas voir dans ces Gibis qui poussent sans cesse la chansonnette une allusion appuyée à « l'invasion britannique » déferlant dans les bacs des disquaires français, européens et même américains, en cette deuxième moitié des années 60 ? Des Beatles aux Pink Floyd en passant par les Kinks, les Who, Eric Burdon et ses Animals et autres Herman's Hermits, il reste bien peu de place à des productions musicales nationales qui peinent souvent à soutenir la comparaison.

LA SAGESSE SHADOK

Dans ce monde bipolaire entre *Froggies* et Rosbifs, il convient de se ranger à la sagesse shadok : « S'il n'y a pas de solution, c'est qu'il n'y a pas de problème. » Les Shadoks et les Gibis,

sous leur innocente apparence, visent-ils le puits sans fond de la bêtise et de la vanité ? Vanité de la conquête spatiale moquée à travers les tribulations sur terre, dans l'air et dans la mer d'une fusée shadok qui essaie encore et toujours de « tomber vers le haut » ! Absurdité de la quête du cosmogol 999, le « carburant absolu » des Gibis, à l'image du pétrole devenu nécessaire mais dont tous les analystes annoncent déjà la raréfaction en cette fin des années 60…

L'IMAGINATION AU POUVOIR

En somme, la planète des Shadoks et celle des Gibis courent tout droit à la catastrophe, mais « quand on ne sait pas où aller, il faut y aller et le plus vite possible. » Quelques conseils indispensables : « Pour qu'il y ait le moins de mécontents possibles, il faut toujours taper sur les mêmes. » Pas besoin d'utiliser la force : « On n'est jamais aussi bien battu que par soi-même. » De toute façon, « si ça fait mal, c'est que cela fait du bien » ! Ce florilège de proverbes shadoks, joyaux du *nonsense* à la française, nous ramène finalement au cœur d'une époque faite de contestations et de mises au pas et où l'humour français avait un petit goût *British*…
L'engouement pour la série en France ne se dément pas : encore aujourd'hui, on peut la savourer sur Gong, la chaîne des *digital native*. Quant aux Anglais, s'ils ont pu eux aussi faire la connaissance dès 1973 des méchants petits échassiers et de leurs souffre-douleur, les Gibis, sur la Thames Television avec Kenneth Robinson à la narration, très vite les Shadoks leur ont… pompé l'air ! Comme le dit le proverbe shadok : « Tout avantage a ses inconvénients et réciproquement. »

Valéry Giscard d'Estaing et les joyaux de la Couronne : *a royal affair !*

C'est ce qui s'appelle être plus royaliste que le roi. Alors que Valéry Giscard d'Estaing est reçu en grande pompe à Londres par Élisabeth II et que l'ambassadeur lui demande ce qu'il souhaite recevoir en cadeau (bonbons, chocolats,… diamants ?), il n'hésite pas une seconde : « un chien de la chienne » de la reine d'Angleterre. Ce sera Samba, un labrador noir…

DOG DAY AFTERNOON

Alas, alas, disent des esprits perfides, le canidé de royal lignage dressé dans la langue de Shakespeare n'aurait jamais obéi à son maître… Le 22 juin 1976, l'encore jeune et fringant chef d'État français est le premier à se rendre en visite officielle à Londres depuis la tournée triomphale de Charles de Gaulle en juin 1960. *Her Gracious Majesty* a mis les petits plats dans les grands, avertie par le

diplomate du Quai d'Orsay que « plus le président pourra être vu avec des membres de la famille royale comme s'il était un ami, plus il sera content. »

UN TRAIN D'ENFER

La reine a donc dépêché son train royal pour l'occasion. Et c'est à Victoria Station que VGE, extrêmement élégant, s'avance pour saluer par un *shake hands*[1] des plus empressés la reine Élisabeth II. Cette dernière se serait-elle habillée d'un manteau bleu paon, et non bleu roi, pour faire un clin d'œil à la vanité bien connue de son hôte français ? *Who knows ?*[2]

PALACE

Tout est donc prévu pour satisfaire celui qui, rompant avec la simplicité de son prédécesseur, pousse la modestie à l'Élysée jusqu'à exiger de se faire servir en premier et sans vis-à-vis ! Le parcours à travers Londres pour rejoindre le Mall s'accomplit donc au pas en voiture à cheval ; à Buckingham, le ban et l'arrière-ban de la haute aristocratie ont été conviés pour faire assaut d'amabilités auprès du président.

THE FIREMAN[3]

Sans doute ce moment d'exquise courtoisie permet-il à VGE d'oublier un instant la déconvenue électorale de la majorité présidentielle aux élections cantonales de mars et les relations glaciales qu'il entretient depuis avec son Premier ministre,

1. Une poignée de main.
2. Qui sait ?
3. Le pompier.

Jacques Chirac, aux dents longues.
Cependant VGE n'est pas simplement à Londres « pour la galerie ». S'il se rend à la Chambre des communes, d'où l'homme du 18 juin a lancé son vibrant appel, rappelant que les « douces ennemies » ont de nombreux intérêts communs, c'est pour tenter d'éteindre l'incendie qui embrase les relations franco-anglaises au sujet de l'Europe.

X RATED PARIS

En cette période post-soixante-huitarde d'amour libre, depuis que les femmes ont la pilule (1967) et que l'avortement est légalisé (1975), la France voit fleurir les cinémas érotiques et les affiches dénudées sur les boulevards. C'est le temps du triomphe d'*Emmanuelle*. Très vite cependant, à la fin de 1975, avec la censure déguisée du « classement X », le genre se professionnalise et la frontière entre érotisme et pornographie se précise, ne laissant plus de doute entre l'art et le cochon. De quoi parfaire la réputation des *dirty Frenchies*.

BUSINESS AS USUAL

Et ce n'est pas gagné. Dès le premier jour de la visite du président français, les travaillistes manifestent pendant le passage du cortège officiel pour dénoncer l'attitude de la France à l'égard de l'Afrique du Sud après les sanglantes émeutes de Soweto, une semaine plus tôt. Français et Britanniques doivent encore accorder leurs violons sur le rôle du Parlement européen. C'est sur ce terrain glissant que VGE finira par obtenir la plus grande avancée : désormais, les gouvernements des deux pays voisins qu'un bras de mer sépare se rencontreront au moins une fois par an.

SOME LIKE IT HOT[4]

Une telle décision ne peut qu'accroître la chaleur des rapports entre les deux pays et leurs dirigeants. Le mercure est d'ailleurs

4. *Certains l'aiment chaud*, film de Billy Wilder (1959).

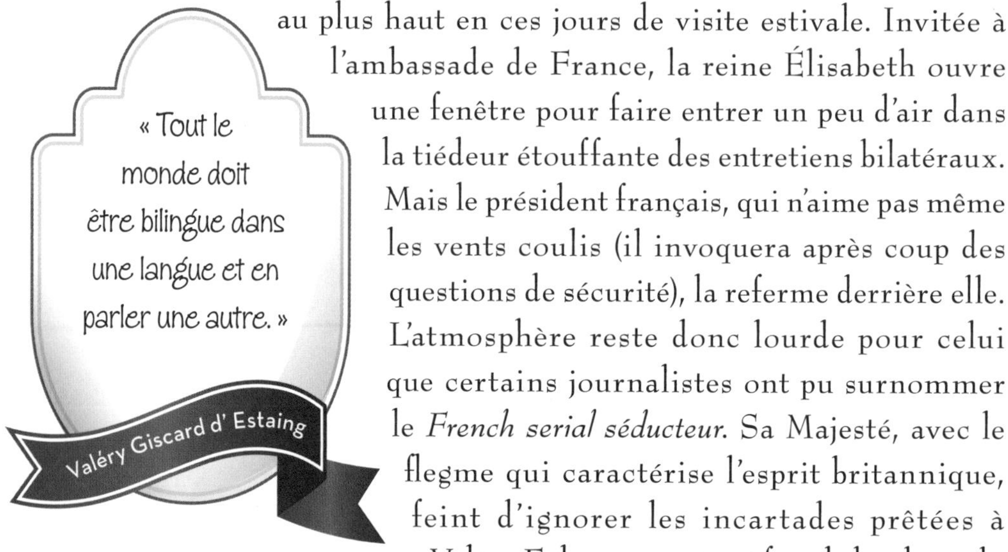

au plus haut en ces jours de visite estivale. Invitée à l'ambassade de France, la reine Élisabeth ouvre une fenêtre pour faire entrer un peu d'air dans la tiédeur étouffante des entretiens bilatéraux. Mais le président français, qui n'aime pas même les vents coulis (il invoquera après coup des questions de sécurité), la referme derrière elle. L'atmosphère reste donc lourde pour celui que certains journalistes ont pu surnommer le *French serial séducteur*. Sa Majesté, avec le flegme qui caractérise l'esprit britannique, feint d'ignorer les incartades prêtées à « Valéry Folamour » et qui font le bonheur du *Canard enchaîné*.

« VALÉRY FOLAMOUR »

Les services diplomatiques britanniques ont d'ailleurs négligé de mettre la reine au courant de l'incident « du laitier ». Un petit matin de 1974, « Super-Valy », de retour de virée nocturne (sans doute une réunion de travail), aurait encastré sa puissante Ferrari… dans une camionnette, au grand dam de son propriétaire qui aurait de surcroît découvert le président en compagnie d'une actrice de comédies légères passablement éméchée.

À NOUS LES PETITES ANGLAISES

Si VGE en monarque compassé n'aura pas fait forte impression à Élisabeth II lors de la visite officielle, il semble que notre *French lover* ait toutefois réussi à joindre l'utile au très agréable lors de ses séjours en perfide Albion. Comment ne pas évoquer

ce remake très personnel du film culte des adolescents prépubères de l'époque, *À nous les petites Anglaises* ? Plus de trente ans plus tard, en 2009, dans *la Princesse et le Président*, une fiction, l'ex-président de la République, enfin affranchi de certains devoirs de réserve par l'âge, livre son brûlant secret d'alcôve : oui, Henri, président de la République française, et Patricia, princesse de Cardiff (comment ne pas reconnaître la jeune Diana ?) se sont aimés « dans les nombreux palais nationaux ou royaux que tous les régimes offrent à leurs dirigeants » ! Toute ressemblance avec des personnages ou des faits réels serait bien sûr indépendante de notre volonté…

LE SAVIEZ-VOUS ?

À Londres, c'est la question de l'homosexualité qui est au cœur des débats. Les gays et lesbiennes s'affichent sans complexe au Bang, la première vraie boîte spécialisée ouverte depuis 1976 tous les lundis dans la cave de la salle de spectacles Astoria, sur Charing Cross Road. Très vite, la société anglaise, moins prude qu'elle n'y paraît, va intégrer ce droit à la différence en laissant à la communauté gay la place qu'elle revendique. À Paris, l'homosexualité entre adultesconsentants ne sera complètement dépénalisée qu'en… 1982.

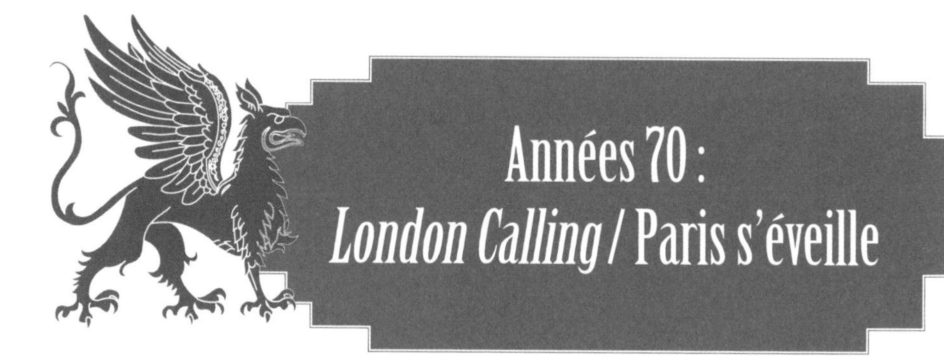

Années 70 : *London Calling* / Paris s'éveille

Le 18 août 1969, le petit village de Woodstock USA se réveille d'une longue nuit. Les Anglais ont électrisé les rives de Silver Lake. Joe Cocker a transpercé le cœur des foules avec sa reprise rocailleuse de *With a Little Help From My Friends* des Beatles. *Tommy*, l'opéra rock des Who longtemps censuré par la BBC a été accueilli comme un chef-d'œuvre. Et les Ten Years After ont chanté *I'm Going Home*. Tous, d'ailleurs, repartent pour Londres. *The place to be*. L'endroit où il faut être si on est musicien.

L'APPEL DE LONDRES

C'est le prélude d'une nouvelle ère, celle de la suprématie du son britannique sur la scène mondiale. Plus rien ne sera comme avant. Le groupe

Led Zeppelin irradie la scène du Royal Albert Hall. Les riffs de Jimmy Page et la voix métallique de Robert Plant emplissent le dôme de l'immense bâtisse achevée il y a tout juste un siècle. La salle de concert qui honore la mémoire du mari de la reine Victoria peut accueillir quelque huit mille spectateurs. Ce lieu mythique des Proms, célèbre festival de musique classique, est devenu le temple du rock et de ses avatars. Les Beatles, Pink Floyd, les Cream (parmi lesquels Eric Clapton à la guitare) s'y sont succédé. Signe des temps, c'est aussi au Royal Albert Hall que, le 15 novembre 1941, le général de Gaulle avait prononcé son discours fondateur à destination des Français présents en Grande-Bretagne. Au début des années 70, les Français parlent toujours aux Français. Claude François, le mâle aimé, poursuit dans la variété sucrée tandis que l'ex-idole des jeunes et son rock plus radical se tournent vers l'Amérique : « Qui est in, qui est out ? » chante Serge Gainsbourg. Les Français seront très peu nombreux à prendre la mesure de cette révolution musicale *made in London*.

IN OR OUT?

Parmi eux, Michel Polnareff et son look improbable avec ses grosses lunettes à montures blanches et ses longs cheveux décolorés et frisés. Le chanteur français déprimé enregistre son album *Polnareff's* à Abbey Road (les studios EMI ont ainsi été renommés en 1970, en hommage au dernier album des Beatles) avec la complicité du bassiste de Lou Reed. Herbie Flowers est également présent sur le disque *Melody Nelson* de Serge Gainsbourg. L'album-concept aux arrangements influencés par la scène rock anglaise est

plébiscité par la presse comme « le premier vrai poème symphonique de l'âge pop ». En 1975, Serge Gainsbourg sort *Rock Around the Bunker*, poussant la provocation à son comble avec les chansons *Nazi Rock*, *SS si bon* ou *Tata teutonne*. Cette farce à la Boris Vian, enregistrée à Londres, est rejetée par les programmateurs de radio qui crient au scandale.

LE SAVIEZ-VOUS ?

Le vent du changement souffle sur l'Hexagone. En 1974, le président Valéry Giscard d'Estaing inaugure Beaubourg, imaginé par son prédécesseur, le président Georges Pompidou. Le centre de création va révolutionner la conception du musée et de l'art en général. « Dieu que c'est laid ! », s'époumonera en vain l'écrivain René Barjavel. Le bâtiment coloré créé par Renzo Piano et Richard Rogers place Paris au coeur de l'art moderne.

LONDON CALLING

Le public français ne s'y trompe pas. La fascination pour la pop anglaise vire à l'anglophilie. Les lycéens veulent tous apprendre l'*English*, ils arborent des besaces kaki frappées de l'*Union Jack*. Les échanges entre établissements deviennent fréquents et les séjours linguistiques sont le prétexte à des vacances initiatiques au cours desquelles les lycéens français découvrent la « liberté de mœurs » de leurs homologues *British* (*À nous les petites Anglaises*, sorti en 1976).
L'attraction qu'exerce l'Angleterre sur une France rétrograde ne tient pas seulement à sa musique. Les Anglaises disposent de la pilule depuis 1921 et, depuis l'adoption

par le *Parliament* de l'*Abortion Act* en 1967, elles peuvent recourir gratuitement à l'interruption volontaire de grossesse. Elles sont désormais *footloose and fancy-free*, libres comme l'air. Les féministes françaises qui, elles, viennent tout juste d'inaugurer les centres de planning familial (1967), organisent des voyages outre-Manche. L'activisme des Antoinette Fouque, Simone de Beauvoir ou Christine Delphy accélère le mouvement vers l'émancipation en France. La loi Veil du 17 janvier 1975 consacre le droit à l'avortement des Françaises qui rattraperont enfin leur retard sur les Anglaises.

C'EST LA CRISE

La période des Trente Glorieuses vient de se terminer avec le premier choc pétrolier de 1973. Le prix du baril de pétrole a quadruplé. Les économies des deux pays connaissent l'instabilité pour la première fois depuis trente ans. En France, le seuil des cinq cent mille chômeurs est franchi et les prévisionnistes de gauche craignent que le pays connaisse une situation insurrectionnelle si les files d'attente devant les ANPE devaient s'allonger. De l'autre côté de la Manche, Harold Wilson se débat entre la grève des mineurs et la guerre de la morue. Il doit également faire face au mouvement pour l'égalité des droits entre catholiques et protestants en Irlande du Nord. Le dimanche 30 janvier 1972, la répression sanglante d'une manifestation pacifiste à Derry en Ulster, dans laquelle vingt-six manifestants et passants pacifistes des droits civils ont été pris pour cibles par des soldats de l'armée britannique, restera gravée dans les mémoires comme le « *Bloody Sunday* », ce drame que chantera le groupe U2 en 1983.

STAYING ALIVE[1]

À QUAND LE GRAND SOIR ?

Alors que les punks anglais s'enfoncent dans le « *no future* », la scène française rêve encore du grand soir. Les punks remettent mollement la royauté en cause pendant que certains soupçonnent Giscard de fomenter une tentative de Restauration. S'il avait été sacré à la cathédrale de Reims, peut-être Bokassa lui aurait-il offert sa couronne ?

Face à la crise de l'énergie et des valeurs, le disco venu des États-Unis, musique de masse et de défoulement, éclipse temporairement la pop anglaise. On survit sur Gloria Gaynor, on aime s'aimer avec Donna Summer, il fait soleil chez Boney M, en famille. On swingue avec Earth, Wind and Fire, Barry White et autres Village People. L'occasion d'une (toute petite) revanche avec Claude François (*Alexandrie, Alexandra*), Marc Cerrone ou Patrick Hernandez et son fameux *Born to Be Alive* en 1978. Refusant cette soupe populaire, Léo Ferré, le temps de deux albums, s'adjoint les services du groupe Zoo quand Serge Gainsbourg (toujours lui !) introduit de nouveaux genres dont le reggae. Gérard Manset livre *la Mort d'Orion*, un des rares albums-concepts français, Jacques Higelin concocte *BBH 75*, considéré encore aujourd'hui comme le premier véritable opus de rock français. Le groupe Magma expérimente lui aussi avec talent, mais ses compositions de quarante minutes ont du mal à dépasser le stade de la confidentialité…

MANIFESTO

L'Angleterre, quant à elle, continue à produire la musique de la seconde moitié du XXe siècle. À la pop succède le rock progressif représenté par King Crimson, Yes, Genesis, Pink Floyd, Jethro

1. Rester vivant.

Tull, Soft Machine, Electric Light Orchestra, Procol Harum, Hawkwind, Emerson, Lake & Palmer et leurs albums-concepts, le glam rock dont les pionniers sont David Bowie, Roxy Music, Mott the Hoople, T. Rex... Une liste non exhaustive qui donne le vertige.

NO FUTURE

Face à la crise d'une Angleterre qui s'enlise, les *Britons* vont trouver un puissant exutoire dans le nihilisme venu d'outre-Atlantique avec le groupe Les Ramones et le fameux *« no future »*, qu'ils s'approprient. L'année suivante naissent les Sex Pistols anglais et leur rock-punk fait scandale en 1977 avec le single *God save the Queen*, même si cette façon de s'en prendre à la reine s'avère bien peu antimonarchique. Il ne suffit pas de vouloir être punk pour le devenir : le chanteur du groupe Frantic Elevators (ascenseurs frénétiques), « trop bon chanteur », sera condamné à changer de registre. Mick Hucknall fondera Simply Red en 1978... Un peu plus tard, The Clash connaît un réel succès avec l'album *London Calling* en 1979. Un autre groupe émerge à cette époque : The Police.

REBELLES CONTRE RÉVOLTÉS

Lassés d'être à la traîne de leurs homologues d'outre-Manche, les musiciens français réagissent enfin. À la manière des Suisses qui, faute de briller sur les pistes d'athlétisme, ont inventé le curling dont ils sont les seuls à comprendre les règles, les Français s'épanouiront comme « chanteurs à textes » et « artistes engagés », proches du Parti communiste français, puis du Parti socialiste

unifié (PSU). Maxime Le Forestier chante l'antimilitarisme avec *le Parachutiste*. Renaud se révèle également au grand public avec *Laisse Béton*, en 1977. Francis Cabrel l'aime à en mourir et Téléphone obtient la ligne.

THE END OF THE WORLD

Quand, en Angleterre, la musique punk laisse place à la *new wave*, avec des groupes comme Elvis Costello, The Pretenders, The Specials, Madness, The Smiths, The Cure, la scène française rétorque avec une dignité qu'on ne lui connaissait plus : le groupe Bijou, mené par Vincent Palmer, obtient la participation de Serge Gainsbourg pour plusieurs concerts, les Dogs, originaires de Rouen, très influencés par les Stooges, chantent majoritairement en anglais et sortent un premier album *Different* chez Philips en 1979... Les Anglais ont envahi l'imaginaire créatif hexagonal.

COMIC STRIP

En France, la contre-culture trouve d'autres modes d'expression notamment avec la bande dessinée qui rivalise avec les *comic strip* des États-Unis, l'autre grande nation du genre. Gotlib s'autorise tout dans sa « rubrique-à-brac » dont les premières pages font leur apparition dans *Pilote*. Moebius, alias Jean Giraud, le créateur de *Blueberry*, signe son premier album SF labellisé porno et graphique. Édité aux Éditions du Fromage, le *Bandard Fou* sort à la même époque que le film *les Valseuses* de Bertrand Blier, et lance un nouveau type de BD délirante mais bien dessinée, à l'origine du magazine très avant-garde *Métal hurlant*, initié en 1975. Les *Frenchies* viennent d'inventer la BD pour adultes, *not only dirty*...

Paris, fashion capital

Quand Victor Hugo assène « Paris fait plus que la loi, il fait la mode », il ignore sans doute que si la capitale française est devenue La Mecque de la haute couture, c'est bien grâce à… un Anglais, un certain Charles Frederick Worth.

AN ENGLISH MAN IN PARIS

Le petit commis en tissus expatrié en 1845 à Paris est celui par qui tout a commencé. Aux commandes de la division couture de la maison Gagelin jusque-là spécialisée dans la vente d'étoffes, il crée le nouveau service de confection sur mesure et devient à lui tout seul l'attraction des expositions universelles de Londres en 1851 puis de Paris cinq ans plus tard. Fort de ce succès, la coqueluche des coquettes ouvre sa propre entreprise, la *House of Worth* au 7 rue de la Paix dès 1858.

HAUTE COUTURE

Le succès est au rendez-vous : Worth habille l'impératrice Eugénie, l'épouse de Napoléon III. Alors que son illustre prédécesseur, Louis Hippolyte Leroy, reproduisait pour Joséphine de Beauharnais les tenues des portraits officiels imaginées par le peintre Jean-Baptiste Isabey, Charles Frederick demande à son auguste cliente l'autorisation de donner libre cours à son inspiration. Elle lui est accordée : le *high concept* de haute couture est né. Désormais, le couturier impose ses modèles, lance la mode et suscite le besoin en introduisant les collections, qui changent d'une année sur l'autre et en fonction des saisons.
Avec son sens inné du commerce, Charles Frederich Worth a le chic pour contenter ses clientes. Dans sa boutique, elles se sentent comme chez elles. Entre deux essayages, il leur propose du thé et va même jusqu'à faire défiler sa femme pour leur permettre de se faire une meilleure idée du modèle qu'elles souhaitent acheter. Le mannequinat est né…

BUSINESS MODEL

Visionnaire, Napoléon III s'intéresse personnellement à son entreprise qu'il juge porteuse pour l'économie française. La bourgeoisie européenne n'afflue-t-elle pas à Paris en empruntant le tout nouveau réseau ferré ? Le style *sumptuous and expensive* promu par Worth – c'est une évidence – va plaire aux nouveaux riches. Le créateur devient malgré lui un fabuleux vecteur commercial pour les entreprises françaises de soieries, de rubans et de dentelles.

GENTLEMEN'S QUARTERLY[1]

Sans doute est-ce la raison pour laquelle Paris à cette époque se concentre sur la mode féminine. La confection masculine, elle, s'épanouit à Londres, berceau du dandysme, sous la férule du « beau Brummell » (*in French in the text*). Le « monarque de la mode », ami du futur George IV et du poète Byron, va imposer des codes vestimentaires qui encore aujourd'hui perdurent : costume de couleur sombre, discret et de bon goût, rehaussé d'une cravate impeccablement nouée.

WALLIS ET FORTUNA

C'est à Paris que, malgré la crise de 1929, le créateur américain Mainbocher crée l'événement en confectionnant la robe de mariée de Wallis Simpson, sa compatriote deux fois divorcée pour les beaux yeux de laquelle le roi d'Angleterre Édouard VIII a abdiqué. La robe, d'un bleu spécialement choisi pour mettre en valeur la belle scandaleuse – la couleur est entrée dans la légende de la mode sous le nom de « bleu Wallis » - sera maintes et maintes fois copiée. Une hystérie collective chez les *fashion addicts* comparable à l'engouement qui saisira plus tard toutes celles qui exigeront de convoler dans la même robe de mariée en vichy de chez Jacques Esterel que Brigitte Bardot.

COMME LES GARÇONS

Dans le sillage de la *House of Worth*, les premières maisons de haute couture font florès dans la capitale française. Parmi elles, celle de Jacques Doucet, qui révolutionne en 1875 la boutique *old fashion* dont il a hérité de sa mère. Mais aussi l'entreprise d'un nouveau venu dans le business, Charles Poynter – plus connu sous le nom de John Redfern – qui, après avoir installé une première affaire à Londres en 1881, ouvre une antenne à Paris dix ans plus tard.
« De l'audace, de l'audace ; en toute occasion, de l'audace. » La formule du poète élisabéthain Edmund Spenser continue de

1. Nom d'un mensuel américain pour hommes. Littéralement : la publication trimestrielle des hommes.

guider la démarche de ses compatriotes. Redfern le premier ose s'inspirer de la mode masculine pour proposer à ses clientes des pantalons adaptés à la pratique du sport. Un scandale vu de France, où seules les « marginales » comme la tragédienne Sarah Bernhardt ou l'écrivaine George Sand se montrent publiquement ainsi affublées. En Grande-Bretagne, la princesse de Galles Alexandra est, elle, une avant-gardiste et une fan : le premier costume-tailleur *girly* est créé pour elle par Redfern en 1885.

EASY RIDER

Il faut attendre 1911 en France pour que Paul Poiret dépose son modèle de jupe-culotte, non sans difficultés. Quant à Madeleine Vionnet, qui a pourtant fait ses classes en Grande-Bretagne, elle s'enorgueillit de ne proposer à ses clientes que des vêtements de femmes, à savoir des robes et des jupes.
Coco Chanel, sans doute influencée par le style *British* de son amant, le duc de Westminster, sera la première convertie au pantalon féminin, de préférence en tweed. Et ce envers et contre l'ordonnance du préfet de police Dubois qui, depuis le 7 novembre 1800, menace toute femme trouvée « travestie en homme » dans les rues de Paris... d'arrestation, sauf si elle « tient par la main un guidon de bicyclette ou les rênes d'un cheval ».

NEW MODEL ARMY

C'est *again and again* aux *Britons*, et plus précisément à Lady Duff-Gordon, que l'on doit la création du premier *fashion show* en 1905. Dans les salons de sa maison de couture londonienne Lucile, qui habille notamment les actrices depuis 1890, elle a pris l'habitude de faire défiler ses mannequins en musique. L'idée est reprise

immédiatement à Paris, où Madeleine Vionnet se démarque toutefois en créant le *catwalk* sans chaussures. Tout un art… Entre Londres et Paris, la bataille pour la première place sur les podiums semble bien être remportée par la capitale française… même si quelques stars françaises de la couture, à l'instar de Jeanne Paquin, la première femme *fashion designer* à avoir reçu la Légion d'honneur, ont un faible pour la capitale anglaise. Jeanne Paquin y installe d'ailleurs son siège social en 1896 pour ne garder qu'une simple succursale à Paris.

LE SAVIEZ-VOUS ?

L'année 1973 consacre Paris comme capitale de la mode. Y est organisée la première *fashion week* dans son format actuel. Si d'autres grands défilés sont organisés chaque semestre à New York, Londres, Milan, la folle semaine parisienne de la haute couture, unique au monde, est assurément la plus suivie.

SMOKING / NO SMOKING

Les années 20 marquent un tournant dans les habitudes : les femmes portent les cheveux courts, sont outrageusement fardées, agitent leur fume-cigarette avec nonchalance. Artistes et têtes couronnées sont désormais logés à la même enseigne, une tendance qui caractérise la haute couture et qui perdurera. Les grands créateurs du moment, Jean Patou, Jeanne Lanvin et Paul Poiret, sont Français. Mais ils comptent parmi eux un Anglais, et non des moindres : Edward Molyneux. L'ancien capitaine d'infanterie britannique blessé pendant la Grande Guerre s'est brillamment reconverti. Dans son magasin du 14 rue Royale, il confectionne les tenues que porte Mistinguett sur la scène des Folies Bergère comme les tenues d'apparat des membres des maisons royales européennes.

RAYON HOMME

Entre-temps, le rayon homme resté à l'heure anglaise avec le fameux smoking (*tuxedo in English*) créé en 1860 pour *Dirty Bertie*, futur Édouard VII d'Angleterre, n'est plus le seul apanage de Londres. Timidement mais sûrement, les couturiers français se tournent vers cette moitié de l'humanité qu'ils leur restent à vêtir. La maison Lanvin sera l'une des premières maisons françaises à ouvrir un département de création masculine.

LA GUERRE DES BOUTONS

Avec l'Occupation, la capitale de la mode connaît des heures sombres. La profession est sous le choc : l'Américain Mainbocher fait ses valises ; les maisons de couture baissent presque toutes leur rideau. Nombre d'entre elles, parmi lesquelles celle, mythique, de Madeleine Vionnet, ne rouvriront jamais.
Pire encore, les nazis, à peine après avoir pris pied à Paris, font main basse sur les archives conservées par la Chambre syndicale de la haute couture. Leur noir dessein : ramener ces trésors à Berlin et délocaliser les ateliers en Allemagne et en Autriche. Le *fashion disaster* est évité de justesse par le couturier Lucien Lelong qui parvient à persuader les occupants que le savoir-faire français en matière de haute couture, et spécialement l'art subtil de la finition assurée dans de multiples petits ateliers ultra-spécialisés, est résolument indélocalisable…

NEW LOOK

Paris à peine libéré reprend très vite sa place. Marcel Rochas et Robert Piguet, le « Prince de la mode », se remettent au

travail. Ils sont rejoints par de jeunes créateurs formés à Paris : Pierre Balmain et Christian Dior.
Ce dernier, bien déterminé à mettre un terme aux années de guerre et au style *battledress* qu'il abhorre, invente le New Look. Un style féminin et rétro-romantique que les femmes du monde entier, fortunées ou non, s'approprient sur-le-champ. L'engouement des *fashionistas* est tel qu'il poussera les investisseurs à revenir dans la capitale française qu'ils avaient désertée. L'actrice Marlène Dietrich elle-même est accroc au style du maître : « *No Dior, no Dietrich* », telle est la règle qu'elle impose désormais à ses producteurs.

VIVIENNE WESTWOOD, L'« IMPÉRATRICE DU PUNK »

Impossible de venir à Londres sans aller rendre hommage à Vivienne Westwood, l'impératrice du punk au truculent parcours, dans sa boutique du 430 King's Road. La jeune femme commence sa carrière en adoptant un positionnement subversif et provocateur, puis le ton se fait plus politique. Celle qui habille les idoles underground de l'époque, David Bowie, les Sex Pistols ou encore Siouxsie Sioux, invente ses premières pièces mythiques comme ce T-shirt représentant la tête fendue de la reine d'Angleterre. Plus que la confection de vêtements, c'est bien à un mouvement culturel que Westwood entend participer. Sans vêtements appropriés, pas de *punk attitude*. Des années 80 jusqu'à aujourd'hui, Vivienne Westwood ne cessera d'innover et d'avancer avec son temps. Déjà maintes fois décorée, elle reçoit d'Élisabeth II en 1992 l'une des distinctions les plus honorifiques qu'il soit possible de recevoir, *the Most Excellent Order of the British Empire. Punk's not dead ?*

LIBERTY OF LONDON

La génération des *sixties* impose ses nouveaux codes de la contre-culture. La tendance est à l'unisexe, au patchwork, au folklorisme, à l'ethnique pas toujours chic...
À Paris, la haute couture persiste et signe. La maison Cacharel fait fureur avec ses chemisiers en Liberty. Ce motif fleuri visible à l'endroit et à l'envers d'une cotonnade soyeuse est le produit d'un authentique savoir-faire... *made in England.* C'est à Arthur

Lasenby Liberty et sa boutique *Liberty & Co*, fondée à Regent Street en 1875, que l'on doit ces imprimés de qualité que s'arrachent les jeunes gens dans le vent.

GOTTA FREE THEM ALL[2]

Côté garçons, ni cools ni babas, l'heure est à la décontraction. Les créateurs français de haute couture, parmi lesquels Pierre Cardin, inventent les vestes à col montant, affranchissant ainsi les hommes du port de la cravate et d'une partie du carcan vestimentaire imposé par la perfide Albion. Le vent de la révolte souffle...

SHOWBOY

Les années 80 s'achèvent en apothéose. Les rédactrices de mode sont nombreuses à se précipiter, *just for fun*, aux premiers défilés pour hommes organisés par les *Frenchies* Jean-Paul Gaultier et Thierry Mugler et le quasi *Frenchy* Martin Margiela. Ils ne sont pourtant pas précurseurs en la matière. Le pionnier est encore et toujours Pierre Cardin, qui en 1958 a fait appel à des étudiants, faute de trouver des volontaires, pour « faire le mannequin » sur les podiums.

TO BESPOKE OR NOT TO BE[3]

Difficile toutefois de revenir sur l'héritage du Britannique Brummell. Les hommes, par crainte du ridicule ou par timidité, rechignent toujours à porter des costumes en dentelles et des jupes *flashy*.

---

2. Libérez-les tous !
3. *Bespoke* signifiant « sur mesure », il s'agit d'un jeu de mots sur le *« to be or not to be »* d'Hamlet. Ici, on pourrait traduire : être sur mesure ou ne pas être.

Aussi, au-delà du microcosmique cercle des *fashion victims* mâles à qui rien ne fait peur, seuls les costumes Armani ou Yamamoto peuvent être admirés sur la bête dans les rues de Paris. Avec bien sûr les complets d'inspiration *Savile Row* revus et visités par le Britannique Paul Smith, des pièces considérées par les connaisseurs comme de l'authentique *bespoke*, une pièce particulièrement raffinée, que l'on élabore par la prise d'au moins… vingt-sept mesures !

« Il n'y a qu'une chose qui se démode : la mode, et c'est la mode qui emporte le succès. »

Pierre Reverdy, *En vrac*

MERCATO

Sur les podiums parisiens des années 90, on se la joue minimaliste, à l'image de la liste des inscrits à la Chambre syndicale de la haute couture, passés de deux cents dans les années 50 à… seize à la fin des *nineties*. C'est aussi le développement d'un nouveau sport à la mode : le mercato des créateurs anglais débauchés. Ils sont quelques légendes à traverser ainsi la Manche en direction de Paris, John Galliano chez Dior et Alexander McQueen chez Givenchy quand leur compatriote Hussein Chalayan est accueilli en 1998 en *guest star* chez Colette, le *concept-store* de luxe ultraparisien. Les stylistes britanniques ont décidément toujours le vent en poupe.

Un phénomène confirmé semble-t-il par la *Middleton mania* et la sublime robe de mariée de chez Alexander McQueen portée par la belle Kate lors de son mariage avec le prince William. *So pretty !*

Mitterrand et Thatcher : *Mr and Mrs Smith*, l'amour meurtrier

... ou à peu près

François Mitterrand et Margaret Thatcher dans les années quatre-vingt, c'est un peu Brad Pitt et Angelina Jolie dans le film *Mr and Mrs Smith*[1], un couple de tueurs à gages à la solde d'organisations concurrentes. Monsieur échafaude des stratégies à quatre bandes tandis que Madame délaisse ses travaux domestiques pour mieux astiquer son revolver. Mais en dépit des scènes passionnelles et des crises de larmes, ces deux animaux politiques si différents s'estiment.

1. Film de Doug Liman, 2005.

« LA DAME DE FER »

Lorsque François Mitterrand est élu président de la République française le 10 mai 1981, cela fait deux ans que Margaret Thatcher, leader du parti conservateur britannique, est devenue la première femme à diriger un État européen. Dans un pays au bord de l'implosion sociale, entre inflation et marasme économique, elle opère le patient anglais, taillant dans le vif, scalpel à la main et sans anesthésie.

Le bon docteur Thatcher a mis au point une méthode de gouvernement redoutable, dite « TINA » (*There is no alternative*, il n'y a pas d'alternative), qui interdit la moindre concession dans l'exercice du pouvoir. Une thérapie de choc déjà brevetée avec Bobby Sands, ce militant irlandais de l'IRA tout juste élu à la Chambre des communes, qu'elle a laissé mener sa grève de la faim jusqu'au point de non-retour, refusant de céder à ses revendications.

« LE SEUL HOMME DU GOUVERNEMENT ANGLAIS »

Si le Premier ministre de Sa Majesté arbore des tailleurs ultra-féminins de chez Aquascutum, des bijoux voyants et des sacs à main stylés, elle n'en affiche pas moins un brushing imposant, typique des grands prédateurs dominants. François Mitterrand a eu le temps de se faire une opinion bien à lui : Margaret Thatcher est bien « le seul homme du gouvernement anglais ». Ce qui n'est pas de bon augure pour le devenir des relations franco-anglaises, eu égard à la distance glacée que le président français, chaleureux avec les femmes, a l'habitude de mettre entre lui et les hommes et qui lui vaut le surnom de « Sphinx ».

« VOUS SAVEZ, IL AIME LES FEMMES »

Leur première rencontre est organisée en 1981, en marge du mariage de Charles et de Diana. Leurs conseillers respectifs retiennent leur souffle. Comment Margaret Thatcher va-t-elle accueillir le chantre de l'union de la gauche ? Quelqu'un a-t-il seulement osé rappeler à la locataire du 10 Downing Street que des ministres communistes étaient entrés dans le gouvernement français ?

Contre toute attente, l'entrevue se passe à merveille. Et Maggie, après coup, de faire cette confidence à son secrétaire d'État Robert Armstrong, médusé : « Vous savez, il [François Mitterrand] aime les femmes. » La défaite électorale que le nouveau président vient d'administrer à Valéry Giscard d'Estaing, que Margaret Thatcher détestait profondément au prétexte qu'il méprisait ses origines modestes, ne donne-t-elle pas à François Mitterrand un supplément de charme auprès de son homologue britannique ?

VALET DE CŒUR

François, note Margaret l'année suivante, se conduit en gentleman. Rien de surprenant à cela, il est cousin au trente-deuxième degré de la reine d'Angleterre. Prévenant, ne l'appelle-t-il pas dès l'annonce de l'invasion des îles Malouines par la junte militaire argentine, alors qu'elle vit selon son propre aveu « le pire jour de sa vie », pour l'assurer de son soutien ? Et cela, en dépit d'une opinion publique française devenue tiers-mondiste, qui se range massivement du côté du général-dictateur Galtieri, contre l'ennemi héréditaire anglais.

Quelques mois plus tard, le 4 mai 1982, lorsque le destroyer britannique *HMS Sheffield* est coulé par le fond par deux *Super-*

Étendards argentins… *made in France*, armés de missiles anti-navire *AM-39 Exocet*, eux aussi… *made in France*, beaucoup voient se profiler un nouveau Trafalgar.
Un risque auquel Mitterrand met fin sur-le-champ en décrétant l'embargo sur les ventes d'armes à destination de l'Argentine. Chez les *Frenchies*, c'est la stupéfaction : depuis quand l'Hexagone renonce-t-il à de lucratives ventes d'armes ? Mitterrand aurait-il abandonné la défense de l'intérêt national pour servir ceux de la perfide Albion ?

UNE MAIN DE FER DANS UN GANT DE VELOURS

C'est le journal soviétique *l'Étoile rouge* qui, en 1976, a surnommé Margaret Thatcher « la Dame de fer », en référence à son anticommunisme primaire et patenté. Ce sobriquet n'est pas un *overstatement*, il lui va comme un gant… de velours.

AS DE PIQUE

Et l'avenir ne fait que conforter les Français dans leurs doutes. Leur chef d'État ne porte-t-il pas atteinte à l'image présidentielle dans des réceptions de gala en revêtant sciemment un smoking trop petit, histoire de ne pas laisser Maggie, elle aussi invitée, la seule fagotée comme l'as de pique ? L'empressement avec lequel François a mis à disposition des moyens pour retrouver le fils de Margaret, Mark, porté disparu lors du Paris-Dakar de 1989, a quelque chose de bien *suspicious*…

LE FLORENTIN

Les esprits chagrins se rasséréneront par la suite en apprenant la présence à Buenos Aires de techniciens de chez Dassault après que l'embargo sur la vente d'armes à l'Argentine a été décidé… Liée par des accords avec l'Angleterre, la France aurait feint de lui porter secours en cessant ses ventes de matériel militaire, tout en assurant le service après-vente pour

les *Exocets* et les *Super-Étendards* déjà livrés. C'est à tout le moins la théorie défendue par ceux qui ne peuvent se résoudre à voir le Florentin – autre surnom donné à Mitterrand, en référence à son intelligence machiavélique – céder devant le droit international... et devant la perfide Albion !

« LES YEUX DE CALIGULA ET LA BOUCHE DE MARYLIN MONROE »

Il faut bien admettre qu'elle est impressionnante, Margaret Thatcher. *Stunning*, superbe, cette façon qu'elle a de défendre bec et ongles l'ultralibéralisme économique et la morale victorienne, positions diamétralement opposées à celles soutenues par Mitterrand, mais avec un charme fou !
Une séduction, s'étonne François, qui opère aussi sur les médias. Rien d'étonnant à cela, lui explique-t-elle pour couper court à la scène de jalousie qu'elle voit poindre : « j'ai baissé les impôts que payent les journalistes. » Cette femme est assurément diabolique ! « Elle a les yeux de Caligula et la bouche de Marylin Monroe », répète à l'envi le Sphinx à son sujet. À moins que ce ne soit les mirettes d'acier de Staline, comme le suggère Jacques Attali dans son livre consacré au président français paru en 2005. Cette comparaison avec l'empereur romain psychopathe comme du tyran rouge n'émeut guère Margaret. Sa référence, jusqu'à son dernier souffle, restera le général Pinochet. Encore eut-il fallu que François le comprenne...

« *I WANT MY MONEY BACK* »

Or « les femmes sont faites pour être aimées, pas pour être comprises », comme ironisait Oscar Wilde. Mitterrand devrait le savoir. Il va en faire la cruelle expérience lors des préparations

du sommet de Fontainebleau de 1984. À l'ordre du jour de la réunion européenne, le contentieux rendu public par Margaret Thatcher dès 1979 à propos du financement de la Politique agricole commune. En bonne fille d'épicier qui se respecte, Maggie a fait les comptes : son pays ne peut verser plus au budget européen qu'il n'en reçoit en retour. Elle attend encore qu'« on lui rende son argent » (*« I want my money back »*).
Le président français, qui ne comprend pas que l'on puisse chipoter sur l'addition avant même de s'être rendu à la table des négociations, laisse éclater sa mauvaise humeur. Comme dans un vieux couple, les vieilles rancœurs refont surface. Le voici qui reproche à Maggie par voie de presse sa « perfidie », sa « malhonnêteté » et l'accuse d'avoir monté une « mascarade » de plus.

CE QUE MAGGIE VEUT, DIEU LE VEUT

Margaret Thatcher remporte malgré tout la partie au sommet de Fontainebleau concernant la révision de la participation britannique à la Politique agricole commune. Devant la colère homérique de Maggie, Dieu lui-même – comme on aime surnommer Mitterrand en son laïc pays – jette l'éponge.
Pour ne pas perdre la face, il lui révèle qu'il s'est allié à son meilleur ami du moment, le chancelier Helmut Kohl ; les deux chefs d'État envisagent une coopération en politique extérieure... Sidérée par ce qu'elle considère comme une haute trahison, la Dame de fer éclate publiquement en sanglots.

LA VENGEANCE D'UNE BLONDE

C'est bien le seul moment où Margaret aura montré de la faiblesse. Elle reprend toutefois très vite du poil de la bête

> « Si vous voulez que quelque chose soit dit, demandez à un homme. Si vous voulez que quelque chose soit fait, demandez à une femme. »
>
> Margaret Thatcher

politique, se remémorant cette citation de l'écrivain américain Mark Twain : « Il y a trois choses qu'une femme est capable de réaliser avec rien, un chapeau, une salade et une scène de ménage. » Comme elle a renoncé, en arrivant au 10 Downing Street, à porter des couvre-chefs que ses conseillers jugeaient ridicules, qu'en bonne Anglaise, elle déteste la salade qui se respecte et qu'elle ne peut passer son temps à s'égosiller contre François, elle opte pour la scène de ménage.

OVER THE RAINBOW (WARRIOR)

Maggie va attendre patiemment que Tonton se trouve dans une situation délicate pour assouvir sa vengeance. L'affaire du *Rainbow Warrior*, le bateau de Greenpeace coulé dans le port d'Auckland, dans les eaux du Commonwealth, l'année suivante, en 1985, est trop belle. Tout porte à croire que les services secrets français y sont pour quelque chose : l'organisation écologiste est en guerre ouverte avec la France, à laquelle elle reproche d'avoir repris ses essais nucléaires à Mururoa. Sur les lieux du crime, c'est à peine si on n'a pas retrouvé une baguette et un béret…

Margaret, oubliant ce que François a pu faire pour elle par le passé, se contente d'un silence glacé. Elle ne le rompra que pour presser l'Élysée de cesser de colporter la rumeur d'une responsabilité anglaise, le seul *storytelling* (le fait de raconter une histoire) imaginé par les communicants de l'Élysée pour répondre aux questions des Français et maintenir leur président au-dessus des eaux troubles.

« J'AI RÉUSSI LÀ OÙ NAPOLÉON III A ÉCHOUÉ »

Ces querelles n'empêcheront pas le couple infernal de mener à terme l'ambitieux dessein auquel plus personne ne croit : relier leurs deux pays par un tunnel creusé sous la Manche. Maggie faisant, comme d'habitude, mine d'avoir oublié son porte-monnaie chaque fois qu'il faut payer une addition, il s'en fera de peu que le projet mis à l'étude en 1982 ne voie jamais le jour.
Après moult péripéties, le tunnel est inauguré par le président Mitterrand et la reine Élisabeth II le 6 mai 1994. Margaret Thatcher a alors démissionné de son poste de Premier ministre depuis déjà quatre années.

VOUS FAITES BIP BIP...

C'est assurément une victoire pour François d'avoir « réussi là où Napoléon III a[vait] échoué », pas seulement au regard de l'Histoire, mais aussi face à Margaret Thatcher. « Dieu », à qui personne ne semblait résister, et surtout pas les femmes, n'a-t-il pas été perturbé par la Dame de fer au point de faire irruption, comme le tueur à gages Brad Pitt, dans le bureau de son psychanalyste pour évoquer les relations tendues avec sa partenaire à la gâchette facile ? Le 7 mai 1982, François s'y plaignait déjà de la « femme impossible » qu'elle était. Et avouait dans la foulée au praticien, complètement effaré, qu'elle lui avait soutiré les codes secrets des missiles lancés par les Argentins contre la flotte anglaise pendant la guerre des Malouines ! Il y a décidément du Mrs Smith chez Maggie et du Mr Smith chez François...

Les Envahisseurs : le *Dordogneshire*

Ils sont de retour. Ces êtres étranges venus d'une autre planète. Leur destination : la Dordogne. Leur but : s'y établir et en faire leur univers. Les « Envahisseurs » sont reconnaissables à leur auriculaire en l'air à l'heure du thé et à la soucoupe qu'ils tiennent gracieusement de l'autre main. David Vincent les a vus.

UNE INVASION DISCRÈTE MAIS RÉELLE

Alors qu'il cherchait un raccourci que jamais il ne trouva, sur une route perdue du Périgord, il a retrouvé leur trace à Eymet, jolie bastide médiévale située à vingt-cinq kilomètres de Bergerac. Infiltrés sournoisement jusque dans les listes municipales, les Envahisseurs constitueraient désormais 30 % de la

population. Comment les identifier depuis qu'ils boivent incognito leur *5 o'clock tea* dans des *mugs* estampillés *« I love Eymet »* ?

En dépit de leurs efforts pour se fondre discrètement parmi les autochtones, le journaliste José-Alain Fralon[1] les a observés dans les boutiques, où ils ne disent pas bonjour pour faire local. David Vincent les a repérés dans la file d'attente de la boulangerie. Non seulement ils ne resquillent jamais, mais ils ne manifestent aucun agacement vis-à-vis des contrevenants locaux. Des signes, mais pas une preuve.

Les stigmates de leur présence sont partout : l'infâme sauce Marmite, cette pâte brunâtre fabriquée à partir de levure de bière, riche en vitamine B1, dont ils tartinent leurs sandwichs, la confiture d'oranges *Cooper's Original Oxford Marmalade* avec des écorces épaisses, deux produits découverts dans l'échoppe *around the corner* de ce village de deux mille six cent cinquante âmes. Et surtout, signe autrement plus troublant, cette boutique de peinture et de papier peint de luxe *Farrow & Ball*, ce club de cricket, ce journal *les French News*, ce pasteur anglais qui officie dans l'église locale, ce marché où la langue de Shakespeare a remplacé celle de Molière... Tous ces indices semblent corroborer le fait qu'ils sont revenus – *for good*[2] – et qu'ils sont là pour très longtemps.

UN COMTÉ DE PLUS À LA *MERRY ENGLAND*

Après avoir colonisé le duché de Guyenne (l'Aquitaine) en 1188, rétrocédé ensuite au royaume de France en 1472, les sujets de la

1. *Au secours les Anglais nous envahissent*, Éditions Michalon, 2006.
2. Pour de bon.

Couronne britannique paraissaient – depuis l'Entente cordiale de 1904 – avoir renoncé à toute revendication territoriale. Il n'en est rien.
La Dordogne, que les médias anglais ont fort justement rebaptisée *Dordogneshire*, le comté de Dordogne, comme s'il s'agissait d'une province anglaise, compterait entre vingt et trente mille résidents britanniques. Comment expliquer cet engouement ? Les paysages verdoyants qui leur rappellent leur mythique *Merry England*, avec, en bonus, quelques degrés supplémentaires. Et surtout, *the good life* : les fruits et légumes, mûris au soleil, les produits du terroir, la viande, les *French pâtés*. Le foie gras et son goût de transgression depuis qu'il est interdit à la vente en Grande-Bretagne. *And last, but not least*, le vin, de bonne qualité et bon marché. Ce breuvage des dieux qui fut, il ne faut pas l'oublier, la production n° 1 du duché de Guyenne quand celui-ci appartenait au royaume d'Angleterre.
En 2012, l'Observatoire de l'impact économique des flux de l'aéroport de Bergerac enregistrait quelque cent soixante-treize mille passagers en provenance ou à destination des îles britanniques, dont 25 % de résidents permanents. Il ne s'agit plus simplement de retraités fortunés venus comme dans les années 60 brûler leur peau et leurs économies au soleil, mais de jeunes couples dynamiques actifs entre trente et quarante ans, faisant parfois la navette entre l'île et le continent.

« ENGLISH GO HOME »

Entre la Sécurité sociale accordée à tout résident européen de plus de trois mois, la scolarité gratuite du primaire à l'université, et, depuis 2003, la possibilité donnée aux Européens de s'installer où bon leur semble sans titre de séjour, notre douce France fait figure de pays de cocagne. Attraits auxquels il

convient d'ajouter le prix des propriétés, cinq fois moindre qu'en Angleterre.

Ils seraient quelque cinq cent mille Britanniques, contre soixante-dix mille en 1997, à avoir franchi le pas et la Manche. Un exode massif qui conduit à une flambée de l'immobilier, le rendant parfois inaccessible aux autochtones. Çà et là quelques manifestations d'hostilité : « *English go home* » pouvait-on lire sur les murs à Chamonix. À Dinard, des « opérations volets fermés », pour empêcher les *Britons* d'accéder aux ventes de succession. Pourtant, la cohabitation avec nos ennemis héréditaires se révèle globalement pacifique. Peut-on réellement leur reprocher d'affectionner et de restaurer nos vieilles pierres, de redonner vie à nos villages abandonnés de la Creuse, où ils constituent 80 % des acheteurs ?

LONDRES-BERGERAC

Saviez-vous que Bergerac, véritable tête de pont de cette néo-colonisation, est reliée par avion à huit villes d'Angleterre – Londres, Bristol, Southampton, Birmingham, Liverpool, Nottingham et, depuis peu, Exeter et Leeds Bradford ?

LES ENVAHISSEURS ONT BON GOÛT

Cela serait d'autant plus *unfair* que ces Envahisseurs nous ont souvent ouvert les yeux sur des joyaux dont nous n'avions pas conscience. La ville balnéaire de Dinard ne doit-elle pas sa création au consul anglais Alpyn Thomson, vers 1840 ? C'est la haute société anglaise qui, dix ans plus tard, va lui donner son incroyable cachet en bâtissant à flanc de colline ces villégiatures aux élégants bow-windows, son église anglicane, son parc à l'anglaise, son golf. Chamonix, où 10 % de la population est anglaise, a, quant à elle, été découverte par deux jeunes aristocrates anglais, William Windham et Richard Pococke, émerveillés par le prieuré

> « Bon Français, quand je vois mon verre / Plein de son vin couleur de feu, / Je songe en remerciant Dieu / Qu'ils n'en ont pas en Angleterre. »
>
> Pierre Dupont

de « Chamouni » en 1741, ce petit village de montagne et sa mystérieuse Mer de Glace. Intrigués par leur récit, de riches touristes anglais recrutèrent les chasseurs de la vallée comme guides, donnant naissance à la station et la renommée internationale qu'on lui connaît désormais.

Avec la crise et la chute de la livre en 2008, les Envahisseurs ont perdu 30 % de leur pouvoir d'achat. La flambée des denrées alimentaires et la nouvelle taxe sur les résidences secondaires en France ont contraint bon nombre d'entre eux à regagner leur vaisseau spatial. David Vincent les a vus. Il reste à convaincre un monde incrédule que le cauchemar a réellement commencé…

Londres : XXIe arrondissement de Paris et sixième ville française ?

Avec ses trois cent mille à quatre cent mille résidents *froggies*, Londres serait, selon la BBC[1], la sixième ville de France, avant Bordeaux, Nantes et Strasbourg... La diaspora française pourrait même, selon le mensuel *The Economist*, constituer la « première minorité » de la capitale britannique et de ses sept millions six cent mille habitants. Combien de *Frenchies* vivent réellement à *London ? Hard to say*, difficile à dire, car aucune inscription au consulat n'est nécessaire pour y élire domicile.

LITTLE FRANCE

Véritable enclave située autour du lycée français Charles-de-Gaulle, la « *Froggies Valley* », la vallée des grenouilles, s'étire autour du quartier *hype* de South Kensington, avec ses boutiques, ses cinémas, ses centres culturels,

1. Sondage réalisé en mai 2012.

sa radio *French Radio London*, ses épiceries, ses restaurants, ses lieux culturels où l'on vit entre soi, sans même parler anglais parfois, tel que le permet le modèle communautariste à l'anglaise.

FROGGIES MAGNET

L'émigration des *Frenchies* n'est plus celle d'un été, comme dans *À nous les petites Anglaises* et autres voyages linguistiques initiatiques, ni celle de quelques *happy few* expatriés par leur multinationale. Avec l'Eurostar et Saint-Pancras International Station, désormais à 2 h 30 de Paris, on assiste, depuis une vingtaine d'années, à un raz-de-marée français sur la capitale britannique.

THE OFFICE

Londres, la financière, la libérale et la dérégulée, aimante les Français entre 2006 et 2007. Quelque mille sept cents entreprises françaises se sont installées au Royaume-Uni – principalement à Londres –, séduites par une fiscalité attractive qui entend le rester : « Si les Français décident de taxer les revenus à 75 %, déclarait, provocateur, le Premier ministre David Cameron lors du G20 de 2012 à Mexico, nous déroulerons le tapis rouge aux entreprises françaises, qui seront plus nombreuses encore à payer leurs impôts en Angleterre et financeront notre service de santé, nos écoles et le reste. »[2]

FATAL ATTRACTION

Les sociétés françaises *welcome in England* plébiscitent une législation moins contraignante et pérenne. Leurs dirigeants apprécient un

2. *« If the French go ahead with a 75 % top rate of tax we will roll out the red carpet and welcome more French businesses to Britain and they will pay taxes in Britain and that will pay for our health service, and our schools and everything else. »*

environnement très *business friendly* et son maître mot : la flexibilité. On débauche aussi facilement qu'on embauche. Cette souplesse du marché du travail se révèle une incroyable opportunité pour les jeunes Français en mal d'expérience professionnelle dans leur pays d'origine. Quand, dans l'Hexagone, le chômage touche près de 25 % des jeunes, la City embauche les diplômés de la finance tout juste frais émoulus de l'université. Certaines promotions très spécialisées, comme celle du très demandé « master El Karoui de Dauphine », écrivait Daniel Bastien dans *les Échos* en mai 2010, sont « siphonnées » dans leur intégralité par Londres.

LE SAVIEZ-VOUS ?

« Paris-sur-Tamise », comme l'appelle le magazine *The Economist*, déborde largement du quartier chic de Marylebone. Les *Frenchies* venus en famille ont aussi posé leurs valises dans la banlieue ouest de Chiswick ; les moins fortunés, dans des quartiers plus populaires de l'East End. Face à l'explosion des demandes de scolarisation, le lycée français a ouvert en 2011 une annexe à Kentish Town, près du quartier alternatif de Camden Town.

RED CARPET[3]

Une « immigration sélective » et réussie qui remonte au XVIIe siècle. Après la révocation de l'édit de Nantes, les protestants persécutés par Louis XIV fuient en masse vers la Hollande et l'Angleterre

3. Tapis rouge.

post-élisabéthaine. Les tisserands huguenots élisent domicile à Londres dans le quartier de Spitafields (East End) et permettent à l'Angleterre de faire main basse sur l'industrie du tissage en Europe. Les réfugiés calvinistes créent au passage les premières banques qui vont faire de Londres la place boursière que l'on connaît. Trois millions de Britanniques auraient ainsi des origines huguenotes.

LE FRIC, C'EST CHIC

Si les salaires et les bonus mirifiques, tout comme le rapport décomplexé à l'argent, furent en grande partie à l'origine de ces migrations massives, la soif de l'or n'explique pas tout, loin de là. La crise financière, qui a succédé à la chute brutale de Lehman Brothers, entraînant, fin 2008, la suppression brutale de cinquante mille emplois dans la finance à la City, n'a pas provoqué l'exode majeur escompté. Hormis les financiers qui travaillaient dans le domaine spécifique des fonds spéculatifs et ont filé à l'anglaise vers la Suisse, la plupart des Français ont préféré faire le gros dos en attendant des jours meilleurs. Ils ont pris goût à ce « je-ne-sais-quoi » de très *british*, loin de l'image compassée du buveur de thé.

SURVIVAL OF THE FITTEST[4]

S'il faut, selon la théorie darwinienne – *survival of the fittest* oblige – travailler dur et en vouloir pour se faire une place au soleil à Londres, tout semble possible à cette jeunesse exilée, qui déplore les hiérarchies sclérosantes du monde professionnel français : des patrons qui ne délèguent pas, ne dialoguent pas. Londres, par contraste, individualiste et libérale, apparaît comme une société où chacun a voix au chapitre et… a sa chance.

4. La loi du plus fort.

LA MÉLODIE DU BONHEUR

La capitale britannique, multiculturelle, multiethnique, qui a hébergé tous les refuzniks de la terre sans se proclamer patrie des droits de l'homme, a conservé son ouverture sur l'univers et sa tolérance. Ses habitants sont décrits comme moins agressifs, plus respectueux que les Parisiens – ce qui n'est pas très difficile… Les *Londoners* sont sans doute plus doués pour le bonheur. Dans sa première enquête datée de 2011 (*le Mystère du malheur français : la dimension culturelle du bonheur*), Claudia Senik, professeur à la Sorbonne et à l'École d'économie de Paris, mettait en lumière un mal spécifique aux Français : une « inaptitude à se dire aussi heureux qu'ils le devraient ».

LONDON CALLING

Londres est devenu le premier bassin d'emploi recruteur de jeunes Français de l'Hexagone. Aussi bien dans les domaines de la restauration que du commerce, de la communication, des services, de l'industrie, de la construction... Signe des temps, c'est le Français Arsène Wenger qui entraîne depuis 1996 l'équipe du prestigieux club anglais : l'Arsenal Football Club.

HAPPY FEET

Une morosité culturelle que la chercheuse attribue à un système scolaire qui n'encourage pas l'estime de soi et que l'on retrouve chez les expatriés français, moins heureux que les autres, quand les Anglo-Saxons demeurent d'irréductibles optimistes. « Un pessimiste, dit Winston Churchill qui parle en connaissance de cause, voit la difficulté dans chaque opportunité, un optimiste voit l'opportunité dans chaque difficulté. »
Et si c'était cela, cet optimisme viscéral et cette pudeur toute britannique, laquelle consiste à ne pas faire étalage de son blues, que les *Frenchies* venaient chercher à Londres ?

Les célébrations de l'Entente cordiale… pas trop cordiales !

« Mais qu'est-ce qu'elle me veut de plus, la ménagère, mes c… sur un plateau ? » C'est avec ce cri du cœur que Jacques Chirac s'exaspère de l'intransigeance de Margaret Thatcher lors des négociations sur la Politique agricole commune à Bruxelles, en 1988. *Bad luck* (pas de chance), son micro est resté ouvert…

BULLIT

Après cette entrée tonitruante sur la scène politique européenne, « Chichi » devenu président de la République française continuera sur sa pétaradante lancée en ne perdant jamais une occasion de chatouiller la susceptibilité anglaise, très vite mise à l'épreuve, un an plus tard en 1996, avec le scandale de la vache folle. L'annonce de la possible transmission à l'homme de la maladie jusque-là quasiment circonscrite au cheptel de Grande-Bretagne heurte de plein fouet l'orgueil national *Briton*. Loin de respecter le silence poli qui s'impose, Jacques Chirac, comme à son habitude,

met les pieds dans le plat. Le voilà qui, lors d'une visite à Londres, clame dans un *fluent English* sa préférence pour la tête de veau, tout en restant bien trop évasif quand un journaliste anglais lui propose de remplacer le péché mignon élyséen par le *royal roastbeef*...

MÉLODIE EN SOUS-SOL

Oublieux des états d'âme des Britanniques, l'exécutif français maintient durablement l'interdiction de 1996 d'importation vers l'Hexagone de leur viande de bœuf. Durant toute la période, une petite musique lancinante et culpabilisatrice se fait entendre de France. Dès qu'ils ont traversé la Manche, les touristes *froggies* se découvrent végétariens ; leurs enfants sont privés de bonbons contenant de la gélatine, fabriquée à partir d'os de bœuf. Des responsables d'une chaîne de restaurants spécialisée dans la viande grillée sont jetés comme des malpropres en prison, au prétexte que du bœuf britannique sous embargo a été servi à leurs clients. Quant aux médias, ils instrumentalisent une opinion publique apeurée et sujette à une nouvelle poussée d'anglophobie, en évoquant l'implication de l'armée britannique dans un supposé trafic de viande de contrebande...

STONE AGE, L'ÂGE DE PIERRE

Alors que la Grande-Bretagne pense tourner la page de la vache folle, en 2001 une nouvelle crise sanitaire replace l'île à la une des journaux télévisés européens, et surtout français. Accablés par le destin, les sujets de Sa Majesté se mettent à compter, impuissants, les carcasses de leurs moutons atteints de fièvre aphteuse. Une méthode efficace pour éradiquer le mal, mais pas pour lutter contre les insomnies.
Les *Frenchies* profitent de la nouvelle déconfiture de leurs *sweet*

enemies pour faire de leurs malheurs un symbole : celui du déclin de la Grande-Bretagne, minée par l'ultralibéralisme thatchérien, contre-modèle politique de l'interventionnisme éclairé français. À l'heure où la carte d'identité n'a toujours pas été inventée outre-Manche, les Français commencent à s'agacer de voir les demandeurs d'asile du monde entier rejoindre Sangatte, préférant le Moyen Âge anglais à la patrie des droits de l'homme.

SENSE AND SENSIBILITY[1]

Pour le Premier ministre de Sa Majesté, Jacques Chirac commet, en clamant sa préférence pour la tête de veau en plein scandale de la vache folle, une maladresse impardonnable. John Major s'offre alors une tribune dans *le Figaro* du 20 juin 1996. Il y rappelle qu'outre ses conséquences sur les six cent cinquante mille emplois de la filière bovine de son pays, la crise sanitaire en cours heurte aussi la sensibilité de son peuple. Car, écrit-il, le rôti de bœuf, avec la mer, est ce que chérissent le plus ses compatriotes.

JACK, LE VENGEUR MASQUÉ

Qu'à cela ne tienne, leur président les vengera. En catimini, Jacques Chirac parvient en octobre 2002 à persuader son homologue allemand, Gerhard Schröder, de la nécessité de maintenir les aides européennes en l'état, pour faire en sorte de préserver les intérêts des bénéficiaires existants de la Politique agricole commune. En outre, il lui suggère l'idée suivante, qui est pourtant en totale opposition avec le credo des Anglais, très attachés à faire du Vieux Continent une zone de libre-échange : limiter l'accès au travail en Europe occidentale pour les citoyens issus des pays fraîchement entrés dans l'Union.

Le « modèle français » régulateur a le vent en poupe ; Chirac se vante auprès de son électorat des profits qu'il a su retirer de ses échanges avec ses amis allemands. Il n'en faut pas plus

1. Roman de Jane Austen traduit en français par *Raison et Sentiments*.

au Premier ministre britannique, Tony Blair, pour prendre la mouche.

FRENCH BASHING

Le locataire du 10 Downing Street depuis 1997 est-il aussi fâché qu'il en a l'air ? Pas si sûr, soutient Toby Helm du journal conservateur *The Daily Telegraph* le 15 mars 2003. Empruntant à la tradition zolienne – sa tribune est intitulée « J'accuse ! » –, il révèle son analyse : les phrases assassines que le travailliste Tony Blair multiplie à l'encontre de Jacques Chirac ne sont qu'un stratagème pour se faire bien voir des électeurs. La méthode, bien qu'antédiluvienne (ce qui n'est pas peu dire pour un pays où il pleut si souvent), n'en demeure pas moins toujours aussi efficace.

« *TEFLON TONY* » CONTRE LE « VER DE TERRE »

Celui que l'on surnommait encore il y a peu « Bambi » au sein du parti travailliste, se façonne en son pays et grâce à la France une nouvelle image d'homme à poigne.
Face à l'injustice, en l'occurrence les insinuations françaises présentant la Grande-Bretagne comme le « caniche de Bush », il entend répondre à l'intervention vibrante du 14 février 2003 de Dominique de Villepin devant l'ONU en pointant du doigt la lâcheté légendaire des *Froggies*, seule explication plausible au refus français de la guerre en Irak. *« Teflon Tony »*, le super-héros inoxydable, montre de quel bois il se chauffe. Quant à son adversaire, Jacques Chirac, c'est le tabloïd *The Sun* qui se charge de lui trouver un sobriquet : *« The Worm »*, le ver de terre.

LE SAVIEZ-VOUS ?

Le 13 décembre 2001, Paris est condamné pour embargo illégal sur la viande bovine anglaise par la Cour de Justice européenne. C'est donc de bien mauvaise grâce, et parce qu'ils se sont fait taper sur les doigts, que les *Frenchies* mettent fin, l'année suivante, au supplice des Anglais en acceptant de nouveau leurs steaks de bœuf !

BRAINSTORMING

Quand, l'année suivante, vient le moment de célébrer le centenaire de l'Entente cordiale (1904), le traité considéré comme l'acte fondateur de la nouvelle amitié franco-britannique, les Français espèrent enterrer pour l'occasion la hache de guerre. Pour rendre dignement hommage à l'entreprise initiée par Édouard VII, le grand-père francophile d'Élisabeth II, on s'active à Paris où il est prévu d'organiser la première visite officielle à laquelle participera la reine d'Angleterre en personne. Une seconde visite à Londres, celle du chef d'État français, est prévue dans la foulée.

L'Hexagone ne doit-il pas trouver un nouvel allié pour renforcer le tandem qu'il forme avec l'Allemagne au niveau européen ? Quant à l'Angleterre, qui a perdu pied sur le continent après les crises sanitaires qui l'ont décrédibilisée, elle a besoin de saisir la main tendue par ses ennemis héréditaires.

L'ENTENTE PLUVIALE

Alas, cet enjeu échappe complètement à la presse anglaise. Ainsi, même le très sérieux *The Guardian* voit en ces célébrations de l'Entente cordiale l'occasion toute trouvée pour ressortir des

placards de l'Histoire la liste à la Prévert des vieilles rancœurs : de la menace de veto toute récente de la France au Conseil de sécurité des Nations unies jusqu'au débarquement hostile de Guillaume le Conquérant en 1066, en passant par l'ingratitude de De Gaulle, le camp de réfugiés de Sangatte ou encore l'affaire de l'embargo illégal sur la viande bovine britannique…
Et, puisque la météo parisienne en ce mois d'avril 2004 est exécrable, l'*Independent* ne boude pas son plaisir en se fendant dans sa une d'un jeu de mots *in french in the text* : « L'entente pluviale ».

MADAME EST SERVIE

C'est à peine si les Français, occupés collectivement à surveiller que les petits plats soient bien dans les grands, relèvent ces plaisanteries révélatrices de la mauvaise humeur anglaise. Pour sa quatrième visite officielle en France, la reine d'Angleterre a souhaité « quelque chose d'original ». Elle va être servie…
Dès sa descente de l'Eurostar, une odeur de cucurbitacée est diffusée dans la gare du Nord. Une fragrance inattendue qui soulève l'indignation à peine masquée du *Daily Express* : que penser d'une visite que l'on entame en marchant comme « dans une énorme tranche de melon » ?

LA COUSINE DE PROVINCE

Pas grand-chose, sans doute, si ce n'est que le coup d'envoi pour une compétition de *French bashing*, ce sport avec lequel les *Britons* viennent de renouer avec boulimie, vient d'être donné. Et leurs journaux, ignorant superbement la portée symbolique de la commémoration de l'Entente cordiale, vont s'en donner à cœur joie. Premier sujet des commentateurs politiques, tout en *self congratulation* : le manteau blanc cassé de la reine, très à l'aise, qui donne aux *Froggies*

une leçon de style et de bon goût. À ses côtés, Bernadette Chirac, vêtue de blanc comme son invitée (*how dare she!* – comment ose-t-elle!), a un petit je-ne-sais-quoi, selon *The Daily Express*, d'une « assistante dentaire », affublée en plus d'un chapeau porté de travers! Voici la première dame de France reléguée au rang de la cousine godiche de province. Ce qui d'ailleurs, soulignent les généalogistes, n'est pas complètement faux puisque Bernadette et Élisabeth sont parentes éloignées...

« AH! ÇA IRA, ÇA IRA, ÇA IRA... »

Autre sujet à controverse pour le très conservateur *Daily Telegraph*, le seul quotidien à consacrer sa première page au centième anniversaire de l'amitié franco-britannique: les *ceremonial matters*. Là encore, le protocole français en prend pour son grade. *How scandalous*, le lieu choisi pour l'accueil par le couple présidentiel du prince Philip et de sa royale épouse est la place de la Concorde! Faire venir une tête couronnée sur les lieux où Louis XVI et Marie-Antoinette ont perdu la leur, quelle idée saugrenue, n'est-il pas? Mais ce n'est rien en comparaison du comportement de Jacques Chirac, qui, une fois de plus, va faire peu de cas des interdits protocolaires.

« BAS LES PATTES! »

Alors que l'étiquette interdit à quiconque de toucher *The Queen*, le président français galant, comme tout *Frenchy* qui se respecte, n'hésite pas à effleurer le dos de la reine pour lui indiquer le chemin au cours de la cérémonie organisée sur la place de la Concorde. « Bas les pattes! » s'exclame *The Daily News* tandis que le courroux du *Sun* fait passer Jacques Chirac du statut peu enviable de « ver de terre » à celui, encore plus déplorable, de « mille-pattes »...

Comment la France a perdu les jeux Olympiques de 2012

Après s'être longtemps affrontés sur le champ d'honneur, les ennemis de toujours se retrouvaient en 2005 pour un ultime (?) combat singulier : qui de Paris ou de Londres décrocherait les jeux Olympiques de 2012 ?

DON'T COUNT YOUR CHICKENS (BEFORE THEY HATCH)[1]

« Les jeux Olympiques antiques étaient une manifestation religieuse, écrivait le sociologue Paul Yonnet, et aujourd'hui, pour être profanes, les grands événements sportifs touchent aussi au sacré en ce qu'ils rendent "visible" une société, c'est-à-dire le sentiment

1. Il ne faut pas vendre la peau de l'ours avant de l'avoir tué.

d'appartenir à une collectivité et à son histoire. » Bref, le sport, c'est la guerre en démocratie. La bataille entre les rivaux séculaires allait se révéler âpre. Alors que les Anglais et leur légendaire prudence décidaient de ne pas compter leurs poussins avant qu'ils aient éclos – *don't count your chickens (before they hatch)* dit le bon sens populaire anglais –, les Français, plumes gonflées, montés sur leurs ergots, se voyaient déjà organiser dans leur capitale les jeux Olympiques d'été de 2012.

FIGHT CLUB

Pour mettre toutes les chances de son côté, Paris ne lésine pas sur les moyens, et, sans perdre de temps, les *Frenchies*, vendant la peau de l'ours avant de l'avoir tué, s'empressent de faire dessiner et imprimer à quatre millions d'exemplaires des timbres-poste aux couleurs de « Paris 2012 ».
De l'autre côté de la Manche, les *Britons* observent du coin de l'œil leurs rodomontades. Une fois Madrid et New York éliminées – *God damned !* –, les *Froggies* sont donnés grands favoris.

LE VILLAGE GAULOIS

L'équipe française chargée de soutenir l'ambition olympique de Paris regroupe des personnalités aussi diverses que variées : Arnaud Lagardère, le patron du groupe éponyme, Jean-Claude Killy, légende du ski alpin et membre du Comité international olympique (CIO), Bertrand Delanoë, le maire de Paris, l'ex-médaillé olympique en sabre et ministre UMP Jean-François Lamour et même un haut fonctionnaire issu de la prestigieuse école de l'ENA à la coordination du lobbying tricolore…
Les hautes et fortes personnalités de la *dream team* française, à force de vanter les mérites du « village » (gaulois), poussent

la métaphore jusqu'à rejouer les scènes de bagarre qui font le sel des aventures d'Astérix et Obélix. Au point que, presque six mois avant les échéances, Alain Mercier, dans son livre *JO 2012, Paris perdu*, rapporte que certains des membres du comité français ont tout bonnement cessé de s'adresser la parole.

LE SAVIEZ-VOUS ?

Quand Paris postule pour accueillir les jeux Olympiques 2012, la ville ouvre grand son portefeuille et ne se montre pas avare. Avec un budget de cinq millions d'euros, le cinéaste Luc Besson a carte blanche pour rendre la candidature française sexy.

FIRST IS FIRST, SECOND IS NOWHERE

Pendant ce temps, l'équipe londonienne se resserre autour de son leader naturel, Sebastian Coe. L'ancien champion d'athlétisme quatre fois médaillé olympique reconverti dans la politique vient d'être appelé à la rescousse en grande urgence au printemps 2004, alors que les chances de Londres semblent compromises. Sa devise personnelle : « *First is first, second is nowhere* » : seul le premier compte, le deuxième n'est rien. Il est l'homme de la situation.

GROSSE FATIGUE

À la veille de la décision finale, le camp anglais est démoralisé. Le dernier événement organisé par les Français le 5 juin 2005 pour mettre en valeur le projet hexagonal en a mis plein la vue au monde entier : « Tous ceux qui ont vu les images des Champs-Élysées, transformés le temps d'un week-end en piste d'athlétisme et parés d'une procession colorée d'athlètes, sont sans illusion »,

lit-on dans le quotidien *The Independent*, qui, déjà, prépare les Britanniques à la défaite.
Sur Trafalgar Square, hommage à la victoire de l'amiral Nelson qui mit en déroute la marine française, il ne reste plus aux *Britons* que leurs yeux pour pleurer et contempler l'horloge installée qui décompte cruellement les jours avant l'annonce du vainqueur et l'humiliation nationale.

ENGLISH BASHING

C'est alors, divine surprise, que Jacques Chirac, repris par ses vieux démons anglophobes, se lance ouvertement dans une campagne de dénigrement : « On ne peut pas faire confiance à des gens qui ont une cuisine aussi mauvaise » confie-t-il, secoué par un fou rire le 3 juillet 2005 à Svetlogorsk à ses homologues russe et allemand, Vladimir Poutine et Gerhard Schröder. Inutile de préciser de qui il parle, des Anglais, *of course*...

DIES IRÆ / JOUR DE COLÈRE

Cherie Blair, l'épouse du Premier ministre britannique, bondit sur l'occasion. Trois jours plus tard, lors de la soirée de présentation des candidatures pour les olympiades organisée à Singapour, la voilà qui, apercevant le président français, lui fait publiquement une scène. Pour se soustraire à cette furie, Jacques Chirac bat en retraite, avant même d'avoir pu défendre le dossier de Paris devant les membres du Comité international olympique.

LOW PROFILE

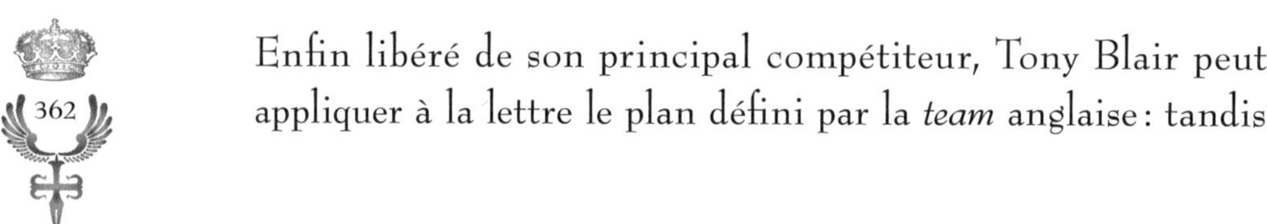

Enfin libéré de son principal compétiteur, Tony Blair peut appliquer à la lettre le plan défini par la *team* anglaise : tandis que Sebastian Coe rencontre un par un les membres du CIO, Tony Blair joue de son charme britannique, tout en humour et en autodérision. Les quatre petits films (douze minutes en tout), qui ponctuent leur présentation, donnent au duo un petit côté *low profile* (profil bas, discret) qui tranche avec l'arrogance des trente minutes à la gloire de Paris projetées par les Français.

« Le spectacle du monde ressemble à celui des jeux Olympiques : les uns y tiennent boutique ; d'autres paient de leur personne ; d'autres se contentent de regarder. »

Pythagore, *Fragments*

GREATER LONDON / GRAND PARIS

Conquis, les membres du comité olympique accordent au dernier tour du vote quatre voix d'avance à Londres, qui remporte – *hip, hip, hurray !* – la mise. La victoire du *Greater London* porte un coup fatal au Grand Paris. Ce projet de développement urbain cher au maire de la capitale française, censé réconcilier Paris et sa banlieue et moderniser ses infrastructures, ne va cesser – la crise aidant – d'être reporté.

CHAMBRE AVEC VUE

Écœuré, Bertrand Delanoë dénonce immédiatement les conditions suspectes dans lesquelles la victoire a été arrachée par les Anglais. Tony Blair n'a-t-il pas bénéficié, contrairement à Jacques Chirac, de quarante-huit heures pour faire la promotion de la candidature de Londres ? Comment qualifier la stratégie de lobbying britannique développée – prendre chaque membre du comité en tête à tête, *one-to-one* –, si ce n'est que cette méthode très efficace en matière de stratégie d'influence a été formellement proscrite pour l'occasion par le CIO ?
Le maire de Paris, ulcéré, profite du journal de *France 2* pour

déplorer la mort de l'esprit de l'olympisme et du fair-play et surtout dénoncer des allers et venues « dans la chambre d'hôtel du Premier ministre britannique »: des entretiens prévus qui n'auraient jamais dû avoir lieu... Le reste du monde s'accorde à saluer la performance des Anglais et leur légendaire savoir-faire en matière de lobbying. Si les médias anglais sont à la fête et ne relèvent même pas la polémique, la presse et la télévision parisiennes sont aux aguets.

SEVEN YEARS BAD LUCK[2]

Pendant les sept années de préparatifs qui les séparent des jeux Olympiques, les médias français vont tirer à boulets rouges sur les gentils organisateurs et leurs ratés : entre les quatre cent cinquante Londoniens expulsés de chez eux pour les besoins de la construction du site olympique, l'installation d'un dispositif antimissile dans une zone résidentielle sans en avoir informé les riverains, et l'opération cosmétique menée par la ville pour chasser de ses murs les pauvres que l'on ne saurait y voir, les occasions ne manquent pas.
L'opinion publique britannique, choquée, découvre petit à petit ce qui se cache derrière les mots pudiques de « zone de dispersion » employés par les pouvoirs publics : les Abribus de la ville sont dotés de bancs sur lesquels on ne peut s'étendre, les jardins ouvriers sont vidés de leurs éventuels squatteurs et les maisons closes mises sous haute surveillance par les services de l'hygiène.

UN ÉTÉ DE CHIEN

La presse hexagonale ne boude pas son plaisir, et c'est avec une joie non dissimulée qu'elle rapporte les carences de la rénovation du

2. *Sept ans de malheur*, film de Max Linder (1921).

réseau de transports de la capitale britannique, point faible de sa candidature devenue son point fort depuis que le CIO y a vu une opportunité de laisser un « héritage urbain » à la population. Et lorsque les cinq météorologues engagés pour scruter le ciel de la capitale anglaise recommandent au début du mois de juillet l'achat en urgence de deux cent cinquante mille ponchos anti-pluie, les *Frenchies* s'estiment presque déjà vengés…

LARGUEZ LES AMARRES !

Pour parachever le dispositif cache-misère mis en place avant les jeux Olympiques, Londres multiplie par dix le prix de l'amarrage des péniches sur la rivière Lea, un affluent de la Tamise, histoire de décourager les moins *bankable* d'y rester !

LA REVANCHE EST UN PLAT QUI SE MANGE FROID

Et quand, une fois les Jeux 2012 achevés, Tessa Jowell, la ministre britannique chargée de leur organisation, déclare publiquement que si c'était à refaire, on ne les y reprendrait pas, les Français boivent du petit lait. Quoi de plus réjouissant que d'apprendre que la vente du village olympique, qui devait être converti en quelque trois mille cinq cents logements, est bien moins juteuse que prévue en raison de l'effondrement du prix de l'immobilier ? Quant aux dépenses de onze milliards et huit millions d'euros engagées par le Royaume-Uni pour l'organisation de ses olympiades, elles n'ont pas fini, dans le contexte de crise économique, de donner des regrets aux contribuables britanniques. L'échec de la candidature française passerait presque pour *a blessing in disguise*, un mal pour un bien. À moins que ce ne soit une façon de *bury one's head in the sand* (enterrer sa tête dans le sable) ? Comment dit-on en français déjà… pratiquer la politique de l'autruche ?

Insults fly, les noms d'oiseaux volent bas

Dans la France de 1656, un bruit court : Cromwell et les Anglais vont faire la guerre à la France. Il n'en faut pas plus au jeune poète Boileau pour agonir d'injures le peuple d'à côté, dans une ode que certains ont pu voir comme la lointaine ancêtre de *la Marseillaise*. « Peuple aveugle en son crime » d'avoir assassiné son roi, composé de « parricides » et de « sanglants ennemis des lois » : rien n'est assez dur pour qualifier les velléités que pourrait avoir l'Angleterre d'attaquer les côtes de France.

ANATHÈME

L'insulte, comme la moutarde, monte facilement au nez du Français. La rancœur ne faiblit pas avec le temps. À près de deux siècles de distance, quand ce n'est pas le passé politique du pays qui est dénoncé, c'est le nom de Cromwell lui-même qui voit

sa mémoire salie par la voix de Lamartine, le député poète. « Le nom de Cromwell, annonce-t-il dans sa biographie, a signifié jusqu'ici ambition, astuce, usurpation, férocité, tyrannie ; nous croyons que sa véritable signification est fanatisme. » L'anathème est jeté sur celle que l'on ne nomme pas encore « perfide Albion ». Mais il faut reconnaître aussi que, de l'autre côté de la Manche, dans les mêmes années, le Britannique fier de sa monarchie parlementaire n'est pas tendre avec le peuple voisin querelleur et impulsif : Thomas Carlyle note fielleusement que « la France fut longtemps d'un despotisme tempéré par des épigrammes. »

LES POISSONNIERS DU PALAIS BOURBON

Si les élus (et parfois les élues) français sont si forts au lancer de piques, c'est qu'ils… s'entraînent beaucoup entre eux, à la grande stupéfaction des Anglais ! *Doubly incredible* (tout à fait incroyable), cette manie des parlementaires *froggies* de s'injurier dans l'hémicycle sans risquer la censure du président de séance, tout comme la tolérance, voire l'amusement, de l'opinion publique pour leurs écarts langagiers !

UNE ASSEMBLÉE DE CHARRETIERS

D'autant qu'en France, aucune discipline de parti n'intervient pour relever le niveau. Les coups pleuvent de partout, y compris de la gauche communiste, à l'époque où elle était « le premier parti de France » déterminé à faire triompher la morale populaire. C'est ainsi qu'en novembre 1948, le ministre socialiste de l'Intérieur Jules Moch, après avoir fait réprimer avec force l'été précédent des grèves insurrectionnelles menées avec la bénédiction de la CGT et du PCF, se venge en séance publique

en dénonçant la domiciliation des comptes du parti communiste dans une banque très proche de Moscou… Une bordée d'injures fuse alors des bancs situés à l'extrême gauche de l'hémicycle, et les dirigeants historiques ne sont pas les derniers à vociférer : « canaille », « misérable », lui lance Jacques Duclos ; Florimont Bonte le traite carrément de « salaud » ; quant à Maurice Thorez et Arthur Ramette, ils lui attribuent le nom infamant « d'assassin ».

ÉPÉES POINTUES ET FLEURETS MOUCHETÉS

On ne s'étonnera donc pas que les hommes politiques français puissent en venir aux mains, ou aient même parfois recours à des procédés d'un autre temps – comme le duel ! Oh, dormez tranquilles, braves gens, cela fait presque une cinquantaine d'années que ce n'est pas officiellement arrivé.
Mais qui aurait pu croire que, dans la société moderne qui émerge sous le règne du président de Gaulle, le député de droite René Ribière puisse défier le socialiste Gaston Deferre à l'épée parce que ce dernier, las d'être interrompu dans son discours à la tribune, lui avait lancé au passage un ferme et définitif « taisez-vous, abruti » ?

AU-DESSOUS DE LA CEINTURE

Mais bien mal a pris à l'offensé de choisir cette arme. C'est le maire de Marseille qui sort finalement vainqueur du combat : lui qui avait été champion d'escrime dans sa jeunesse blesse par deux fois son

adversaire. Encore celui-ci s'en sort-il bien car Deferre a manqué son but avoué : toucher son adversaire de telle sorte qu'il ne puisse pas consommer son mariage, prévu quelques jours plus tard…

> **LA HAINE**
> Cette ambiance électrique au Parlement renaît de temps à autre jusqu'à nos jours, comme en cette séance mémorable de questions au gouvernement du 20 juin 2006. Ce jour-là, en réponse à un François Hollande pilonnant à l'arme lourde l'action des ministres, Dominique de Villepin, alors premier d'entre eux, semble perdre son *self-control* et accuse le chef de file socialiste de « lâcheté » à trois reprises, dans un chahut indescriptible des bancs de gauche que le président Jean-Louis Debré peine à faire cesser.

THE WHITE GLOVE TREATMENT[1]

De l'autre côté de la Manche, à cette date, on ne tire plus l'épée, le sabre ou le pistolet depuis bien longtemps. Le dernier duel connu impliquant un homme politique britannique date de 1815 : il oppose John D'Esterre au chef de file irlandais Daniel O'Connell. Celui-ci ne se remettra d'ailleurs pas de la mort de son adversaire : on le verra toujours porter un gant blanc aux cérémonies religieuses en mémoire de sa disparition, et il refusera tout autre combat de ce genre.

FIGHT CLUB

Aussi est-il significatif que le dernier duel politique à se dérouler en 1852 sur la terre d'Angleterre oppose… deux Français. L'un figure parmi les principaux organisateurs du coup d'État de Louis Napoléon Bonaparte (futur Napoléon III) le 2 décembre 1851 et l'autre a dû s'exiler à la suite de cet événement. Depuis lors, rien à signaler chez les *Britons*. Respect des lois, force des préceptes religieux ; sans doute l'insulte outre-Manche est-elle amortie par la coutume et les convenances sociales.

1. Traitement de première classe.

THE CLASH

À la Chambre des communes, on ne saurait trouver de séance aussi truffée d'injures que celles que l'on a pu voir à la Chambre des députés, pour une (ou deux) bonne(s) et simple(s) raison(s) :

1- il est inconvenant de s'adresser directement à un autre membre du Parlement, notamment à un adversaire politique, dans le cadre d'un débat. En effet, il faut passer par le *speaker*, le président de la Chambre, et ferrailler en quelque sorte de manière indirecte avec son contradicteur ;

2- il est dans les habitudes pour les débats d'utiliser une circonlocution, agréable et polie, pour évoquer un autre membre. Cela arrange bien des choses, et permet notamment aux parlementaires britanniques de surfer avec habileté sur la vague de l'insulte sans tomber dedans – ce qui serait *unparliamentary* et donc *shocking* – et de peaufiner cet art national de l'*understatement*. Tout à Londres se passe à « fleuret moucheté », comme ce mémorable 16 avril 1848…

ZONZON

Lorsque le chef de file du mouvement chartiste démocratique et social, Feargus O'Connor, s'embrouille dans sa démonstration, un autre député, Cripps, en profite pour attaquer son « honorable collègue » et le juger « indigne de confiance ». Le ton monte, O'Connor s'emporte, mais au lieu d'insulter son adversaire, il s'emploie à fournir des explications avec la brièveté que lui dicte sa colère. Il s'adresse à la Chambre et à ses organes, et termine assez mystérieusement en disant qu'il s'éclaircira à titre personnel hors de la Chambre. Sur ces mots, il file à l'anglaise hors de l'enceinte des débats, le comble pour un Irlandais !

Personne n'a alors compris le sens de ses dernières paroles :

va-t-il provoquer Cripps en duel ? se suicider ? Par précaution, le *speaker* délivre l'équivalent d'un mandat d'amener pour ramener le « fuyard » afin qu'il s'explique. Mais O'Connor résiste aux hommes d'armes. Il devra passer par la case prison du Parlement (sans y gagner vingt mille livres) avant de revenir le soir même, dans la salle des Communes, calmer le jeu et faire assaut d'excuses circonstanciées à son adversaire.

> « Tant qu'on fait rire, c'est des plaisanteries. Dès que ce n'est pas drôle, c'est des insultes. »
>
> Coluche

MEETING POINT

Si l'arène politique britannique est si policée, c'est que les sujets de Sa Majesté ont d'autres lieux pour donner libre cours à leurs « amabilités verbales ». Ce n'est pas vraiment la rue (on manifeste relativement peu outre-Manche, et l'on reste souvent poli au volant), mais plutôt la réunion publique – le *meeting*, institution politique omniprésente très mal connue en France qui est le lieu de prédilection de l'insulte. En témoigne, en 1833, le baron français d'Haussez, ex-ministre de la Marine du roi Charles X : « C'est là qu'en un style digne de l'auditoire, [les orateurs] soumettent leurs propositions, en les appuyant par les discours les plus exaltés, les assertions les plus fausses, et tous les genres d'injures. »

FRENCH LÉGÈRETÉ

Nonobstant, la palme de l'insulte politique revient naturellement aux *Froggies* quand ils évoquent leurs homologues les Rosbifs. *And the winner is*... Jacques Chirac, en marge du sommet européen de 1988 et à propos de Margaret Thatcher : « mais qu'est-ce qu'elle me veut de plus, la ménagère, mes c... sur un plateau ? »

French kissing : appeler un chat un chat, voire une pelle une pelle... [1]

Hip, hip, hurray ! La France a enfin un mot pour désigner le *French kiss*, ce baiser dit « profond » ou « avec la langue », que l'on doit aux échanges salivaires des GI avec les Françaises effrontées à la Libération. Le verbe « galocher » est officiellement entré dans l'édition 2014 du *Petit Robert* en mai 2013, embrasant, des tabloïds aux *quality papers*, une presse britannique, qui ne sait plus à quelle... chaussure se vouer.

SHOE BUSINESS

Étymologiquement, le terme « galoche » ferait, selon les journaux, référence au sillon que la chaussure de patinage laisserait en creusant la glace avec obstination... Ne dit-on pas « rouler un patin » ? Les Anglais

1. *To call a spade a spade* : littéralement « appeler une pelle une pelle », à traduire par « appeler un chat un chat ».

auraient-ils mal compris les explications de la directrice des éditions au téléphone ? ironisait *le Courrier International* du 31 mai 2013. Il semblerait, d'après plusieurs sources, que le « patin » en question soit le substantif tiré du verbe « patiner » qui, au début du XXe siècle et en langue verte, signifiait « caresser (une partie sensible du corps du partenaire pour provoquer l'excitation sexuelle) », d'où la « galoche » qui en argot signifie « bécot »...

ON THE TIP OF THE TONGUE, SUR LE BOUT DE LA LANGUE

L'occasion aussi d'apprendre que ce *French kiss* permet, comme tous les baisers, de booster notre fabrique de sérotonine, anxiolytique naturel, et de transmettre, selon le *New Scientist*, notre patrimoine génétique... pendant une heure, ce qui le rend sans doute, « bactériellement parlant », moins dangereux qu'une poignée de main !

SOCIAL KISSING, QUAND LA BISE FUT VENUE

Peut-être est-ce là l'une des raisons pour laquelle les Anglais ont, depuis une dizaine d'années, remplacé leur rigide *handshake,* littéralement « secouage de main », par le *social kiss*, la bise ? La spécialiste du langage du corps britannique, Judi James, citée par le journaliste Jon Henley[2] du *Guardian*, évoque pour justifier cette mutation transgénique « une approche plus personnelle, plus intime et instantanée » d'autrui dans la société anglaise...

2. Édition du mardi 5 août 2008.

LE BAISER RÉVOLUTIONNAIRE

Comment les Anglais, qui cantonnaient le *social kissing* à la sphère de l'intime ou à celle des milieux du spectacle et de la mode depuis les années 20, se sont-ils mis à la « bisouille » ? À quoi attribuer cette « promiscuité orale » ? s'interrogeait le *Guardian*. À la féminisation des lieux de travail ? À l'effondrement des formalités ou à cette urgence qui nous étreint jusque dans la manière d'établir des relations toujours plus vite ? L'effet de l'Eurostar a sans doute incité nos chers voisins, par exemplarité et par capillarité, à s'adonner à ce sport hexagonal qu'est la bise. Les Anglais aux lèvres pincées (*stiff upper lip*) en auraient-ils profité, non volens, pour abolir les frontières entre les différentes classes sociales ?

Savent-ils que la bise, remise au goût du jour par la Terreur de Robespierre, est révolutionnaire ? Mesurent-ils qu'elle définit concrètement l'égalité entre les hommes quelles que soient leurs origines et qu'en ces temps de tolérance zéro, l'aristo qui la refuse se dévoile et risque l'échafaud ?

EMBRASSEZ QUI (CE QUE) VOUS VOUDREZ

Avant la chute de la monarchie, la bise avait toujours été très codifiée socialement, comme l'écrit le blogueur Jerry Anderson. Au Moyen Âge, on embrassait sur la bouche celui qui était son égal, furtivement sur la joue la personne légèrement inférieure. Et celui qui vous était totalement inférieur était condamné à embrasser votre heaume, ou vos pieds, ou vos bottes, d'où l'expression consacrée dans les deux langues de « lèche-bottes »,

boots licker. Il convenait d'embrasser le pied du pape, d'embrasser la bague du roi. Le manant et le prisonnier, quant à eux, en étaient réduits à baiser le sol.

XXX !

Outre la distinction sociale qu'il établissait, renchérit Sadie Mercier dans son blog, « le baiser était également le signe de la confiance établie entre les différents seigneurs et leurs vassaux. » Les chevaliers s'embrassaient pendant les tournois et recevaient un baiser de la personne dont il assurait la protection en remerciement de leurs bons et loyaux services. À une époque où peu de gens savaient écrire, le baiser était également utilisé pour sceller un accord. Pour entériner le deal, on signait avec une croix qui est devenue le « X » encore utilisé par les Anglo-Saxons dans leurs correspondances écrites pour symboliser les baisers.

KISS

Les *Britons*, selon le *Guardian*, seraient devenus graduellement et à leur insu des... « *effusive (social) kisser* », des inconditionnels de la bise. La preuve, argumente le journal : l'organisme chargé de promouvoir les relations commerciales entre Londres et New Delhi juge nécessaire de mettre en garde les *businessmen* anglais tentés de faire la bise à leurs hôtes du Sous-continent indien, réfractaires au bécot sur la joue !

KISSCOOL

La bise a perdu son caractère contractuel dans l'Angleterre du XVIIIe siècle à la faveur de la poignée de main virile tandis que le baiser entrait peu à peu dans la sphère de l'intime. Les épidémies de peste oubliées, avec les progrès de la dentisterie et l'amélioration de l'hygiène buccale – qui aurait voulu embrasser Jacquouille la fripouille ? – il se chargeait soudain d'érotisme.

KISS OF DEATH[3]

La bise restait elle aussi une affaire privée entre amis, et était toujours considérée comme assez répugnante, note Jon Henley, sauf dans les tranchées de la Première Guerre mondiale, où les soldats britanniques prendront l'habitude de s'embrasser sur les joues pour se donner du courage avant les combats. Il faudra attendre les années 60 et l'époque hippie pour que, débarrassé des inhibitions, le *social kiss* fasse son come-back en Angleterre. Depuis une dizaine d'années, presque tous les Anglais s'y sont mis avec boulimie. Demeure la question complexe de l'étiquette de ce *social kiss*. Tempête sous un crâne *Briton* pour savoir quelle joue embrasser en premier ? Faut-il exercer une pression sur le haut du bras pour prévenir de l'assaut, dire à la française : « on se fait la bise ? », éviter le contact de la peau ?

COMBIEN DE BISES ?

Ce qui fut longtemps le cauchemar des petits correspondants anglais débarquant en France est devenu celui de toute une nation. De nombreux blogs répondent aux questions cruciales du qui-quand-comment et surtout combien. La plus délicate d'entre elles. Car si l'on « bisouille » avec parcimonie à Paris ou à Lyon, marquant ainsi sa supériorité, on tartine en Normandie avec quatre *pecks on the cheek*. Un Français, Gilles Debunne, a eu la bonne idée de dresser la carte des us et coutumes en matière de bécotage sur son site : « combiendebises. free. fr. »
Hélas ce site, fort utile pour les *native Frenchies* eux-mêmes perdus dans les subtilités du nombre de baisers, n'indique pas combien sont nécessaires pour transformer un *Froggy* mâle en prince charmant…

3. Le baiser de la mort.

« *Past is prologue* »[1] : le passé n'est qu'un prologue...

Lorsqu'en mars 2008, Nicolas Sarkozy indique sur les ondes de la BBC qu'il préfère le terme d'« Entente amicale » à celui « d'Entente cordiale », les Anglais croient s'étouffer en mangeant leur porridge. Le nouveau président français, en visite officielle à Londres, se fend également devant la Chambre des communes d'un discours rendant hommage aux alliés de l'aube que furent les Britanniques pendant la Seconde Guerre mondiale.

THE RAMPANT ANGLOPHILE

Fair-play, Nicolas Sarkozy se plie même de bonne grâce à une séance photo dans la galerie royale du Parlement. Il pose entre un tableau immortalisant la bataille de… Trafalgar et une représentation de la morne plaine de… Waterloo. Il ne semble pas non plus prendre ombrage d'être comparé par la presse anglaise à Napoléon Ier, eu égard

1. Expression tirée de *la Tempête* de Shakespeare.

à sa petite taille. Peut-être s'en amuse-t-il ? Le *Daily Telegraph* le surnomme *« the rampant Anglophile »* (l'anglophile rampant), marquant ainsi sa défiance vis-à-vis de celui qui était venu un an plus tôt saluer la dynamique communauté française de *London*.

LOVE AT FIRST BITE[2]

Peu à peu les médias anglais vont se prendre d'affection pour l'homme politique qui partage les valeurs libérales de la City. Son enthousiasme tranche singulièrement avec les sorties mordantes d'un Jacques Chirac. Celui que l'on surnommait « le ver » avait habitué les sujets de Sa Majesté à des échanges musclés et fleuris avec Tony Blair. Entre le refus français de faire la guerre en Irak (2003), la prise de tête de la PAC (2004) et l'attribution controversée des jeux Olympiques (2005), les sujets de discorde n'avaient pas manqué.

LOVE AT FIRST SIGHT[3]

Nicolas Sarkozy et Gordon Brown semblent prêts à faire table rase de ce passé aigre-doux : entre les deux dirigeants, *the feeling is mutual ! Unbelievable !* Le nouveau Premier ministre britannique va encore plus loin en évoquant une « Entente formidable »... La conjoncture se révèle particulièrement favorable à un rapprochement franco-anglais. « Les deux pays ont des intérêts communs (en particulier économiques) à défendre face à une politique européenne où l'axe franco-allemand a changé et où l'axe transatlantique anglo-américain n'est plus celui

2. Jeu de mots sur l'expression *« love at first sight »* (littéralement « amour au premier regard », coup de foudre) que l'on pourrait traduire par « amour à la première morsure ou au premier coup de dent ».
3. Coup de foudre.

qu'il a été sous l'ère Bush /Blair », précise la chercheuse CatherineHajdenko-Marshall.[4]

THE BIG LOVE

Et puis, contrairement à ses prédécesseurs, le président Sarkozy et son épouse Carla Bruni ne commettent pas d'impairs protocolaires auprès des têtes couronnées. Le couple Brown- Sarkozy saura, quant à lui, se montrer particulièrement efficace. Après avoir parlé d'une seule voix pour réguler le système bancaire àla suite de la crise de 2008, les dirigeants des deux pays réussiront à mettre en place une inespérée coopération navale dans le cadre de l'OTAN.

LOVE IS IN THE AIR

La météo est au beau fixe entre le Royaume-Uni et la France, et le ciel serait resté sans nuage si, brusquement, la question du port du voile n'était venue obscurcir l'horizon en 2009. Les Français jugent qu'il faut légiférer et les Anglais qu'il faut tolérer... Les médias britannique et français opposent deux conceptions de la religion : l'une communautariste et tolérante ; l'autre intégratrice et forcément laïque. Ces levées de boucliers auront au moins permis aux citoyens anglais et français de vérifier qu'ils n'avaient rien perdu de leurs différences.

THE PRICE OF LOVE I[5]

Les hostilités frontales reprennent de plus belle avec l'élection du socialiste François Hollande en mai 2012. Son projet de

4. « Les Britanniques et la France depuis 2007 : aux sources d'une nouvelle Entente cordiale ? », Catherine Hajdenko-Marshall, *Hérodote*, avril-juin 2010.
5. Le prix de l'amour.

taxer les riches provoque une réaction épidermique du Premier ministre conservateur anglais. « Quand la France instituera un taux de 75 % pour la tranche supérieure de l'impôt sur le revenu, nous déroulerons le tapis rouge, et nous accueillerons plus d'entreprises françaises, qui paieront leurs impôts au Royaume-Uni », avertira David Cameron au sommet du G20 de janvier 2012. Le tonitruant maire de Londres, Boris Johnson, ne manquera pas de surenchérir.

THE PRICE OF LOVE II

Si les attaques proférées à l'encontre de la France et des Français servent si souvent « d'exutoire face à une situation politique mondiale tendue », comme le souligne Catherine Hajdenko-Marshall, c'est que les relations entre Paris et Londres ont toujours été passionnelles et passionnées. Au total, neuf cents ans de liaisons tumultueuses et dangereuses, d'Hastings à l'Entente cordiale, avec des portes qui claquent, de la vaisselle cassée.
Il ne faut pas oublier que pendant trois cents ans, de 1152 à 1445, les rois anglais ont convolé en justes noces avec des reines françaises. Et comme chacun sait, les histoires d'amour finissent mal en général. Impossible de vivre ensemble, impossible de vivre l'un sans l'autre. C'est « Kramer contre Kramer », un divorce sanglant entre deux pays qui se sont tant aimés et qui ne perdent jamais une occasion de s'entre-déchirer.

HOP OFF YOU FROGS

Comme s'il était inconcevable de vivre le présent sans exhumer le passé qui fâche, à la moindre anicroche, les vieilles rancoeurs resurgissent toujours aussi vives et assorties d'un chapelet de reproches : « Veto au Conseil de sécurité des Nations unies, camp

de réfugiés de Sangatte, embargo illégal sur le boeuf britannique, *Hop Off You Frogs*, Charles de Gaulle, Azincourt, Waterloo, 1066 et tout ça », égrenait *The Guardian.* Car le couple franco-anglais s'est construit dans l'adversité, par un jeu de miroir réciproque, entre fascination et répulsion. Un amour-haine… éternel.

REMERCIEMENTS DES AUTEURES

À Alice et Benjamin, mes enfants, *lovely and lively*,
pour leur enthousiasme et leur patience.
À Michel Collin, mon *sweet* fiancé, pour son soutien inconditionnel
pendant ce merveilleux mois de juillet 2013 au bord de la Marne.
À Valérie et Andreas Whittham Smith, mes *dearest friends*,
pour qui j'ai eu envie d'écrire ce livre.
Catherine Monroy

Ce livre n'aurait jamais été le même sans le précieux concours de
Coco et Coco, de Guillaume (le Conquérant), de Sophie et Benoît,
de Tonton et Maggie, de François, de Sylvie, de William et Kate, de
Frédéric, de l'amiral Nelson, de Christophe,
de *Dirty Bertie* et d'Hervé.
Que trouvent ici l'expression de ma reconnaissance les professeurs
de la République qui m'ont donné le goût de l'Histoire.
Merci aussi à mes proches de m'avoir transmis leur tendresse
pour l'Angleterre et pour ses merveilleux auteurs.
Hélène van Weel

Imprimé en Italie par L.E.G.O. S.p.A., Lavis
Dépôt légal : octobre 2013
310873/01 - 11021271 - octobre 2013